P9-DFF-221

EDUARDO
GALEANO

PATAS ARRIBA

LA ESCUELA DEL MUNDO AL REVÉS

con grabados de
José Guadalupe Posada

España
México
Argentina

Primera edición: Siglo XXI de España Editores S.A., 1998

Primera edición de bolsillo, 2005

Cuarta impresión, julio de 2009

Texto, cubierta y diseño interior de Eduardo Galeano
Grabados del artista mexicano José Guadalupe Posada (1852-1913)

Menéndez Pidal, 3 bis, 28036 Madrid
www.sigloxxieditores.com

Diseño de cubierta:
Sebastián y Alejandro García Schnetzer

Diagramación:
Mari Suárez

Corrección:
Raquel Villagra

Impreso y hecho en España
Printed and made in Spain

ISBN: 978-84-323-1207-6
Depósito legal: S. 863-2009

Para Helena, este libro
que le debía.

Patas arriba tiene muchos cómplices. Es un placer denunciarlos.

José Guadalupe Posada, el gran artista mexicano muerto en 1913, es el único inocente. Los grabados que acompañan este libro, esta crónica, fueron publicados sin que el artista se enterara.

En cambio, otras personas colaboraron sabiendo lo que hacían, y lo hicieron con entusiasmo digno de mejor causa.

El autor empieza por confesar que no hubiera podido cometer estas páginas sin la ayuda de Helena Villagra, Karl Hübener, Jorge Marchini y su ratoncito electrónico.

Leyendo y comentando la primera tentativa criminal, también participaron de la maldad Walter Achugar, Carlos Álvarez Insúa, Nilo Batista, Roberto Bergalli, David Cámpora, Antonio Doñate, Gonzalo Fernández, Mark Fried, Juan Gelman, Susana Iglesias, Carlos Machado, Mariana Mactas, Luis Niño, Raquel Villagra y Daniel Weinberg.

Alguna parte de culpa, quien más, quien menos, tienen Rafael Balbi, José Barrientos, Mauricio Beltrán, Susan Bergholz, Rosa del Olmo, Milton de Ritis, Claudio Durán, Juan Gasparini, Claudio Hughes, Pier Paolo Marchetti, Stella Maris Martínez, Dora Mirón Campos, Norberto Pérez, Ruben Prieto, Pilar Royo, Ángel Ruocco, Hilary Sandison, Pedro Scaron, Horacio Tubio, Pinio Ungerfeld, Alejandro Valle Baeza, Jorge Ventocilla, Guillermo Waksman, Gaby Weber, Winfried Wolf y Jean Ziegler.

Y en gran medida es también responsable santa Rita, la patrona de los imposibles.

En Montevideo, a mediados de 1998.

¡Vayan pasando, señoras y señores!

¡Vayan pasando!
¡Entren en la escuela del mundo al revés!
¡Que se alce la linterna mágica!
¡Imagen y sonido! ¡La ilusión de la vida!
¡En obsequio del común lo estamos ofreciendo!
¡Para ilustración del público presente
y buen ejemplo de las generaciones venideras!
¡Vengan a ver el río que echa fuego!
¡El Señor Sol iluminando la noche!
¡La Señora Luna en pleno día!
¡Las Señoritas Estrellas echadas del cielo!
¡El bufón sentado en el trono del rey!
¡El aliento de Lucifer nublando el universo!
¡Los muertos paseándose con un espejo en la mano!
¡Brujos! ¡Saltimbanquis!
¡Dragones y vampiros!
¡La varita mágica que convierte
a un niño en una moneda!
¡El mundo perdido en un juego de dados!
¡No confundir con las groseras imitaciones!
¡Dios bendiga a quien vea!
¡Dios perdone a quien no!
Personas sensibles y menores, abstenerse.

(Basado en los pregones de la linterna mágica,
del siglo dieciocho)

Programa de estudios

Mensaje a los padres

Hoy en día, ya la gente no respeta nada. Antes, poníamos en un pedestal la virtud, el honor, la verdad y la ley... La corrupción campea en la vida americana de nuestros días. Donde no se obedece otra ley, la corrupción es la única ley. La corrupción está minando este país. La virtud, el honor y la ley se han esfumado de nuestras vidas.

(Declaraciones de Al Capone al periodista Cornelius Vanderbilt Jr. Entrevista publicada en la revista *Liberty* el 17 de octubre de 1931, unos días antes de que Al Capone marchara preso.)

Si Alicia volviera

Hace ciento treinta años, después de visitar el país de las maravillas, Alicia se metió en un espejo para descubrir el mundo al revés. Si Alicia renaciera en nuestros días, no necesitaría atravesar ningún espejo: le bastaría con asomarse a la ventana.

«Si usted decide entrenar a su perro, merece
una felicitación porque tomó la decisión
correcta. En poco tiempo, descubrirá que los
roles entre el amo y el perro están perfectamente claros.»
(Centro Internacional Purina)

La escuela del mundo al revés

- Educando con el ejemplo
- Los alumnos
- Curso básico de injusticia
- Curso básico de racismo y de machismo

Educando con el ejemplo

La escuela del mundo al revés es la más democrática de las instituciones educativas. No exige examen de admisión, no cobra matrícula y gratuitamente dicta sus cursos, a todos y en todas partes, así en la tierra como en el cielo: por algo es hija del sistema que ha conquistado, por primera vez en toda la historia de la humanidad, el poder universal.

En la escuela del mundo al revés, el plomo aprende a flotar y el corcho, a hundirse. Las víboras aprenden a volar y las nubes aprenden a arrastrarse por los caminos.

Los modelos del éxito

El mundo al revés premia al revés: desprecia la honestidad, castiga el trabajo, recompensa la falta de escrúpulos y alimenta el canibalismo. Sus maestros calumnian a la naturaleza: la injusticia, dicen, es ley natural. Milton Friedman, uno de los miembros más prestigiosos del cuerpo docente, habla de «la tasa *natural* de desempleo». Por ley *natural*, comprueban Richard Herrnstein y Charles Murray, los negros están en los más bajos peldaños de la escala social. Para explicar el éxito de sus negocios, John D. Rockefeller solía decir que *la naturaleza* recompensa a los más aptos y castiga a los inútiles; y más de un siglo después, muchos dueños del mundo siguen creyendo que Charles Darwin escribió sus libros para anunciarles la gloria.

¿Supervivencia de los más aptos? La aptitud más útil para abrirse paso y sobrevivir, el *killing instinct*, el instinto asesino, es virtud humana cuando sirve para que las empresas grandes hagan la digestión de las empresas chicas y para que los países fuertes devoren a los países débiles, pero es prueba de bestialidad cuando cualquier pobre tipo sin trabajo sale a buscar comida con un cuchillo en la mano. Los enfermos de la *patología antisocial*, locura y peligro que cada pobre contiene, se inspiran en los modelos de *buena salud* del éxito social. Los delincuentes de morondanga aprenden lo que saben elevando la mirada, desde abajo, hacia las cumbres; estudian el ejemplo de los triunfadores y, mal que bien, hacen lo que pueden para imitarles los méritos. Pero «los jodidos siempre estarán jodidos», como solía decir don Emilio Azcárraga, que fue amo y señor de la televisión mexicana. Las posibilidades de que un banquero que vacía un banco pueda disfrutar, en paz, del fruto de sus afanes son directamente proporcionales a

las posibilidades de que un ladrón que roba un banco vaya a parar a la cárcel o al cementerio.

Cuando un delincuente mata por alguna deuda impaga, la ejecución se llama *ajuste de cuentas*; y se llama *plan de ajuste* la ejecución de un país endeudado, cuando la tecnocracia internacional decide liquidarlo. El malevaje financiero secuestra países y los cocina si no pagan el rescate: si se compara, cualquier hampón resulta más inofensivo que Drácula bajo el sol. La economía mundial es la más eficiente expresión del crimen organizado. Los organismos internacionales que controlan la moneda, el comercio y el crédito practican el terrorismo contra los países pobres, y contra los pobres de todos los países, con una frialdad profesional y una impunidad que humillan al mejor de los tirabombas.

El arte de engañar al prójimo, que los estafadores practican cazando incautos por las calles, llega a lo sublime cuando algunos políticos de éxito ejercitan su talento. En los suburbios del mundo, los jefes de estado venden los saldos y retazos de sus países, a precio de liquidación por fin de temporada, como en los suburbios de las ciudades los delincuentes venden, a precio vil, el botín de sus asaltos.

Los pistoleros que se alquilan para matar realizan, en plan minorista, la misma tarea que cumplen, en gran escala, los generales condecorados por crímenes que se elevan a la categoría de glorias militares. Los asaltantes, al acecho en las esquinas, pegan zarpazos que son la versión artesanal de los golpes de fortuna asestados por los grandes especuladores que desvalijan multitudes por computadora. Los violadores que más ferozmente violan la naturaleza y los derechos humanos, jamás van presos. Ellos tienen las llaves de las cárceles. En el mundo tal cual es, mundo al revés, los países que custodian la paz universal son los que más armas fabrican y los que más armas venden a los demás países; los bancos más prestigiosos son los que más narcodólares lavan y los que más dinero robado guardan; las industrias más exitosas son las que más envenenan el planeta; y la salvación del medio ambiente es el más brillante negocio de las empresas que lo aniquilan. Son dignos de impunidad y felicitación quienes matan la mayor cantidad de gente en el menor tiempo, quienes ganan la mayor cantidad de dinero con el menor trabajo y quienes exterminan la mayor cantidad de naturaleza al menor costo.

Caminar es un peligro y respirar es una hazaña en las grandes ciudades del mundo al revés. Quien no está preso de la necesidad, está preso del miedo: unos no duermen por la ansiedad de tener las cosas que no tienen, y otros no duermen por el pánico de perder las cosas que tienen. El mundo al revés nos entrena para ver al prójimo como una amenaza y no como una promesa, nos reduce a la soledad y nos consuela con drogas químicas y con amigos cibernéticos. Estamos condenados a morirnos de hambre, a morirnos de miedo o a morirnos de aburrimiento, si es que alguna bala perdida no nos abrevia la existencia.

¿Será esta libertad, la libertad de elegir entre esas desdichas amenazadas, nuestra única libertad posible? El mundo al revés nos enseña a padecer la realidad en lugar de cambiarla, a olvidar el pasado en lugar de escucharlo y a aceptar el futuro en lugar de imaginarlo: así practica el crimen, y así lo recomienda. En su escuela, escuela del crimen, son obligatorias las clases de impotencia, amnesia y resignación. Pero está visto que no hay desgracia sin gracia, ni cara que no tenga su contracara, ni desaliento que no busque su aliento. Ni tampoco hay escuela que no encuentre su contraescuela.

Los alumnos

Día tras día, se niega a los niños el derecho a ser niños. Los hechos, que se burlan de ese derecho, imparten sus enseñanzas en la vida cotidiana. El mundo trata a los niños ricos como si fueran dinero, para que se acostumbren a actuar como el dinero actúa. El mundo trata a los niños pobres como si fueran basura, para que se conviertan en basura. Y a los del medio, a los niños que no son ricos ni pobres, los tiene atados a la pata del televisor, para que desde muy temprano acepten, como destino, la vida prisionera. Mucha magia y mucha suerte tienen los niños que consiguen ser niños.

Los de arriba, los de abajo y los del medio

En el océano del desamparo, se alzan las islas del privilegio. Son lujosos campos de concentración, donde los poderosos sólo se encuentran con los poderosos y jamás pueden olvidar, ni por un ratito, que son poderosos. En algunas de las grandes ciudades latinoamericanas, los secuestros se han hecho costumbre, y los niños ricos crecen encerrados dentro de la burbuja del miedo. Habitan mansiones amuralladas, grandes casas o grupos de casas rodeadas de cercos electrificados y de guardias armados, y están día y noche vigilados por los guardaespaldas y por las cámaras de los

Mundo infantil

Hay que tener mucho cuidado al cruzar la calle, explicaba el educador colombiano Gustavo Wilches a un grupo de niños:

—*Aunque haya luz verde, nunca vayan a cruzar sin mirar a un lado, y después al otro.*

Y Wilches contó a los niños que una vez un automóvil lo había atropellado y lo había dejado tumbado en medio de la calle. Evocando aquel desastre que casi le costó la vida, Wilches frunció la cara. Pero los niños preguntaron:

—*¿De qué marca era el auto? ¿Tenía aire acondicionado? ¿Y techo solar eléctrico? ¿Tenía faros antiniebla? ¿De cuántos cilindros era el motor?*

Vidrieras

Juguetes para ellos: rambos, robocops, ninjas, batmans, monstruos, metralletas, pistolas, tanques, automóviles, motocicletas, camiones, aviones, naves espaciales.

Juguetes para ellas: barbies, heidis, tablas de planchar, cocinas, licuadoras, lavarropas, televisores, bebés, cunas, mamaderas, lápices de labios, ruleros, coloretes, espejos.

circuitos cerrados de seguridad. Los niños ricos viajan, como el dinero, en autos blindados. No conocen, más que de vista, su ciudad. Descubren el subterráneo en París o en Nueva York, pero jamás lo usan en San Pablo o en la capital de México.

Ellos no viven en la ciudad donde viven. Tienen prohibido ese vasto infierno que acecha su minúsculo cielo privado. Más allá de las fronteras, se extiende una región del terror donde la gente es mucha, fea, sucia y envidiosa. En plena era de la globalización, los niños ya no pertenecen a ningún lugar, pero los que menos lugar tienen son los que más cosas tienen: ellos crecen sin raíces, despojados de identidad cultural, y sin más sentido social que la certeza de que la realidad es un peligro. Su patria está en las marcas de prestigio universal, que distinguen sus ropas y todo lo que usan, y su lenguaje es el lenguaje de los códigos electrónicos internacionales. En las ciudades más diversas, y en los más distantes lugares del mundo, los hijos del privilegio se parecen entre sí, en sus costumbres y en sus tendencias, como entre sí se parecen los *shopping centers* y los aeropuertos, que están fuera del tiempo y del espacio. Educados en la realidad virtual, se deseducan en la ignorancia de la realidad real, que sólo existe para ser temida o para ser comprada.

Fast food, fast cars, fast life: desde que nacen, los niños ricos son entrenados para el consumo y para la fugacidad, y transcurren la infancia comprobando que las máquinas son más dignas de confianza que las personas. Cuando llegue la hora del ritual de iniciación, les será ofrendada su primera coraza todo terreno, con tracción a cuatro ruedas. Durante los años de la espera, ellos se lanzan a toda velocidad a las autopistas cibernéticas y confirman su identidad devorando imágenes y mercancías, haciendo *zapping* y haciendo *shopping*. Los ciberniños navegan por el ciberespacio con la misma soltura con que los niños abandonados deambulan por las calles de las ciudades.

Mucho antes de que los niños ricos dejen de ser niños y descubran las drogas caras que aturden la soledad y enmascaran el miedo, ya los niños pobres están aspirando gasolina o pegamento. Mientras los niños ricos juegan a la guerra con balas de rayos láser, ya las balas de plomo amenazan a los niños de la calle.

En América latina, los niños y los adolescentes

suman casi la mitad de la población total. La mitad de esa mitad vive en la miseria. Sobrevivientes: en América latina mueren cien niños, cada hora, por hambre o enfermedad curable, pero hay cada vez más niños pobres en las calles y en los campos de esta región que fabrica pobres y prohíbe la pobreza. Niños son, en su mayoría, los pobres; y pobres son, en su mayoría, los niños. Y entre todos los rehenes del sistema, ellos son los que peor la pasan. La sociedad los exprime, los vigila, los castiga, a veces los mata: casi nunca los escucha, jamás los comprende.

Esos niños, hijos de gente que trabaja salteado o que no tiene trabajo ni lugar en el mundo, están obligados, desde muy temprano, a vivir al servicio de cualquier actividad ganapán, deslomándose a cambio de la comida, o de poco más, todo a lo largo y a lo ancho del mapa del mundo. Después de aprender a caminar, aprenden cuáles son las recompensas que se otorgan a los pobres que se portan bien: ellos, y ellas, son la mano de obra gratuita de los talleres, las tiendas y las cantinas caseras, o son la mano de obra a precio de ganga de las industrias de exportación que fabrican ropa deportiva para las grandes empresas multinacionales. Trabajan en las faenas agrícolas o en los trajines urbanos, o trabajan en su casa, al servicio de quien allí mande. Son esclavitos o esclavitas de la economía familiar o del *sector informal* de la economía globalizada, donde ocupan el escalón más bajo de la población activa al servicio del mercado mundial:

en los basurales de la ciudad de México, Manila o Lagos, juntan vidrios, latas y papeles, y disputan los restos de comida con los buitres;

se sumergen en el mar de Java, buscando perlas;

persiguen diamantes en las minas del Congo;

son topos en las galerías de las minas del Perú, imprescindibles por su corta estatura, y cuando sus pulmones no dan más, van a parar a los cementerios clandestinos;

cosechan café en Colombia y en Tanzania, y se envenenan con los pesticidas;

se envenenan con los pesticidas en las plantaciones de algodón de Guatemala y en las bananeras de Honduras;

en Malasia recogen la leche de los árboles del caucho, en jornadas de trabajo que se extienden de estrella a estrella;

tienden vías de ferrocarril en Birmania;

al norte de la India se derriten en los hornos de vidrio, y al sur en los hornos de ladrillos;

en Bangladesh, desempeñan más de trescientas ocupaciones diferentes, con salarios que oscilan entre la nada y la casi nada por cada día de nunca acabar;

corren carreras de camellos para los emires árabes y son jinetes pastores en las estancias del río de la Plata;

en Port-au-Prince, Colombo, Jakarta o Recife sirven la mesa del amo, a cambio del derecho de comer lo que de la mesa cae;

venden fruta en los mercados de Bogotá y venden chicles en los autobuses de San Pablo;

limpian parabrisas en las esquinas de Lima, Quito o San Salvador;

lustran zapatos en las calles de Caracas o Guanajuato;

cosen ropa en Tailandia y cosen zapatos de fútbol en Vietnam;

cosen pelotas de fútbol en Pakistán y pelotas de béisbol en Honduras y Haití;

para pagar las deudas de sus padres, recogen té o tabaco en las plantaciones de Sri Lanka y cosechan jazmines, en Egipto, con destino a la perfumería francesa;

La fuga / 1

Charlando con un enjambre de niños de la calle, de esos que se trepan a los autobuses en la ciudad de México, la periodista Karina Avilés les preguntó por las drogas.

—*Me siento muy bien, me quito de los problemas* —dijo uno.

—*Cuando bajo a lo que soy* —dijo—, *me siento encerrado como un pajarito.*

Esos niños eran habitualmente acosados por los policías y los perros de la Central Camionera del Norte. El gerente general de la empresa declaró a la periodista:

—*No dejamos que los niños se mueran porque, de alguna manera, son humanos.*

alquilados por sus padres, tejen alfombras en Irán, Nepal y en la India, desde antes del amanecer hasta pasada la medianoche, y cuando alguien llega a rescatarlos, preguntan: «¿Es usted mi nuevo amo?»;

vendidos a cien dólares por sus padres, se ofrecen en Sudán para labores sexuales o todo trabajo.

Por la fuerza reclutan niños los ejércitos, en algunos lugares de África, Medio Oriente y América latina. En las guerras, los soldaditos trabajan matando, y sobre todo trabajan muriendo: ellos suman la mitad de las víctimas en las guerras africanas recientes. Con excepción de la guerra, que es cosa de machos según cuenta la tradición y enseña la realidad, en casi todas las demás tareas, los brazos de las niñas resultan tan útiles como los brazos de los niños. Pero el mercado laboral reproduce en las niñas la discriminación que normalmente practica contra las mujeres: ellas, las niñas, siempre ganan menos que lo poquísimo que ellos, los niños, ganan, cuando algo ganan.

La prostitución es el temprano destino de muchas niñas y, en menor medida, también de unos cuantos niños, en el mundo entero. Por asombroso que parezca, se calcula que hay por lo menos cien mil prostitutas infantiles en los Estados Unidos, según el informe de UNICEF de 1997. Pero es en los burdeles y en las calles del sur del mundo donde trabaja la inmensa mayoría de las víctimas infantiles del comercio sexual. Esta multimillonaria industria, vasta red de traficantes, intermediarios, agentes turísticos y proxenetas, se maneja con es-

La fuga /2

En las calles de México, una niña inhala tolueno, solubles, pegamentos o lo que sea. Pasada la tembladera, cuenta:

—*Yo aluciné al Diablo, o sea que se me metía el Diablo y en eso, ¡pus!, quedé en la orillita, ya me iba a aventar, de ocho pisos era el edificio y ya me iba yo a aventar, pero en eso se me fue mi alucín, se me salió el Diablo. El alucín que más me ha gustado es cuando se me apareció la Virgencita de Guadalupe. Dos veces la aluciné.*

candalosa impunidad. En América latina, no tiene nada de nuevo: la prostitución infantil existe desde que en 1536 se inauguró la primera *casa de tolerancia*, en Puerto Rico. Actualmente, medio millón de niñas brasileñas trabajan vendiendo el cuerpo, en beneficio de los adultos que las explotan: tantas como en Tailandia, no tantas como en la India. En algunas playas del mar Caribe, la próspera industria del turismo sexual ofrece niñas vírgenes a quien pueda pagarlas. Cada año aumenta la cantidad de niñas arrojadas al mercado de consumo: según las estimaciones de los organismos internacionales, por lo menos un millón de niñas se incorporan, cada año, a la oferta mundial de cuerpos.

Son incontables los niños pobres que trabajan, en su casa o afuera, para su familia o para quien sea. En su mayoría, trabajan fuera de la ley y fuera de las estadísticas. ¿Y los demás niños pobres? De los demás, son muchos los que sobran. El mercado no los necesita, ni los necesitará jamás. No son rentables, jamás lo serán. Desde el punto de vista del orden establecido, ellos empiezan robando el aire que respiran y después roban todo lo que encuentran. Entre la cuna y la sepultura, el hambre o las balas suelen interrumpirles el viaje. El mismo sistema productivo que desprecia a los viejos, teme a los niños. La vejez es un fracaso, la infancia es un peligro. Cada vez hay más y más niños marginados que *nacen con tendencia al crimen*, al decir de algunos especialistas. Ellos integran el sector más amenazante de los *excedentes de población*. El niño como peligro público, *la conducta antisocial del menor en América*, es el tema recurrente de los Congresos Panamericanos del Niño, desde hace ya unos cuantos años. Los niños que vienen del campo a la ciudad, y los niños pobres en general, *son de conducta potencialmente antisocial*, según nos advierten los Congresos desde 1963. Los gobiernos y algunos expertos en el tema comparten la obsesión por los niños enfermos de violencia, orientados al vicio y a la perdición. Cada niño contiene una posible corriente de El Niño, y es preciso prevenir la devastación que puede provocar. En el Primer Congreso Policial Sudamericano, celebrado en Montevideo en 1979,

Para que el sordo escuche

Crece la cantidad de niños desnutridos en el mundo. Doce millones de niños menores de cinco años mueren anualmente por diarreas, anemia y otros males ligados al hambre. En su informe de 1998, UNICEF proporciona datos como éste, y propone que la lucha contra el hambre y la muerte de los niños «se convierta en una prioridad mundial absoluta». Y para que así sea, recurre al único argumento que puede tener, hoy por hoy, eficacia: «Las carencias de vitaminas y minerales en la alimentación cuestan a algunos países el equivalente de más de un 5% de su producto nacional bruto en vidas perdidas, discapacidad y menor productividad».

la policía colombiana explicó que «el aumento cada día creciente de la población de menos de dieciocho años, induce a estimar una mayor población POTENCIALMENTE DELINCUENTE». (Mayúsculas en el documento original.)

En los países latinoamericanos, la hegemonía del mercado está rompiendo los lazos de solidaridad y haciendo trizas el tejido social comunitario. ¿Qué destino tienen los nadies, los dueños de nada, en países donde el derecho de propiedad se está convirtiendo en el único derecho? ¿Y los hijos de los nadies? A muchos, que son cada vez más muchos, el hambre los empuja al robo, a la mendicidad y a la prostitución; y la sociedad de consumo los insulta ofreciendo lo que niega. Y ellos se vengan lanzándose al asalto, bandas de desesperados unidos por la certeza de la muerte que espera: según UNICEF, en 1995 había ocho millones de niños abandonados, niños de la calle, en las grandes ciudades latinoamericanas; según la organización Human Rights Watch, en 1993 los escuadrones parapoliciales asesinaron a seis niños por día en Colombia y a cuatro por día en Brasil.

Entre una punta y la otra, el medio. Entre los niños que viven prisioneros de la opulencia y los que viven prisioneros del desamparo, están los niños que tienen bastante más que nada, pero mucho menos que todo. Cada vez son menos libres los niños de clase media. «Que te dejen ser o que no te dejen ser: ésa es la cuestión», supo decir Chumy Chúmez, humorista español. A estos niños les confisca la libertad, día tras día, la sociedad que sacraliza el orden mientras genera el desorden. El miedo del medio: el piso cruje bajo los pies, ya no hay garantías, la estabilidad es inestable, se evaporan los empleos, se desvanece el dinero, llegar a fin de mes es una hazaña. *Bienvenida, clase media*, saluda un cartel a la entrada de uno de los barrios más miserables de Buenos Aires. La clase media sigue viviendo en estado de impostura, fingiendo que cumple las leyes y que cree en ellas, y simulando tener más de lo que tiene; pero nunca le ha resultado tan difícil cumplir con esta abnegada tradición. Está la clase media asfixiada por las deudas y paralizada por el pánico, y en el pánico cría a sus hijos. Pánico de vivir, pánico de caer: pánico de perder el trabajo, el auto, la casa, las cosas, pánico de no llegar a tener lo que se debe tener para llegar a ser. En el clamor colectivo por la seguridad pública, amenazada por los monstruos del delito que acecha, la clase media es la que más alto grita. Defiende el orden como si fuera su propietaria, aunque no es más que una inquilina agobiada por el precio del alquiler y la amenaza del desalojo.

Atrapados en las trampas del pánico, los niños de clase media están cada vez más condenados a la humillación del encierro perpetuo. En la ciudad del futuro, que ya está siendo ciudad del presente, los teleniños, vigilados por niñeras electrónicas, contemplarán la calle desde alguna ventana de sus telecasas: la calle prohibida por la violencia o por el pánico a la violencia, la calle donde ocurre el siempre peligroso, y a veces prodigioso, espectáculo de la vida.

Fuentes consultadas

Brisset, Claire, «Un monde qui dévore ses enfants». París, Liana Levi, 1997.

Childhope, «Hacia dónde van las niñas y adolescentes víctimas de la pobreza». Informe sobre Guatemala, México, Panamá, República Dominicana, Nicaragua, Costa Rica, El Salvador y Honduras, en abril de 1990.

Comexani (Colectivo Mexicano de Apoyo a la Niñez), «IV informe sobre los derechos y la situación de la infancia». México, 1997.

Dimenstein, Gilberto, «A guerra dos meninos. Assassinato de menores no Brasil». San Pablo, Brasiliense, 1990.

Gibert, Eva, y otros, «Políticas y niñez». Buenos Aires, Losada, 1997.

Iglesias, Susana, con Helena Villagra y Luis Barrios, «Un viaje a través de los espejos de los Congresos Panamericanos del Niño», en el volumen de UNICEF/UNICRI/ILANUD, «La condición jurídica de la infancia en América Latina». Buenos Aires, Galerna, 1992.

Monange/Heller, «Brésil: rapport d'enquête sur les assassinats d'enfants». París, Fédération Internationale des Droits de l'Homme, 1992.

OIT (Organización Internacional del Trabajo), «Todavía queda mucho por hacer: el trabajo de los niños en el mundo de hoy». Ginebra, 1989.

Pilotti, Francisco, e Irene Rizzini, «A arte de governar crianças». Río de Janeiro, Amais, 1995.

Tribunale Permanente dei Popoli, «La violazione dei diritti fondamentali dell'infanzia e dei minori». Roma, Nova Cultura, 1995.

UNICEF (Fondo de las Naciones Unidas para la Infancia), «Estado mundial de la infancia, 1997». Nueva York, 1997.

— «Estado mundial de la infancia, 1998». Nueva York, 1998.

Curso básico de injusticia

La publicidad manda consumir y la economía lo prohíbe. Las órdenes de consumo, obligatorias para todos pero imposibles para la mayoría, se traducen en invitaciones al delito. Las páginas policiales de los diarios enseñan más sobre las contradicciones de nuestro tiempo que las páginas de información política y económica.

Este mundo, que ofrece el banquete a todos y cierra la puerta en las narices de tantos es, al mismo tiempo, igualador y desigual: *igualador* en las ideas y en las costumbres que impone, y *desigual* en las oportunidades que brinda.

La igualación y la desigualdad

La dictadura de la sociedad de consumo ejerce un totalitarismo simétrico al de su hermana gemela, la dictadura de la organización desigual del mundo.

La maquinaria de la *igualación* compulsiva actúa contra la más linda energía del género humano, que se reconoce en sus diferencias y desde ellas se vincula. Lo mejor que el mundo tiene está en los muchos mundos que el mundo contiene, las distintas músicas de la vida, sus dolores y colores: las mil y una maneras de vivir y decir, creer y crear, comer, trabajar, bailar, jugar, amar, sufrir y celebrar, que hemos ido descubriendo a lo largo de miles y miles de años.

La igualación, que nos uniformiza y nos emboba, no se puede medir. No hay computadora capaz de registrar los crímenes cotidianos que la industria de la cultura de masas comete contra el arcoiris humano y el humano derecho a la identidad. Pero sus demoledores progresos rompen los ojos. El tiempo se va vaciando de historia y el espacio ya no reconoce la asombrosa diversidad de sus partes. A través de los medios masivos de comunicación, los dueños del mundo nos comunican la obligación que todos tenemos de contemplarnos en un espejo único, que refleja los valores de la cultura de consumo.

Quien no tiene, no es: quien no tiene auto, quien no usa calzado de marca o perfumes importados, está simulando existir. Economía de importación, cultura de impostación: en el reino de la tilinguería, estamos todos obligados a embarcarnos en el crucero del consumo, que surca las agitadas aguas del mercado. La mayoría de los navegantes está condenada al naufragio, pero la deuda externa paga, por cuenta de todos, los pasajes de

La excepción

Existe un solo lugar donde el norte y el sur del mundo se enfrentan en igualdad de condiciones: es una cancha de fútbol de Brasil, en la desembocadura del río Amazonas. La línea del ecuador corta por la mitad el estadio Zerão, en Amapá, de modo que cada equipo juega un tiempo en el sur y otro tiempo en el norte.

los que pueden viajar. Los préstamos, que permiten atiborrar con nuevas cosas inútiles a la minoría consumidora, actúan al servicio del purapintismo de nuestras clases medias y de la copianditis de nuestras clases altas; y la televisión se encarga de convertir en necesidades reales, a los ojos de todos, las demandas artificiales que el norte del mundo inventa sin descanso y, exitosamente, proyecta sobre el sur. (*Norte* y *sur*, dicho sea de paso, son términos que en este libro designan el reparto de la torta mundial, y no siempre coinciden con la geografía.)

¿Qué pasa con los millones y millones de niños latinoamericanos que serán jóvenes condenados a la desocupación o a los salarios de hambre? La publicidad, ¿estimula la demanda o, más bien, promueve la violencia? La televisión ofrece el servicio completo: no sólo enseña a confundir la calidad de vida con la cantidad de cosas sino que, además, brinda cotidianos cursos audiovisuales de violencia, que los videojuegos complementan. El crimen es el espectáculo más exitoso de la pantalla chica. *Golpea antes de que te golpeen*, aconsejan los maestros electrónicos de los videojuegos. *Estás solo, sólo cuentas contigo*. Coches que vuelan, gente que estalla: *Tú también puedes matar*. Y, mientras tanto, crecen las ciudades, las ciudades latinoamericanas ya están siendo las más grandes del mundo. Y con las ciudades, a ritmo de pánico, crece el delito.

La economía mundial exige mercados de consumo en perpetua expansión, para dar salida a su producción creciente y para que no se derrumben sus tasas de ganancia, pero a la vez exige brazos y materias primas a precio irrisorio, para abatir sus costos de producción. El mismo sistema que necesita vender cada vez más, necesita también pagar cada vez menos. Esta paradoja es madre de otra paradoja: el norte del mundo dicta órdenes de consumo cada vez más imperiosas, dirigidas al sur y al este, para multiplicar a los consumidores, pero en mucha mayor medida multiplica a los delincuentes. Al apoderarse de los fetiches que brindan existencia real a las personas, cada asaltante quiere tener lo que su víctima tiene, para ser lo que su víctima es. Armaos los unos a los otros: hoy por hoy, en el manicomio de las calles, cualquiera puede morir de bala: el que ha nacido para morir de hambre y también el que ha nacido para morir de indigestión.

No se puede reducir a cifras la igualación cultural impuesta por los moldes de la sociedad de consumo. La desigualdad económica, en cambio, tiene quien la mida. La confiesa el Banco Mundial, que tanto hace por ella, y la confirman los diversos organismos de las Naciones Unidas. Nunca ha sido menos democrática la economía mundial, nunca ha sido el mundo tan escandalosamente injusto. En 1960, el veinte por ciento de la humanidad, el más rico, tenía treinta veces más que el veinte por ciento más pobre. En 1990, la diferencia era de sesenta veces. Desde entonces, se ha seguido abriendo la tijera: en el año 2000, la diferencia será de noventa veces.

En los extremos de los extremos, entre los ricos riquísimos, que aparecen en las páginas pornofinancieras de las revistas *Forbes* y *Fortune*, y los pobres pobrísimos, que aparecen en las calles y en los campos, el abismo resulta mucho más hondo. Una mujer embarazada corre cien veces más riesgo de muerte en África que en Europa. El valor de los productos para mascotas animales que se venden, cada año, en los Estados Unidos, es cuatro veces mayor que toda la producción de Etiopía. Las ventas de sólo dos gigantes, General Motors y Ford, superan largamente el valor de la producción de toda el África negra. Según el Programa de las Naciones Unidas para el Desarrollo, *diez personas, los diez opulentos más opulentos del planeta, tienen una riqueza equivalente al valor de la producción total de cincuenta países, y cuatrocientos cuarenta y siete multimillonarios suman una fortuna mayor que el ingreso anual de la mitad de la humanidad.*

El responsable de este organismo de las Naciones Unidas, James Gustave Speth, declaró en 1997 que, en el último medio siglo, la cantidad de ricos se ha duplicado en el mundo, pero la cantidad de pobres se ha triplicado, y mil seiscientos millones de personas están viviendo peor que hace quince años.

Poco antes, en la asamblea del Banco Mundial y del Fondo Monetario Internacional, el presidente del Banco Mundial había echado un balde de agua fría sobre la concurrencia. En plena celebración de la buena marcha del gobierno del planeta, que ambos organismos ejercen, James Wolfensohn ad-

Puntos de vista/1

Desde el punto de vista del búho, del murciélago, del bohemio y del ladrón, el crepúsculo es la hora del desayuno.

La lluvia es una maldición para el turista y una buena noticia para el campesino.

Desde el punto de vista del nativo, el pintoresco es el turista.

Desde el punto de vista de los indios de las islas del mar Caribe, Cristóbal Colón, con su sombrero de plumas y su capa de terciopelo rojo, era un papagayo de dimensiones jamás vistas.

virtió: si las cosas siguen así, en treinta años más habrá cinco mil millones de pobres en el mundo, «y la desigualdad estallará, como una bomba de relojería, en la cara de las próximas generaciones». Mientras tanto, sin cobrar en dólares, ni en pesos, ni en especies siquiera, una mano anónima proponía en un muro de Buenos Aires: *¡Combata el hambre y la pobreza! ¡Cómase un pobre!*

Para documentar nuestro optimismo, como aconseja Carlos Monsiváis, el mundo sigue su marcha: dentro de cada país, se reproduce la injusticia que rige las relaciones entre los países, y se va abriendo más y más, año tras año, la brecha entre los que tienen todo y los que tienen nada. Bien lo sabemos en América. Al norte, en los Estados Unidos, los más ricos disponían, hace medio siglo, del veinte por ciento de la renta nacional. Ahora, tienen el cuarenta por ciento. ¿Y al sur? América latina es la región más injusta del mundo. En ningún otro lugar se distribuyen de tan mala manera los panes y los peces; en ningún otro lugar es tan inmensa la distancia que separa a los pocos que tienen el derecho de mandar, de los muchos que tienen el deber de obedecer.

La economía latinoamericana es una economía esclavista que se hace la posmoderna: paga salarios africanos, cobra precios europeos, y la injusticia y la violencia son las mercancías que produce con más alta eficiencia. Ciudad de México, 1997, datos oficiales: ochenta por ciento de pobres, tres por ciento de ricos y, en el medio, los demás. Y la ciudad de México es la capital del país que más multimillonarios de fortuna súbita ha generado en el mundo de los años noventa: según los datos de las Naciones Unidas, un solo mexicano posee una riqueza equivalente a la que suman diecisiete millones de mexicanos pobres.

No hay en el mundo ningún país tan desigual como Brasil, y algunos analistas ya están hablando de la *brasilización* del planeta, para trazar el retrato del mundo que viene. Y al decir *brasilización* no se refieren, por cierto, a la difusión internacional del fútbol alegre, del carnaval espectacular y de la música que despierta a los muertos, maravillas donde Brasil resplandece a la mayor altura, sino a la imposición, en escala universal, de un modelo de sociedad fundado en la injusticia social y la discriminación racial. En ese modelo, el crecimiento de la economía multiplica la pobreza y la marginación. *Belindia* es otro nombre de Brasil: así bautizó el economista Edmar Bacha a este país donde una minoría consume como los ricos de Bélgica, mientras la mayoría vive como los pobres de la India.

En la era de las privatizaciones y del mercado libre, el dinero gobierna sin intermediarios. ¿Cuál es la función que se atribuye al estado? El estado debe ocuparse de la disciplina de la mano de obra barata, condenada a salarios enanos, y de la represión de las peligrosas legiones de brazos que no encuentran trabajo: un estado juez y gendarme, y poco más. En muchos países del mundo, la justicia social ha sido reducida a justicia penal. El estado vela por la seguridad pública: de los otros servicios, ya se encargará el mercado; y de la pobreza, gente pobre, regiones pobres, ya se ocupará Dios, si la policía no alcanza. Aunque la administración pública quiera disfrazarse de madre piadosa, no tiene más remedio que consagrar sus menguadas energías a las funciones de vigilancia y castigo. En estos tiempos neoliberales, los derechos públicos se reducen a favores del poder, y el poder se ocupa de la salud pública y de la educación pública, como si fueran formas de la caridad pública, en vísperas de elecciones.

La pobreza mata cada año, en el mundo, más gente que toda la segunda guerra mundial, que a muchos mató. Pero, desde el punto de vista del poder, el exterminio no viene mal, al fin y al cabo, si en algo ayuda a regular la población, que está creciendo demasiado. Los expertos denuncian los *excedentes de población* al sur del mundo, donde las masas ignorantes no saben hacer otra cosa que violar el sexto mandamiento, día y noche: las mujeres siempre quieren y los hombres siempre pueden. *¿Excedentes de población* en Brasil, donde hay diecisiete habitantes por kilómetro cuadrado, o en Colombia, donde hay veintinueve? Holanda tiene cuatrocientos habitantes por kilómetro cuadrado y ningún holandés se muere de hambre; pero en Brasil y en Colombia un puñado de voraces se queda con todo. Haití y El Salvador son los países más superpoblados de las Américas, y están tan superpoblados como Alemania.

El poder, que practica la injusticia y vive de ella, transpira violencia por todos los poros. Sociedades divididas en buenos y malos: en los infiernos suburbanos acechan los condenados de piel oscura, culpables de su pobreza y con tendencia hereditaria al crimen: la publicidad les hace agua la boca y la policía los echa de la mesa. El sistema niega lo que ofrece, objetos mágicos que hacen realidad los sueños, lujos que la tele promete, las luces de neón anunciando el paraíso en las noches de la ciudad, esplendores de la riqueza virtual: como bien saben los dueños de la riqueza real, no hay valium que pueda calmar tanta ansiedad, ni prozac capaz de apagar tanto tormento. La cárcel y las balas son la terapia de los pobres.

Hasta hace veinte o treinta años, la pobreza era fruto de la injusticia. Lo denunciaba la izquierda,

Puntos de vista/2

Desde el punto de vista del sur, el verano del norte es invierno.

Desde el punto de vista de una lombriz, un plato de espaguetis es una orgía.

Donde los hindúes ven una vaca sagrada, otros ven una gran hamburguesa.

Desde el punto de vista de Hipócrates, Galeno, Maimónides y Paracelso, existía una enfermedad llamada indigestión, pero no existía una enfermedad llamada hambre.

Desde el punto de vista de sus vecinos del pueblo de Cardona, el Toto Zaugg, que andaba con la misma ropa en verano y en invierno, era un hombre admirable:

—*El Toto nunca tiene frío* —decían.

Él no decía nada. Frío tenía; lo que no tenía era un abrigo.

lo admitía el centro, rara vez lo negaba la derecha. Mucho han cambiado los tiempos, en tan poco tiempo: ahora la pobreza es el justo castigo que la ineficiencia merece. La pobreza puede merecer lástima, en todo caso, pero ya no provoca indignación: hay pobres por ley de juego o fatalidad del destino. Tampoco la violencia es hija de la injusticia. El lenguaje dominante, imágenes y palabras producidas en serie, actúa casi siempre al servicio de un sistema de recompensas y castigos, que concibe la vida como una despiadada carrera entre pocos ganadores y muchos perdedores nacidos para perder. La violencia se exhibe, por regla general, como el fruto de la mala conducta de los malos perdedores, los numerosos y peligrosos inadaptados sociales que generan los barrios pobres y los países pobres. La violencia está en su naturaleza. Ella corresponde, como la pobreza, al orden natural, al orden biológico o, quizá, zoológico: así son, así han sido y así seguirán siendo. La injusticia, fuente del derecho que la perpetúa, es hoy por hoy más injusta que nunca, al sur del mundo y al norte también, pero tiene poca o ninguna existencia para los grandes medios de comunicación que fabrican la opinión pública en escala universal.

El código moral del fin del milenio no condena la injusticia, sino el fracaso. Robert McNamara, que fue uno de los responsables de la guerra del Vietnam, escribió un libro donde reconoció que la guerra fue un error. Pero esa guerra, que mató a más de tres millones de vietnamitas y a cincuenta y ocho mil norteamericanos, *no fue un error porque fuera injusta*, sino porque los Estados Unidos la llevaron adelante sabiendo que no la podían ganar. El pecado está en la derrota, no en la injusticia. Según McNamara, ya en 1965 había abrumadoras evidencias que demostraban la imposibilidad del triunfo de las fuerzas invasoras, pero el gobierno norteamericano siguió actuando como si la victoria fuera posible. El hecho de que los Estados Unidos hayan pasado quince años practican-

> **Puntos de vista/3**
>
> Desde el punto de vista de las estadísticas, si una persona recibe mil dólares y otra persona no recibe nada, cada una de esas dos personas aparece recibiendo quinientos dólares en el cómputo del ingreso per cápita.
>
> Desde el punto de vista de la lucha contra la inflación, las medidas de ajuste son un buen remedio. Desde el punto de vista de quienes las padecen, las medidas de ajuste multiplican el cólera, el tifus, la tuberculosis y otras maldiciones.

do el terrorismo internacional para imponer, en Vietnam, un gobierno que los vietnamitas no querían, está fuera de la cuestión. Que la primera potencia militar del mundo haya descargado, sobre un pequeño país, más bombas que todas las bombas arrojadas durante la segunda guerra mundial es un detalle que carece de importancia.

Al fin y al cabo, en su larga matanza, los Estados Unidos habían estado ejerciendo el derecho de las grandes potencias a invadir a quien sea y obligar a lo que sea. Los militares, los mercaderes, los banqueros, y los fabricantes de opiniones y de emociones de los países dominantes tienen el derecho de imponer a los demás países dictaduras militares o gobiernos dóciles, pueden dictarles la política económica y todas las políticas, pueden darles la orden de aceptar intercambios ruinosos y empréstitos usureros, pueden exigir servidumbre a sus estilos de vida y pueden digitar sus tendencias de consumo. Es un *derecho natural*, consagrado por la impunidad con que se ejerce y la rapidez con que se olvida.

La memoria del poder no recuerda: bendice. Ella justifica la perpetuación del privilegio por derecho de herencia, absuelve los crímenes de los que mandan y proporciona coartadas a su discurso. La memoria del poder, que los centros de educación y los medios de comunicación difunden como única memoria posible, sólo escucha las voces que repiten la aburrida letanía de su propia sacralización. La impunidad exige la desmemoria. Hay países y personas exitosas y hay países y personas fracasadas, porque los eficientes merecen premio y los inútiles, castigo. Para que las infamias puedan ser convertidas en hazañas, la memoria del norte se divorcia de la memoria del sur, la acumulación se desvincula del vaciamiento, la opulencia no tiene nada que ver con el despojo. La memoria rota nos hace creer que la riqueza es inocente de la pobreza, que la riqueza y la pobreza vienen de la eternidad y hacia la eternidad caminan, y que así son las cosas porque Dios, o la costumbre, quieren que así sean.

Octava maravilla del mundo, décima sinfonía de Beethoven, undécimo mandamiento del Señor: por todas partes se escuchan himnos de alabanza al mercado libre, fuente de prosperidad y garantía de democracia. La libertad de comercio se vende como nueva, pero tiene una historia larga. Y esa historia tiene mucho que ver con los orígenes de la injusticia, que en nuestro tiempo reina como si hubiera nacido de un repollo, o de la oreja de una cabra:

hace tres o cuatro siglos, Inglaterra, Holanda y Francia ejercían la piratería, en nombre de la libertad de comercio, mediante los buenos oficios de sir Francis Drake, Henry Morgan, Piet Heyn, François Lolonois y otros neoliberales de la época;

la libertad de comercio fue la coartada que toda Europa usó para enriquecerse vendiendo carne humana, en el tráfico de esclavos;

cuando los Estados Unidos se independizaron de Inglaterra, lo primero que hicieron fue prohibir la libertad de comercio, y las telas norteamericanas, más caras y más feas que las telas inglesas, se hicieron obligatorias, desde el pañal del bebé hasta la mortaja del muerto;

después, sin embargo, los Estados Unidos enarbolaron la libertad de comercio para obligar a muchos países latinoamericanos al consumo de sus mercancías, sus empréstitos y sus dictadores militares;

envueltos en los pliegues de esa misma bandera, los soldados británicos impusieron el consumo de opio en China, a cañonazos, mientras el filibustero William Walker restablecía la esclavitud, también a cañonazos, y también en nombre de la libertad, en América Central;

rindiendo homenaje a la libertad de comercio, la industria británica redujo a la India a la última miseria, y la banca británica ayudó a financiar el exterminio del Paraguay, que hasta 1870 había sido el único país latinoamericano de veras independiente;

pasó el tiempo y a Guatemala se le ocurrió, en 1954, practicar la libertad de comercio comprando petróleo a la Unión Soviética, y entonces los Estados Unidos organizaron una fulminante invasión, que puso las cosas en su lugar;

y poco después, también Cuba ignoró que su libertad de comercio consistía en aceptar los precios que se le imponían, compró el prohibido petróleo ruso, y ahí se armó el tremendo lío que desembocó en la invasión de Playa Girón y en el bloqueo interminable.

Todos los antecedentes históricos enseñan que la libertad de comercio y las demás libertades del dinero se parecen a la libertad de los países, tanto como Jack el Destripador se parecía a san Francisco de Asís. El mercado libre ha convertido a nuestros países en bazares repletos de chucherías importadas, que la mayoría de la gente puede mirar pero no puede tocar. Así ha sido desde los lejanos tiempos en que los comerciantes y los terratenientes usurparon la independencia, conquistada por nuestros soldados descalzos, y la pusieron en venta. Entonces fueron aniquilados los talleres artesanales que podían haber incubado a la industria nacional. Los puertos y las grandes ciudades, que arrasaron al interior, eligieron los delirios del consumo en lugar de los desafíos de la creación. Han pasado los años, y en los supermercados de Vene-

El lenguaje/1

Las *empresas multinacionales* se llaman así porque operan en muchos países a la vez, pero pertenecen a los pocos países que monopolizan la riqueza, el poder político, militar y cultural, el conocimiento científico y la alta tecnología. Las diez mayores multinacionales suman actualmente un ingreso mayor que el de cien países juntos.

Países en desarrollo es el nombre con que los expertos designan a los países arrollados por el desarrollo ajeno. Según las Naciones Unidas, los países en desarrollo envían a los países desarrollados, a través de las desiguales relaciones comerciales y financieras, diez veces más dinero que el dinero que reciben por la ayuda externa.

Ayuda externa se llama el impuestito que el vicio paga a la virtud en las relaciones internacionales. La ayuda externa se distribuye de tal manera que, por regla general, confirma la injusticia, y rara vez la contradice. El África negra padecía, en 1995, el 75 por ciento de los casos de sida en el mundo, pero recibía el tres por ciento de los fondos distribuidos por los organismos internacionales para la prevención de esa peste.

zuela he visto bolsitas de agua de Escocia para acompañar al whisky. En ciudades centroamericanas donde hasta las piedras transpiran a chorros, he visto estolas de piel para damas copetudas. En Perú, enceradoras eléctricas alemanas, para casas de pisos de tierra que no tenían electricidad. En Brasil, palmeras de plástico compradas en Miami.

Otro camino, el inverso, recorrieron los países desarrollados. Ellos nunca dejaron entrar a Herodes en sus cumpleaños infantiles. El mercado libre es la única mercancía que fabrican sin subsidios, pero sólo con fines de exportación. Ellos la venden, nosotros la compramos. Sigue siendo muy generosa la ayuda que sus estados brindan a la producción agrícola nacional, que así puede derramarse sobre nuestros países a precios baratísimos, a pesar de sus costos altísimos, condenando a la ruina a los campesinos del sur del mundo. Cada productor rural de los Estados Unidos recibe, en promedio, subsidios estatales cien veces mayores que el ingreso de un agricultor de las islas Filipinas, según los datos de las Naciones Unidas. Y eso por no hablar del feroz proteccionismo de las potencias desarrolladas en la custodia de lo que más les importa: el monopolio de las tecnologías de punta, de la biotecnología y de las industrias del conocimiento y de la comunicación, privilegios defendidos a rajatabla para que el norte siga sabiendo y el sur siga repitiendo, y que así sea por los siglos de los siglos.

Continúan siendo altas muchas de las barreras económicas, y más altas que nunca se alzan todas

El lenguaje/2

En 1995, la prensa argentina reveló que algunos directores del Banco Nación habían recibido treinta y siete millones de dólares de la empresa norteamericana IBM, a cambio de una contratación de servicios cotizados en 120 millones de dólares por encima del precio normal.

Tres años después, esos directores del banco estatal reconocieron que habían cobrado y depositado en Suiza tales dineritos, pero tuvieron el buen gusto de evitar la palabra *soborno* o la grosera expresión popular *coima:* uno usó la palabra *gratificación,* otro dijo que era *una gentileza,* y el más delicado explicó que se trataba de *un reconocimiento por la alegría de la IBM.*

las barreras humanas. No hay más que echar un vistazo a las nuevas leyes de inmigración en los países europeos, o al muro de acero que los Estados Unidos están construyendo a lo largo de la frontera con México: éste no es un homenaje a los caídos del muro de Berlín, sino que es una puerta cerrada, una más, en las narices de los trabajadores mexicanos que insisten en ignorar que la libertad de mudarse de país es un privilegio del dinero. (Para que el muro no resulte tan desagradable, se anuncia que será pintado de color salmón, lucirá azulejos decorados con arte infantil y tendrá agujeritos para mirar al otro lado.)

Cada vez que se reúnen, y se reúnen con inútil frecuencia, los presidentes de las Américas emiten resoluciones repitiendo que «el mercado libre contribuirá a la prosperidad». A la prosperidad de quién, no queda claro. La realidad, que también existe aunque a veces se note poco, y que no es muda aunque a veces se hace la callada, nos informa que el libre flujo de capitales está engordando cada día más a los narcotraficantes y a los banqueros que dan refugio a sus narcodólares. El derrumbamiento de los controles públicos, en las finanzas y en la economía, les facilita el trabajo: les proporciona buenas máscaras y les permite organizar, con mayor eficiencia, los circuitos de distribución de drogas y el lavado del dinero sucio. También dice la realidad que esa luz verde está sirviendo para que el norte del mundo pueda dar rienda suelta a su generosidad, instalando al sur y al este sus industrias más contaminantes, pagando salarios simbólicos y obsequiándonos sus residuos nucleares y otras basuras.

El lenguaje/3

En la época victoriana, no se podían mencionar los pantalones en presencia de una señorita. Hoy por hoy, no queda bien decir ciertas cosas en presencia de la opinión pública:

el capitalismo luce el nombre artístico de *economía de mercado*;

el imperialismo se llama *globalización;*

las víctimas del imperialismo se llaman *países en vías de desarrollo*, que es como llamar niños a los enanos;

el oportunismo se llama *pragmatismo;*

la traición se llama *realismo;*

los pobres se llaman *carentes*, o *carenciados*, o *personas de escasos recursos;*

la expulsión de los niños pobres por el sistema educativo se conoce bajo el nombre de *deserción escolar;*

el derecho del patrón a despedir al obrero sin indemnización ni explicación se llama *flexibilización del mercado laboral;*

el lenguaje oficial reconoce los derechos de las mujeres, entre los derechos de las *minorías*, como si la mitad masculina de la humanidad fuera la mayoría;

en lugar de dictadura militar, se dice *proceso;*

las torturas se llaman *apremios ilegales*, o también *presiones físicas y psicológicas;*

cuando los ladrones son de buena familia, no son ladrones, sino *cleptómanos;*

el saqueo de los fondos públicos por los políticos corruptos responde al nombre de *enriquecimiento ilícito;*

se llaman *accidentes* los crímenes que cometen los automóviles;

para decir ciegos, se dice *no videntes;*

un negro es *un hombre de color;*

donde dice *larga y penosa enfermedad,* debe leerse cáncer o sida;

repentina dolencia significa infarto;

nunca se dice muerte, sino *desaparición física;*

tampoco son muertos los seres humanos aniquilados en las operaciones militares: los muertos en batalla son *bajas,* y los civiles que se la ligan sin comerla ni beberla, son *daños colaterales;*

en 1995, cuando las explosiones nucleares de Francia en el Pacífico sur, el embajador francés en Nueva Zelanda declaró: «No me gusta esa palabra bomba. No son bombas. Son *artefactos que explotan*»;

se llaman *Convivir* algunas de las bandas que asesinan gente en Colombia, a la sombra de la protección militar;

Dignidad era el nombre de uno de los campos de concentración de la dictadura chilena y *Libertad* la mayor cárcel de la dictadura uruguaya;

se llama *Paz y Justicia* el grupo paramilitar que, en 1997, acribilló por la espalda a cuarenta y cinco campesinos, casi todos mujeres y niños, mientras rezaban en una iglesia del pueblo de Acteal, en Chiapas.

Fuentes consultadas

Ávila Curiel, Abelardo, «Hambre, desnutrición y sociedad. La investigación epidemiológica de la desnutrición en México». Guadalajara, Universidad, 1990.

Barnet, Richard Jr., y John Cavanagh, «Global dreams: imperial corporations and the New World Order». Nueva York, Simons & Schuster, 1994.

Chesnais, François, «La mondialisation du capital». París, Syros, 1997.

Goldsmith, Edward, y Jerry Mander, «The case against the global economy». San Francisco, Sierra Club, 1997.

FAO (Food and Agriculture Organization), «Production yearbook». Roma, 1996.

Hobsbawm, Eric, «Age of extremes. The short twentieth century, 1914/1991». Nueva York, Pantheon, 1994.

IMF (International Monetary Fund), «International financial statistics yearbook». Washington, 1997.

Instituto del Tercer Mundo, «Guía del mundo, 1998». Montevideo, Mosca, 1998.

McNamara, Robert, «In retrospect». Nueva York, Times Books, 1995.

PNUD (Programa de las Naciones Unidas para el Desarrollo), «Informe sobre desarrollo humano, 1995». Nueva York/Madrid/México, 1995.

— «Informe sobre desarrollo humano, 1996». Nueva York/Madrid/México, 1996.

— «Informe sobre desarrollo humano, 1997». Nueva York/Madrid/México, 1997.

Ramonet, Ignacio, «Géopolitique du chaos». París, Galileé, 1997.

World Bank, «World development report, 1995». Oxford, University Press, 1996.

— «World Bank atlas». Washington, 1997.

— «World development indicators». Washington, 1997.

Curso básico de racismo y de machismo

Los subordinados deben obediencia eterna a sus superiores, como las mujeres deben obediencia a los hombres. Unos nacen para mandones, y otros nacen para mandados.

El racismo se justifica, como el machismo, por la herencia genética: los pobres no están jodidos por culpa de la historia, sino por obra de la biología. En la sangre llevan su destino y, para peor, los cromosomas de la inferioridad suelen mezclarse con las malas semillas del crimen. Cuando se acerca un pobre de piel oscura, el peligrosímetro enciende la luz roja; y suena la alarma.

Los mitos, los ritos y los hitos

En las Américas, y también en Europa, la policía caza estereotipos, culpables del delito de portación de cara. Cada sospechoso que no es blanco confirma la regla escrita, con tinta invisible, en las profundidades de la conciencia colectiva: el crimen es negro, o marrón, o por lo menos amarillo.

Esta demonización ignora la experiencia histórica del mundo. Por no hablar más que de estos últimos cinco siglos, habría que reconocer que no han sido para nada escasos los crímenes de color blanco. Los blancos sumaban no más que la quinta parte de la población mundial en tiempos del Renacimiento, pero ya se decían portadores de la voluntad divina. En nombre de Dios, exterminaron a qué sé yo cuántos millones de indios en las Américas y arrancaron a quién sabe cuántos millones de negros del África. Blancos fueron los reyes, los vampiros de indios y los traficantes negreros que fundaron la esclavitud hereditaria en América y en África, para que los hijos de los esclavos nacieran esclavos en las minas y en las plantaciones. Blancos fueron los autores de los incontables actos de barbarie que la Civilización cometió, en los siglos siguientes, para imponer, a sangre y fuego, su blanco poder imperial sobre los cuatro puntos cardinales del globo. Blancos fueron los jefes de estado y los jefes guerreros que organizaron y ejecutaron, con ayuda de los japoneses, las dos guerras mundiales que en el siglo veinte mataron a sesenta y cuatro millones de personas, en su mayoría civiles; y blancos fueron los que planificaron y realizaron el holocausto de los judíos, que también incluyó a rojos, gitanos y homosexuales, en los campos nazis de exterminio.

La certeza de que unos pueblos nacen para ser libres y otros para ser esclavos ha guiado los pasos de todos los imperios que en el mundo han sido.

La identidad

¿Dónde están mis ancestros? ¿A quiénes he de celebrar? ¿Dónde encontraré mi materia prima? Mi primer antepasado americano... fue un indio, un indio de los tiempos tempranos. Los antepasados de ustedes lo han desollado vivo, y yo soy su huérfano.

(Mark Twain, que era blanco, en *The New York Times*, 26 de diciembre de 1881.)

Pero fue a partir del Renacimiento, y de la conquista de América, que el racismo se articuló como un sistema de absolución moral al servicio de la glotonería europea. Desde entonces, el racismo impera en el mundo: en el mundo colonizado, descalifica a las mayorías; en el mundo colonizador, margina a las minorías. La era colonial necesitó del racismo tanto como necesitó de la pólvora, y desde Roma los papas calumniaban a Dios atribuyéndole la orden de arrasamiento. El derecho internacional nació para dar valor legal a la invasión y al despojo, mientras el racismo otorgaba salvoconductos a las atrocidades militares y daba coartadas a la despiadada explotación de las gentes y las tierras sometidas.

En la América hispana, un nuevo vocabulario ayudó a determinar la ubicación de cada persona en la escala social, según la degradación sufrida por la mezcla de sangres. *Mulato* era, y es, el mestizo del blanco y negra, en obvia alusión a la mula, hija estéril del burro y de la yegua, mientras muchos otros términos fueron inventados para clasificar los mil colores generados por los sucesivos revoltijos de europeos, americanos y africanos en el Nuevo Mundo. Nombres simples, como *castizo, cuarterón, quinterón, morisco, cholo, albino, lobo, zambaigo, cambujo, albarazado, barcino, coyote, chamiso, zambo, jíbaro, tresalbo, jarocho, lunarejo* y *rayado*, y también nombres compuestos, como *torna atrás, ahí te estás, tente en el aire* y *no te entiendo*, bautizaban a los frutos de las ensaladas tropicales y definían la mayor o menor gravedad de la maldición hereditaria.

De todos los nombres, *no te entiendo* es el más revelador. Desde eso que llaman el descubrimiento de América, llevamos cinco siglos de no te entiendos. Cristóbal Colón creyó que los indios eran indios de la India, que los cubanos habitaban China y los haitianos Japón. Su hermano, Bartolomé, fundó la pena de muerte en las Américas quemando vivos a seis indígenas por delito de sacrilegio: los culpables habían enterrado estampitas católicas para que los nuevos dioses hicieran fecundas las siembras. Cuando los conquistadores llegaron a las costas del este de México, preguntaron: «¿Cómo se llama este lugar?». Los nativos contestaron: «No entendemos nada», que en la lengua maya de ese lugar sonaba parecido a Yucatán, y desde entonces Yucatán se llama así. Cuando los conquistadores se internaron hasta el corazón de la América del Sur, preguntaron:

«¿Cómo se llama este lago?». Los nativos contestaron: «¿El agua, señor?», que en lengua guaraní sonaba parecido a Ypacaraí, y desde entonces se llama así el lago de las cercanías de Asunción del Paraguay. Los indios siempre fueron lampiños, pero en 1694, en su *Dictionnaire universel*, Antoine Furetière los describió «velludos y cubiertos de pelo», porque la tradición iconográfica europea mandaba que los salvajes fueran peludos como monos. En 1774, el fraile doctrinero del pueblo de San Andrés Itzapan, en Guatemala, descubrió que los indios no adoraban a la Virgen María sino a la serpiente aplastada bajo su pie, por ser la serpiente su vieja amiga, divinidad de los mayas, y también descubrió que los indios veneraban la cruz porque la cruz tiene la forma del encuentro de la lluvia con la tierra. Al mismo tiempo, en la ciudad alemana de Königsberg, el filósofo Immanuel Kant, que nunca había estado en América, sentenció que los indios eran *incapaces de civilización* y que estaban destinados al exterminio. Y en eso andaban, la verdad sea dicha, aunque no por méritos propios: no eran muchos los indios que habían sobrevivido a los disparos del arcabuz y del cañón, al ataque de los virus y de las bacterias desconocidos en América, y a las jornadas infinitas del trabajo forzado en los campos y en las minas de oro y plata. Y habían sido muchos los condenados al azote, a la hoguera o a la horca por pecado de idolatría: los *incapaces de civilización* vivían en comunión con la naturaleza y creían, como muchos de sus nietos creen todavía, que sagrada es la tierra y sagrado es todo lo que en la tierra anda o de la tierra brota.

Y continuaron los equívocos, de siglo en siglo. En Argentina, a fines del siglo XIX, se llamó *conquista del desierto* a las campañas militares que aniquilaron a los indios del sur, aunque en aquel entonces la Patagonia estaba menos desierta que ahora. Hasta hace pocos años, el Registro Civil argentino no aceptaba nombres indígenas, *por ser extranjeros*. La antropóloga Catalina Buliubasich descubrió que el Registro Civil había resuelto documentar a los indios indocumentados de la puna de Salta, al norte del país. Los nombres aborígenes habían sido cambiados por nombres tan poco extranjeros como Chevroleta, Ford, Veintisiete, Ocho, Trece, y hasta había indígenas rebautizados con el nombre de Domingo Faustino Sarmiento, así completito, en memoria de un prócer que sentía más bien náuseas por la población nativa.

Hoy por hoy, se considera a los indios *un peso muerto* para la economía de los países que en gran medida viven de sus brazos, y *un lastre* para la cultura de plástico que esos países tienen por modelo. En Guatemala, uno de los pocos países donde pudieron recuperarse de la catástrofe demográfica, los indios sufren maltrato como la más marginada de las minorías, aunque sean la mayoría de la población: los mestizos y los blancos, o los que dicen ser blancos, visten y viven, o quisieran vestir y vivir, al modo de Miami, *por no parecer indios*, mientras miles de extranjeros acuden en peregrinación al mercado de Chichicastenango, uno de los baluartes de la belleza en el mundo, donde el arte indígena ofrece sus tejidos de asombrosa ima-

Para la Cátedra de Derecho Penal

En 1986, un diputado mexicano visitó la cárcel de Cerro Hueco, en Chiapas. Allí encontró a un indio tzotzil, que había degollado a su padre y había sido condenado a treinta años de prisión. Pero el diputado descubrió que el difunto padre llevaba tortillas y frijoles, cada mediodía, a su hijo encarcelado.

Aquel preso tzotzil había sido interrogado y juzgado en lengua castellana, que él entendía poco o nada, y con ayuda de una buena paliza había confesado ser el autor de una cosa llamada parricidio.

ginación creadora. El coronel Carlos Castillo Armas, que en 1954 usurpó el poder, soñaba con convertir a Guatemala en Disneylandia. Para salvar a los indios de la ignorancia y del atraso, el coronel se propuso «despertarles el gusto estético», como explicó un folleto de propaganda oficial, «enseñándoles tejidos, bordados y otras labores». La muerte lo sorprendió en plena tarea.

Pareces indio, o *hueles a negro*, dicen algunas madres a los hijos que no quieren bañarse, en los países de más fuerte presencia indígena o negra. Pero los cronistas de Indias registraron el estupor de los conquistadores, ante la frecuencia con que los indios se bañaban; y desde entonces han sido los indios, y más tarde los esclavos africanos, quienes han tenido la gentileza de trasmitir, a los demás latinoamericanos, sus costumbres de higiene.

La fe cristiana desconfiaba del baño, que se parecía al pecado porque daba placer. En España, en tiempos de la Inquisición, quien se bañaba con alguna frecuencia estaba confesando su herejía musulmana, y podía acabar sus días en la hoguera. En la España de hoy, el árabe es árabe si veranea en Marbella. El árabe pobre es nada más que moro: para los racistas, *moro hediondo*. Sin embargo, como sabe cualquiera que haya visitado esa fiesta del agua que es la Alhambra de Granada, la cultura musulmana es una cultura del agua desde los tiempos en que la cultura cristiana negaba toda agua que no fuera de beber. En realidad, la ducha se popularizó en Europa con considerable demora, más o menos al mismo tiempo que la televisión.

Los indígenas son cobardes y los negros asustadizos, pero ellos han sido siempre buena carne de cañón en las guerras de conquista, en las guerras de independencia, en las guerras civiles y en las guerras de fronteras de América latina. Indios eran los soldados que los españoles usaban para masacrar indios en la época de la conquista. En el siglo diecinueve, la guerra de independencia fue una hecatombe para los negros argentinos, siempre ubicados en la primera línea de fuego. En la guerra contra Paraguay, los cadáveres de los negros brasileños regaron los campos de batalla. Los indios formaban las tropas de Perú y Bolivia, en la guerra contra Chile: «esa raza abyecta y degradada», como la llamaba el escritor peruano Ricardo Palma, fue enviada al matadero, mientras los oficiales huían gritando *¡Viva la patria!* En tiempos recientes, los indios pusieron los muertos en la guerra entre Ecuador

La diosa

La noche de Iemanyá, toda la costa es una fiesta. Bahía, Río de Janeiro, Montevideo y otras orillas celebran a la diosa de la mar. La multitud enciende en la arena un lucerío de velas, y arroja a las aguas un jardín de flores blancas y también perfumes, collares, tortas, caramelos y otras coqueterías y golosinas que a ella tanto le gustan.

Entonces los creyentes piden algún deseo:
el mapa del tesoro escondido,
la llave del amor prohibido,
el regreso de los perdidos,
la resurrección de los queridos.

Mientras los creyentes piden, sus deseos se realizan. Quizás el milagro no dure más que las palabras que lo nombran, pero mientras ocurre esa fugaz conquista de lo imposible, los creyentes son luminosos y brillan en la noche.

Cuando el oleaje se lleva las ofrendas, ellos retroceden, de cara al horizonte, por no dar la espalda a la diosa. Y, a paso muy lento, regresan a la ciudad.

y Perú; y no había más que soldados indios en los ejércitos que arrasaron las comunidades indias en las montañas de Guatemala: los oficiales, mestizos, cumplían en cada crimen una feroz ceremonia de exorcismo contra la mitad de su sangre.

Trabaja como un negro, dicen los que también dicen que los negros son haraganes. Se dice: *El blanco corre, el negro huye*. El blanco que corre es hombre robado; el negro que huye es ladrón. Hasta Martín Fierro, el personaje que encarnó a los gauchos pobres y perseguidos, opinaba que eran ladrones los negros, hechos por el Diablo para tizón del infierno, y también los indios: *El indio es indio y no quiere/apiar de su condición/ha nacido indio ladrón/y como indio ladrón muere*. Negro ladrón, indio ladrón: la tradición del equívoco manda que ladrones sean los más robados.

Desde los tiempos de la conquista y de la esclavitud, a los indios y a los negros les han robado los brazos y las tierras, la fuerza de trabajo y la rique-

El infierno

En tiempos coloniales, Palenque fue el santuario de libertad que escondía, selva adentro, a los esclavos negros fugitivos de Cartagena de Indias y de las plantaciones de la costa colombiana.

Pasaron los años, los siglos. Palenque sobrevivió. Los palenqueros siguen creyendo que la tierra, su tierra, es un cuerpo, hecho de montes, selvas, aires, gentes, que por los árboles respira y llora por los arroyos. Y también siguen creyendo que en el paraíso reciben recompensa los que han disfrutado la vida, y en el infierno reciben castigo los que han desobedecido la orden divina: en el infierno arden, condenados al fuego eterno, las mujeres frías y los hombres fríos, que han desobedecido las sagradas voces que mandan vivir gozando con alegría y pasión.

za; y también la palabra y la memoria. En el río de la Plata, *quilombo* significa burdel, caos, desorden, relajo, pero esta voz africana, de la lengua bantú, quiere decir, en verdad, *campo de iniciación*. En Brasil, *quilombos* fueron los espacios de libertad que fundaron, selva adentro, los esclavos fugitivos. Algunos de esos santuarios duraron mucho tiempo. Un siglo entero vivió el reino libre de Palmares, en el interior de Alagoas, que resistió más de treinta expediciones militares de los ejércitos de Holanda y Portugal. La historia real de la conquista y la colonización de las Américas es una historia de la dignidad incesante. No hubo día sin rebelión, en todos los años de aquellos siglos; pero la historia oficial ha ninguneado casi todos esos alzamientos, con el desprecio que merecen los actos de mala conducta de la mano de obra. Al fin y al cabo, cuando los negros y los indios se negaban a aceptar como destino la esclavitud o el trabajo forzado, estaban cometiendo delitos de subversión contra la organización del universo. Entre la ameba y Dios, el orden universal se funda en una larga cadena de subordinaciones sucesivas. Como los planetas giran alrededor del sol, han de girar los siervos alrededor de los señores. La desigualdad social y la discriminación racial integran la armonía del cosmos, desde los tiempos coloniales. Y así sigue siendo, y no sólo en las Américas. En 1995, Pietro Ingrao lo comprobaba en Italia: «Tengo una mucama filipina en casa. Qué extraño: resulta difícil imaginar a una familia filipina que tenga en su casa una mucama blanca».

Nunca han faltado pensadores capaces de elevar a categoría científica los prejuicios de la clase dominante, pero el siglo XIX fue pródigo en Europa. El filósofo Auguste Comte, uno de los fundadores de la sociología moderna, creía en la superioridad de la raza blanca y en la perpetua infancia de la mujer. Como casi todos sus colegas, Comte no tenía dudas sobre este principio esencial: blancos son los hombres aptos para ejercer el mando sobre los condenados a las posiciones sociales subalternas.

Los héroes y los malditos

Dentro de algunos atletas, habita un gentío. En los años cuarenta, cuando los negros norteamericanos no podían compartir con los blancos ni siquiera el cementerio, Jack Robinson se impuso en el béisbol. Millones de negros pisoteados reconocían su dignidad en este atleta que brillaba como nadie en un deporte que era exclusivo para blancos. El público lo insultaba y le tiraba maníes, los rivales lo escupían; y en su casa recibía amenazas de muerte.

En 1996, mientras el mundo aclamaba a Nelson Mandela y su larga pelea contra el racismo, el atleta Josiah Thugwane se convertía en el primer negro sudafricano que ganaba una olimpíada. En estos últimos años, está siendo normal que los trofeos olímpicos queden en manos de Kenia, Etiopía, Somalia, Burundi o Sudáfrica. Tiger Woods, llamado *el Mozart del golf*, está triunfando en un deporte de blancos ricos; y hace ya muchos años que son negros los astros del baloncesto y del boxeo. Son negros, o mulatos, los jugadores que más alegría y belleza dan al fútbol.

Según el doble discurso racista, es perfectamente posible aplaudir a los negros exitosos y maldecir a los demás. En la Copa del Mundo que ganó Francia en el 98, eran inmigrantes casi todos los futbolistas que vestían la camiseta azul y al son de la Marsellesa iniciaban cada partido. Una encuesta realizada en esos días confirmó que cuatro de cada diez franceses tienen prejuicios racistas, pero todos los franceses celebraron el triunfo como si los negros y los árabes fueran hijos de Juana de Arco.

Cesare Lombroso convirtió al racismo en tema policial. Este profesor italiano, que era judío, comprobó la peligrosidad de los *salvajes primitivos* mediante un método muy semejante al que Hitler utilizó, medio siglo después, para justificar el antisemitismo. Según Lombroso, los delincuentes nacían delincuentes, y los rasgos de animalidad que los delataban eran los mismos rasgos de los negros africanos y de los indios americanos herederos de la raza mongoloide. Los homicidas tenían pómulos anchos, pelo crespo y oscuro, poca barba, grandes colmillos; los ladrones tenían nariz aplastada; los violadores, labios y párpados hinchados. Como los salvajes, los criminales no se sonrojaban, lo que les permitía mentir descaradamente. Las mujeres sí se sonrojaban, aunque Lombroso había descubierto que «hasta las mujeres consideradas normales, albergan rasgos criminaloides». También los revolucionarios: «Nunca he visto un anarquista que tenga la cara simétrica».

Herbert Spencer fundaba en el imperio de la razón, las desigualdades que hoy por hoy son ley del mercado. Aunque ha pasado más de un siglo, suenan como de ahora, muy de nuestros neoliberales tiempos, algunas de sus certezas. Según Spencer, el estado debía ponerse entre paréntesis, para no interferir en los procesos de *selección natural* que dan el poder a los hombres más fuertes y mejor dotados. La protección social no hacía más que multiplicar el enjambre de los vagos, y la escuela pública procreaba descontentos. El estado debía limitarse a instruir a las *razas inferiores* en los oficios manuales, y a mantenerlas lejos del alcohol.

Como suele ocurrir con la policía en los allanamientos, el racismo encuentra lo que pone. Hasta los primeros años del siglo veinte, duró la moda de pesar los cerebros para medir la inteligencia. Este método científico, que dio lugar a un obsceno exhibicionismo de masas encefálicas, demostró que los indios, los negros y las mujeres tenían cerebros más bien livianitos. Gabriel René Moreno, la gran figura intelectual del siglo pasado en Bolivia, había comprobado, balanza en mano, que el cerebro indígena y el cerebro mestizo pesaban entre cinco, siete y diez onzas menos que el cerebro de raza blanca. El peso del cerebro tiene, en relación a la inteligencia, la misma importancia que el tamaño del pene tiene en relación a la eficacia sexual, o sea: ninguna. Pero los hombres de ciencia andaban a la caza de cráneos famosos, y no se desalentaban a pesar de los resultados desconcertantes de sus operaciones. El cerebro de Anatole France, por ejemplo, pesó la mitad que el de Iván Turguéniev, aunque sus méritos literarios se consideraban parejos.

Hace un siglo, Alfred Binet inventó en París el primer *test* de coeficiente intelectual, con el sano propósito de identificar a los niños que necesitaban más ayuda de los maestros en las escuelas. El inventor fue el primero en advertir que este instrumento no servía para medir la inteligencia, que no puede ser medida, y que no debía ser usado para descalificar a nadie. Pero ya en 1913, las autoridades norteamericanas impusieron el *test* de Binet en las puertas de Nueva York, bien cerquita de la estatua de la Libertad, a los recién llegados inmigrantes judíos, húngaros, italianos y rusos, y de esa manera comprobaron que ocho de cada diez inmigrantes tenían una mente infantil. Tres años después, las autoridades bolivianas lo aplicaron en las escuelas públicas de Potosí: ocho de cada diez niños eran anormales. Y desde entonces, hasta nuestros días, el desprecio racial y social continúa invocando el valor científico de las mediciones del coeficiente intelectual, que tratan a las personas como si fueran números. En 1994, el libro *The bell curve* tuvo un espectacular éxito de ventas en los Estados Unidos. La obra, escrita por dos profesores universitarios, proclamaba sin pelos en la lengua lo que muchos piensan pero no se atreven a decir, o dicen en voz baja: los negros y los pobres tienen un coeficiente intelectual inevitablemente menor que los blancos y los ricos, por herencia genética, y por lo tanto se echa agua al mar cuando se dilapidan dineros en su educación y asistencia social. Los pobres, y sobre todo los pobres de piel negra, son burros, y no son burros porque sean pobres, sino que son pobres porque son burros.

El racismo sólo reconoce la fuerza de evidencia de sus propios prejuicios. Está probado que el arte africano ha sido fuente primordial de inspiración, y muchas veces también objeto de plagio descarado, para los pintores y escultores más famosos del siglo veinte; y parece también indudable que los ritmos de origen africano están salvando al mundo de la muerte por tristeza o bostezo. ¿Qué sería de nosotros sin la música que del África vino y generó

Nombres

El maratonista Doroteo Guamuch, indio quiché, fue el atleta más importante de toda la historia de Guatemala. Por ser gloria nacional, tuvo que cambiarse el nombre maya y pasó a llamarse Mateo Flores.

En homenaje a sus proezas, fue bautizado Mateo Flores el estadio de fútbol más grande del país, mientras él se ganaba la vida como *caddy*, cargando palos y recogiendo pelotitas y propinas en los campos del Mayan Golf Club.

nuevas magias en Brasil, en los Estados Unidos y en las costas del mar Caribe? Sin embargo, a Jorge Luis Borges, a Arnold Toynbee y a muchos otros valiosos intelectuales contemporáneos, les resultaba evidente la esterilidad cultural de los negros.

En las Américas, la cultura real es hija de varias madres. Nuestra identidad, múltiple, realiza su vitalidad creadora a partir de la fecunda contradicción de las partes que la integran. Pero hemos sido amaestrados para no vernos. El racismo, mutilador, impide que la condición humana resplandezca plenamente con todos sus colores. América sigue enferma de racismo; de norte a sur, sigue ciega de sí. Los latinoamericanos de mi generación hemos sido educados por Hollywood. Los indios eran unos tipos con cara de amargados, emplumados y pintados, mareados de tanto dar vueltas alrededor de las diligencias. Del África sólo supimos lo que nos enseñó el profesor Tarzán, inventado por un novelista que nunca estuvo allí.

Las culturas de origen no europeo no son culturas, sino ignorancias, a lo sumo útiles para comprobar la impotencia de las razas inferiores, para atraer turistas y para dar la nota típica en las fiestas de fin de curso y en las fechas patrias. En la realidad, sin embargo, la raíz indígena o la raíz africana, y en algunos países las dos a la vez, florecen con tanta fuerza como la raíz europea en los jardines de la cultura mestiza. A la vista están sus frutos prodigiosos, en las artes de alto prestigio y también en las artes que el desprecio llama artesanías, en las culturas reducidas a folklore y en las religiones descalificadas como supersticiones. Esas raíces, ignoradas pero no ignorantes, nutren la vida cotidiana de la gente de carne y hueso, aunque muchas veces la gente no lo sepa o prefiera no enterarse, y ellas están vivas en los lenguajes que cada día revelan lo que somos a través de lo que hablamos y de los que callamos, en nuestras maneras de comer y de cocinar lo que comemos, en las melodías que nos bailan, en los juegos que nos juegan, y en las mil y una ceremonias, secretas o compartidas, que nos ayudan a vivir.

Durante siglos estuvieron prohibidas las divinidades venidas del pasado americano y de las costas del África. Hoy día ya no viven en la clandestinidad; y aunque siguen padeciendo desprecio, suelen recibir el homenaje de numerosos blancos y mestizos que creen en ellas, o por lo menos las saludan y les piden favores. En los países andinos, ya no son sólo los indígenas quienes inclinan la copa y dejan caer el primer trago para que beba la Pachamama, la diosa de la tierra. En las islas del Caribe, y en las costas atlánticas de la América del Sur, ya no son sólo los negros quienes ofrecen flores y golosinas a Iemanyá, la diosa de la mar. Atrás han quedado los tiempos en que los dioses indígenas y negros no tenían más remedio que

Justicia

En 1997, un automóvil de chapa oficial venía circulando a velocidad normal por una avenida de San Pablo. En el automóvil, nuevo, caro, viajaban tres hombres. En un cruce, los paró un policía. El policía los hizo bajar y durante cerca de una hora los tuvo manos arriba, y de espaldas, mientras les preguntaba una y otra vez dónde habían robado ese automóvil.

Los tres hombres eran negros. Uno de ellos, Edivaldo Brito, era el Secretario de Justicia del gobierno de San Pablo. Los otros dos eran funcionarios de la Secretaría. Para Brito, esto no tenía nada de nuevo. En menos de un año, le había ocurrido cinco veces.

El policía que los había detenido era, también, negro.

disfrazarse de santos cristianos para poder existir. Ya no sufren persecución ni castigo, pero son objeto de desdén para la cultura oficial. En nuestras sociedades, alienadas, entrenadas durante siglos para escupir al espejo, no resulta fácil aceptar que las religiones originarias de América, y las que vinieron del África en los navíos negreros, merecen tanto respeto como las religiones cristianas dominantes. No más, pero ni un poquito menos. ¿Religiones? ¿Religiones, esas supercherías? ¿Esas paganas exaltaciones de la naturaleza, esas peligrosas celebraciones de la pasión humana? Pueden parecer pintorescas, y hasta simpáticas, en la forma, pero en el fondo son meras expresiones de la ignorancia y del atraso.

Hay una larga tradición de identificación de la gente de piel oscura, y de sus símbolos de identidad, con la ignorancia y el atraso. Para abrir el camino del progreso en la República Dominicana, el generalísimo Leónidas Trujillo mandó descuartizar a machetazos, en 1937, a veinticinco mil negros haitianos. El generalísimo, mulato, nieto de abuela haitiana, se blanqueaba la cara con polvo de arroz y también quería blanquear al país. A modo de indemnización, la República Dominicana pagó veintinueve dólares por muerto al gobierno de Haití. Al cabo de prolongadas negociaciones, Trujillo admitió dieciocho mil muertos, los que arrojaron un total de 522.000 dólares.

Mientras tanto, lejos de allí, Adolf Hitler estaba esterilizando a los gitanos y a los mulatos hijos de los soldados negros del Senegal, que años antes

Puntos de vista/4

Desde el punto de vista del oriente del mundo, el día del occidente es noche.

En la India, quienes llevan luto visten de blanco.

En la Europa antigua, el negro, color de la tierra fecunda, era el color de la vida, y el blanco, color de los huesos, era el color de la muerte.

Según los viejos sabios de la región colombiana del Chocó, Adán y Eva eran negros, y negros eran sus hijos Caín y Abel. Cuando Caín mató a su hermano de un garrotazo, tronaron las iras de Dios. Ante las furias del Señor, el asesino palideció de culpa y miedo, y tanto palideció que blanco quedó hasta el fin de sus días. Los blancos somos, todos, hijos de Caín.

habían llegado a Alemania con uniforme francés. El plan nazi de limpieza de la raza aria había comenzado con la esterilización de los enfermos hereditarios y de los criminales, y continuó, después, con los judíos.

La primera ley de eugenesia fue aprobada, en 1901, por el estado norteamericano de Indiana. Tres décadas más tarde, ya eran treinta los estados norteamericanos donde la ley permitía esterilizar a los deficientes mentales, a los asesinos peligrosos, a los violadores y a los miembros de categorías tan nebulosas como «los pervertidos sociales», «los adictos al alcohol o a las drogas» y «las personas enfermas y degeneradas». En su mayoría, los esterilizados eran, por supuesto, negros. En Europa, Alemania no fue el único país que tuvo leyes inspiradas en razones de higiene social y de pureza racial. Hubo otros. Por ejemplo, en Suecia, fuentes oficiales reconocieron, recientemente, que más de sesenta mil personas habían sido esterilizadas, por aplicación de una ley de los años treinta que no fue derogada hasta 1976.

En los años veinte y treinta, era normal que los educadores más prestigiosos de las Américas hablaran de la necesidad de *regenerar la raza, mejorar la especie, cambiar la calidad biológica de los niños.* Al inaugurar el sexto Congreso Panamericano del Niño, en 1930, el dictador peruano Augusto Leguía puso el acento en *el mejoramiento étnico*, haciéndose eco de la Conferencia Nacional sobre el Niño del Perú, que había lanzado un grito de alarma ante «la infancia retardada, degenerada y criminal». Seis años antes, en el Congreso Panamericano del Niño celebrado en Chile, habían sido numerosas las voces que exigían «seleccionar las semillas que se siembran, para evitar los niños impuros», mientras el diario argentino *La Nación* editorializaba sobre la necesidad de «velar por el porvenir de la raza», y el diario chileno *El Mercurio* advertía que la herencia indígena «dificulta, por sus hábitos y su ignorancia, la adopción de ciertas costumbres y conceptos modernos».

Uno de los protagonistas de ese Congreso en Chile, el médico socialista José Ingenieros, había

Así se prueba que los indios son inferiores (Según los conquistadores de los siglos dieciséis y diecisiete)

¿Se suicidan los indios de las islas del mar Caribe? *Porque son holgazanes y se niegan a trabajar.*

¿Andan desnudos, como si todo el cuerpo fuera cara? *Porque los salvajes no tienen vergüenza.*

¿Ignoran el derecho de propiedad, y comparten todo, y carecen de afán de riqueza? *Porque son más parientes del mono que del hombre.*

¿Se bañan con sospechosa frecuencia? *Porque se parecen a los herejes de la secta de Mahoma, que bien arden en los fuegos de la Inquisición.*

¿Creen en los sueños, y obedecen a sus voces? *Por influencia de Satán, o por pura estupidez.*

¿Es libre la homosexualidad? ¿La virginidad no tiene importancia alguna? *Porque son promiscuos y viven en la antesala del infierno.*

¿Jamás golpean a los niños, y los dejan andar libres? *Porque son incapaces de castigo ni doctrina.*

¿Comen cuando tienen hambre, y no cuando es hora de comer? *Porque son incapaces de dominar sus instintos.*

¿Adoran a la naturaleza, a la que tienen por madre, y creen que ella es sagrada? *Porque son incapaces de religión y sólo pueden profesar la idolatría.*

Así se prueba que los negros son inferiores (Según los pensadores de los siglos dieciocho y diecinueve)

Voltaire, escritor anticlerical, abogado de la tolerancia y de la razón: Los negros son inferiores a los europeos, pero superiores a los monos.

Karl von Linneo, clasificador de las plantas y de los animales: El negro es vagabundo, perezoso, negligente, indolente y de costumbres disolutas.

David Hume, entendido en entendimiento humano: El negro puede desarrollar ciertas habilidades propias de las personas, como el loro consigue hablar algunas palabras.

Etienne Serres, sabio en anatomía: Los negros están condenados a ser primitivos, porque tienen poca distancia entre el ombligo y el pene.

Francis Galton, padre de la eugenesia, método científico para impedir la propagación de los ineptos: Un cocodrilo jamás podrá llegar a ser una gacela, ni un negro podrá jamás llegar a ser un miembro de la clase media.

Louis Agassiz, prominente zoólogo: El cerebro de un negro adulto equivale al de un feto blanco de siete meses; el desarrollo del cerebro se bloquea, porque el cráneo del negro se cierra mucho antes que el cráneo del blanco.

escrito en 1905 que los negros, «oprobiosa escoria», merecían la esclavitud por motivos «de realidad puramente biológica». Los derechos del hombre no podían regir para «estos seres simiescos, que parecen más próximos de los monos antropoides que de los blancos civilizados». Según Ingenieros, maestro de juventudes, «estas piltrafas de carne humana» tampoco debían aspirar a la ciudadanía, «porque no deberían considerarse personas en el concepto jurídico». En términos no tan desaforados se había expresado, unos años antes, otro médico, Raymundo Nina Rodrigues: este pionero de la antropología brasileña había comprobado que «el estudio de las razas inferiores ha proporcionado a la ciencia ejemplos bien observados de su incapacidad orgánica, cerebral».

La mayoría de los intelectuales de las Américas tenía la certeza de que *las razas inferiores* bloqueaban el camino del progreso. Lo mismo opinaban casi todos los gobiernos: en el sur de los Estados Unidos, estaban prohibidos los matrimonios mixtos, y los negros no podían entrar a las escuelas, ni a los baños, ni a los cementerios reservados a los blancos. Los negros de Costa Rica no podían ingresar sin salvoconducto en la ciudad de San José; ningún negro podía pasar la frontera de El Salvador; los indios no podían caminar por las aceras de la ciudad mexicana de San Cristóbal de Las Casas.

Sin embargo, América latina no tuvo leyes de eugenesia, quizá porque el hambre y la policía ya se encargaban, en aquel entonces, del asunto. Actualmente, siguen muriendo como moscas, por hambre o enfermedad curable, los niños indígenas de Guatemala, Bolivia o Perú, y son negros ocho de cada diez niños de la calle asesinados por los escuadrones de la muerte en las ciudades de Brasil. La última ley norteamericana de eugenesia se derogó en Virginia en 1972, pero en los Estados Unidos la mortalidad de los bebés negros duplica la de los blancos, y son negros cuatro de cada diez adultos ejecutados por silla eléctrica, inyección, pastilla, fusilamiento u horca.

En tiempos de la segunda guerra mundial, muchos negros norteamericanos murieron en los campos de batalla europeos. Mientras tanto, la Cruz Roja de los Estados Unidos prohibía la sangre de negros en los bancos de plasma, para que no se fuera a realizar, por transfusión, la mezcla de sangres prohibida en la cama. El pánico a la contaminación, que se expresó en algunas maravillas literarias de William Faulkner y en numerosos horrores de los encapuchados del Ku Klux Klan, es un fantasma que no ha desaparecido de las pesadillas norteamericanas. Nadie podría negar las conquistas de los movimientos por los derechos civiles, que en estas últimas décadas han logrado éxitos espectaculares contra las costumbres racistas de la nación. Mucho ha mejorado la situación de los negros. Sin embargo, todavía padecen el doble de desocupación que los blancos, y frecuentan más las cárceles que las universidades. Uno de cada cuatro negros norteamericanos ha pasado por la cárcel o vive en ella. En la capital, Washington, tres de cada cuatro han estado presos al menos una vez. En Los Ángeles, los negros que conducen automóviles de alto precio son sistemáticamente detenidos por la policía, que normalmente los humilla y, en ocasiones, también los golpea, como ocurrió en el caso de la paliza a Rodney King, que en 1991 desencadenó la explosión de furia colectiva que hizo temblar la ciudad. En 1995, el embajador norteamericano en Argentina, James Cheek, descalificó la ley nacional de patentes, tímido pataleo de independencia, sentenciando: «Es digna de Burundi», y eso no movió un pelo a nadie, ni en Argentina, ni en los Estados Unidos, ni en Burundi. Dicho sea de paso, en Burundi había guerra, por entonces, y en Yugoslavia también. Según las agencias internacionales de información, en Burundi se enfrentaban *tribus*, pero en Yugoslavia eran etnias, nacionalidades o grupos religiosos.

Hace doscientos años, el científico alemán Alexander von Humboldt, que supo ver la realidad hispanoamericana, escribió que «la piel más o menos blanca decide la clase que ocupa el hombre en la sociedad». Y esa frase sigue retratando bastante bien no sólo a la América hispana sino a todas las Américas, de norte a sur, a pesar de los indudables cambios ocurridos, y aunque Bolivia haya tenido recientemente un vicepresidente indio y los Estados Unidos puedan exhibir algún general negro muy condecorado, algunos prominentes políticos negros y algunos negros que triunfan en el mundo de los negocios.

A fines del siglo dieciocho, los pocos mulatos latinoamericanos que se habían enriquecido podían comprar *certificados de blancura* a la corona española, o *cartas de branquidão* a la corona portuguesa, y el súbito cambio de piel les otorgaba los derechos correspondientes a ese cambio social. En los siglos siguientes, el dinero siguió siendo capaz, en algunos casos, de alquimias semejantes. Por excepción, también el talento: el brasileño Machado de Assis, el mejor escritor latinoamericano del siglo diecinueve, era mulato y, según decía su compatriota Joaquim Nabuco, se había convertido en blanco por obra de su maestría literaria. Pero, en términos generales, bien se puede decir que en las Américas la llamada *democracia racial* se parece, más bien, a una pirámide social; y la cúspide rica es blanca, o se cree blanca.

En Canadá, ocurre con los indígenas algo bastante parecido a lo que ocurre con los negros en los Estados Unidos: no suman más que el cinco por ciento de la población, pero tres de cada diez presos son indios, y la mortalidad de los bebés duplica la de los blancos. En México, los salarios de la población indígena apenas llegan a la mitad del promedio nacional, y la desnutrición al doble. Es raro encontrar brasileños de piel negra en la universidad, en las telenovelas y en los avisos publicitarios. En las estadísticas oficiales de Brasil, hay muchos menos negros que en la realidad, y los devotos de las religiones africanas figuran como católicos. En la República Dominicana, donde mal que bien no hay quien no tenga algún antepasado negro, los documentos de identidad registran el color de la piel, pero la palabra *negro* no aparece nunca:

—*No le pongo «negro», por no desgraciarlo para toda la vida* —me explicó un funcionario.

La frontera dominicana con Haití, país de negros, se llama *El mal paso*. En toda América latina, los avisos de prensa que piden *empleados de buena presencia* están pidiendo, en realidad, empleados de piel clara. Hay un abogado negro en Lima: los jueces siempre lo confunden con el reo. En 1996, el alcalde de San Pablo obligó por decreto, y bajo pena de multa, a que todos pudieran usar los ascensores de los edificios privados, habitualmente vedados a los pobres, o sea, a los negros y a los mulatos de color subido. A fines de ese año, en vísperas de Navidad, la catedral de Salta, en el norte argentino, se quedó sin pesebre. Las figuras sagradas tenían rasgos y ropas indígenas: eran indios los pastores y los reyes magos, la Virgen y san José y hasta el Jesusito recién nacido. Tamaño sacrilegio no podía durar. Ante la indignación de la alta sociedad local y las amenazas de incendio, el pesebre fue retirado.

Ya en los tiempos de la conquista, estaba claro que los indios estaban condenados a la servidumbre en esta vida y al infierno en la otra. Sobraban evidencias del reinado de Satán en América. Entre las pruebas más irrefutables, estaba el hecho de que la homosexualidad se practicaba libremente en las costas del mar Caribe y en otras regiones. Desde 1446, por orden del rey Alfonso, los homosexuales de Portugal marchaban a la hoguera: «Mandamos y disponemos por ley general, que todo hombre que tal pecado cometiere, de cualquier guisa que fuere, sea quemado y reducido a polvo por el fuego, por tal que nunca de su cuerpo ni de su sepultura pueda ser oída memoria». En 1497, también Isabel y Fernando, los reyes católicos de España, mandaron que fueran quemados vivos los culpables del *nefando pecado de la sodomía*, que hasta entonces morían a pedradas o colgados de la horca. Los guerreros que conquistaron América realizaron algunos aportes dignos de consideración a la tecnología de las muertes ejemplares. En 1513, dos días antes de eso que llaman descubrimiento del océano Pacífico, el capitán Vasco Núñez de Balboa *aperreó* a cincuenta indios que ofendían a Dios practicando *el abominable pecado contra natura*. En lugar de quemarlos vivos, los arrojó a los perros especializados en la devoración de carne humana. El espectáculo tuvo lugar en Panamá, a la luz de las hogueras. El perro de Balboa, Leoncico, que cobraba sueldo de alférez, lució su maestría en el arte del destripe.

Casi cinco siglos después, en mayo de 1997, en la pequeña ciudad brasileña de São Gonçalo do Amarante, un hombre mató a quince personas, y se suicidó de un tiro en el pecho, porque en el pueblo andaban diciendo que él era homosexual. El orden que en el mundo impera desde la conquista de América, no ha tenido jamás la intención de socializar los bienes terrenales, que Dios libre y guarde, pero en cambio se ha dedicado fervorosamente a universalizar las más jodidas fobias de la tradición bíblica.

En nuestro tiempo, el movimiento *gay* ha ganado amplios espacios de libertad y respeto, sobre todo en los países del norte del mundo, pero todavía quedan muchas telarañas ensuciando los ojos. Hay demasiada gente que todavía ve en la homosexualidad una culpa que no tiene expiación, un estigma imborrable y contagioso, o una invitación a la perdición que tienta a los inocentes: los pecadores, enfermos o delincuentes, según como se mire, constituyen en cualquier caso un peligro público. Numerosos homosexuales han sido y siguen siendo víctimas de los *grupos de limpieza social* que operan en Colombia y de los escuadrones de la muerte en Brasil, o de cualquiera de los energúmenos de uniforme policial o traje civil que en el

Puntos de vista/5

Si fueran santas, y no santos, los autores de los Evangelios, ¿cómo contarían la primera noche de la era cristiana?

San José, contarían las santas, estaba de mal humor. Él era el único que tenía cara larga en aquel pesebre donde el niño Jesús, recién nacido, resplandecía en su cuna de paja. Todos sonreían: la Virgen María, los angelitos, los pastores, las ovejas, el buey, el asno, los magos venidos del Oriente y la estrella que los había conducido hasta Belén. Todos sonreían, menos uno. San José, sombrío, murmuró:

—*Yo quería una nena.*

Puntos de vista/6

Si Eva hubiera escrito el Génesis, ¿cómo sería la primera noche de amor del género humano?

Eva hubiera empezado por aclarar que ella no nació de ninguna costilla, ni conoció a ninguna serpiente, ni ofreció manzanas a nadie, y que Dios nunca le dijo que parirás con dolor y tu marido te dominará. Que todas esas historias son puras mentiras que Adán contó a la prensa.

mundo entero exorcizan sus demonios apaleando al prójimo, o cosiéndolo a puñaladas o balazos. Según el antropólogo Luiz Mott, del Grupo Gay de Bahía, no menos de mil ochocientos homosexuales han sido asesinados, en los últimos quince años, en Brasil. «Se matan entre ellos», dicen las fuentes oficiosas de la policía, «son cosas de *bichas*». Que viene a ser exactamente la misma explicación que uno escucha a menudo sobre las guerras en África, *son cosas de negros*, o sobre las matanzas de indígenas en América: *son cosas de indios*.

Son cosas de mujeres, se dice también. El racismo y el machismo beben en las mismas fuentes y escupen palabras parecidas. Según Eugenio Raúl Zaffaroni, el texto fundador del derecho penal es *El martillo de las brujas*, un manual de la Inquisición escrito contra la mitad de la humanidad y

publicado en 1546. Los inquisidores dedicaron todo el manual, desde la primera hasta la última página, a justificar el castigo de la mujer y a demostrar su inferioridad biológica. Ya las mujeres habían sido largamente maltratadas por la Biblia y por la mitología griega, desde los tiempos en que la tonta de Eva hizo que Dios nos echara del Paraíso y la atolondrada de Pandora destapó la caja que llenó al mundo de desgracias. «La cabeza de la mujer es el hombre», había explicado san Pablo a los corintios, y diecinueve siglos después Gustave Le Bon, uno de los fundadores de la psicología social, pudo comprobar que una mujer inteligente es tan rara como un gorila de dos cabezas. Charles Darwin reconocía algunas virtudes femeninas, como la intuición, pero eran «virtudes características de las razas inferiores».

Ya desde los albores de la conquista de América, los homosexuales habían sido acusados de traición a la condición masculina. El más imperdonable de los agravios al Señor, quien, como su nombre lo indica, es macho, consistía en el afeminamiento de esos indios «que para ser mujeres sólo les faltan tetas y parir». En nuestros días, se acusa a las lesbianas de traición a la condición femenina, porque esas degeneradas no reproducen la mano de obra. La mujer, nacida para fabricar hijos, desvestir borrachos o vestir santos, ha sido tradicionalmente acusada, como los indios, como los negros, de estupidez congénita. Y ha sido condenada, como ellos, a los suburbios de la historia. La historia oficial de las Américas sólo hace un lugarcito a las fieles sombras de los próceres, a las madres abnegadas y a las viudas sufrientes: la bandera, el bordado y el luto. Rara vez se menciona a las mujeres europeas que protagonizaron la conquista de América o a las mujeres criollas que empuñaron la espada en las guerras de independencia, aunque los historiadores machistas bien podrían, al menos, aplaudirles las virtudes guerreras. Y mucho menos se habla de las indias y de las negras que encabezaron algunas de las muchas rebeliones de la era colonial. Ésas son las invisibles; por milagro aparecen, muy de vez en cuando, escarbando mucho. Hace poco, leyendo un libro sobre Surinam, descubrí a Kaála, jefa de libres, que con su vara sagrada conducía a los esclavos fugitivos y que abandonó a su marido, por ser flojo de amores, y lo mató de pena.

Como también ocurre con los indios y los negros, la mujer es inferior, pero amenaza. «Vale más maldad de hombre que bondad de mujer», advertía el Eclesiástico (42,14). Y bien sabía Ulises que debía cuidarse de los cantos de sirenas, que cautivan y pierden a los hombres. No hay tradición cultural que no justifique el monopolio masculino de las armas y de la palabra, ni hay tradición popular que no perpetúe el desprestigio de la mujer o que no la denuncie como peligro. Enseñan los proverbios, trasmitidos por herencia, que la mujer y la mentira nacieron el mismo día y que palabra de mujer no vale un alfiler, y en la mitología campesina latinoamericana son casi siempre fantasmas de mujeres, en busca de venganza, las temibles ánimas, las *luces malas*, que por las noches acechan a los caminantes. En la vigilia y en el sueño, se delata el pánico masculino ante la posible invasión femenina de los vedados territorios del placer y del poder; y así ha sido desde los siglos de los siglos.

Por algo fueron mujeres las víctimas de las cacerías de brujas, y no sólo en los tiempos de la Inquisición. Endemoniadas: espasmos y aullidos, quizás orgasmos, y para colmo de escándalo, orgasmos múltiples. Sólo la posesión de Satán podía explicar tanto fuego prohibido, que por el fuego era castigado. Mandaba Dios que fueran quemadas vivas las pecadoras que ardían. La envidia y el pánico ante el placer femenino no tenían nada de nuevo. Uno de los mitos más antiguos y universales, común a muchas culturas de muchos tiempos y de diversos lugares, es el mito de la vulva dentada, el sexo de la hembra como boca llena de dientes, insaciable boca de piraña que se alimenta de carne de machos. Y en este mundo de hoy, en este fin de siglo, hay ciento veinte millones de mujeres mutiladas del clítoris.

No hay mujer que no resulte sospechosa de mala conducta. Según los boleros, son todas ingratas; según los tangos, son todas putas (menos mamá). En los países del sur del mundo, una de cada tres mujeres casadas recibe palizas, como parte de la rutina conyugal, en castigo por lo que ha hecho o por lo que podría hacer:

—*Estamos dormidas* —dice una obrera del barrio Casavalle, de Montevideo—. *Algún príncipe te besa y te duerme. Cuando te despertás, el príncipe te aporrea.*

Y otra:

—*Yo tengo el miedo de mi madre, y mi madre tuvo el miedo de mi abuela.*

Confirmaciones del derecho de propiedad: el macho propietario comprueba a golpes su derecho de propiedad sobre la hembra, como el macho y la hembra comprueban a golpes su derecho de propiedad sobre los hijos.

Y las violaciones, ¿no son, acaso, ritos que por la violencia celebran ese derecho? El violador no busca, ni encuentra, placer: necesita someter. La violación graba a fuego una marca de propiedad en el anca de la víctima, y es la expresión más brutal del carácter fálico del poder, desde siempre expresado por la flecha, la espada, el fusil, el cañón, el misil y otras erecciones. En los Estados Unidos, se viola una mujer cada seis minutos. En México, una cada nueve minutos. Dice una mujer mexicana:

—*No hay diferencia entre ser violada y ser atropellada por un camión, salvo que después los hombres te preguntan si te gustó.*

Las estadísticas sólo registran las violaciones denunciadas, que en América latina son siempre muchas menos que las violaciones ocurridas. En su mayoría, las violadas callan por miedo. Muchas niñas, violadas en sus casas, van a parar a la calle: hacen la calle, cuerpos baratos, y algunas encuentran, como los niños de la calle, su morada en el asfalto. Dice Lélia, catorce años, criada a la buena de Dios en las calles de Río de Janeiro:

—*Todos roban. Yo robo y me roban.*

Cuando Lélia trabaja, vendiendo su cuerpo, le pagan poco o le pagan pegándole. Y cuando roba, los policías le roban lo que ella roba, y además le roban el cuerpo.

Dice Angélica, dieciséis años, arrojada a las calles de la ciudad de México:

—*Le dije a mi mamá que mi hermano había abusado de mí, y ella me corrió de la casa. Ahora vivo con un chavo, y estoy embarazada. Él dice que me va a apoyar, si tengo niño. Si tengo niña, no dice.*

«En el mundo de hoy, nacer niña es un riesgo», comprueba la directora de UNICEF. Y denuncia la violencia y la discriminación que la mujer padece, desde la infancia, a pesar de las conquistas de los movimientos feministas en el mundo entero. En 1995, en Pekín, la conferencia internacional sobre los derechos de las mujeres reveló que ellas ganan, en el mundo actual, una tercera parte de lo que ganan los hombres, por igual trabajo realizado. De cada diez pobres, siete son mujeres; apenas una de cada cien mujeres es propietaria de algo. Vuela torcida la humanidad, pájaro de un ala sola. En los parlamentos hay, en promedio, una mujer por cada diez legisladores; y en algunos parlamentos no hay ninguna. Se reconoce cierta utilidad a la mujer en la casa, en la fábrica o en la oficina, y hasta se admite que puede ser imprescindible en la cama o en la cocina, pero el espacio público está virtualmente monopolizado por los machos, nacidos para las lides del poder y de la guerra. Carol Bellamy, que encabeza la agencia UNICEF de las Naciones Unidas, no es un caso frecuente. Las Naciones Unidas predican el derecho a la igualdad, pero no lo practican: al nivel alto, donde se toman decisiones, los hombres ocupan ocho de cada diez cargos en el máximo organismo internacional.

La mamá despreciada

Las obras de arte del África negra, frutos de la creación colectiva, obras de nadie, obras de todos, rara vez se exhiben en pie de igualdad con las obras de los artistas que se consideran dignos de ese nombre. Estos botines del saqueo colonial se encuentran, por excepción, en algunos museos de arte de Europa y de los Estados Unidos, y también en algunas colecciones privadas, pero su espacio *natural* está en los museos de antropología. Reducido a la categoría de artesanía o de expresión folklórica, el arte africano es digno de atención, entre otras costumbres de los pueblos exóticos.

El mundo llamado *occidental*, acostumbrado a actuar como acreedor del resto del mundo, no tiene mayor interés en reconocer sus propias deudas. Y, sin embargo, cualquiera que tenga ojos para mirar y admirar, podría muy bien preguntarse: ¿Qué sería del arte del siglo veinte sin el aporte del arte negro? ¿Hubieran sido posibles, sin la mamá africana que les dio de mamar, las pinturas y las esculturas más famosas de nuestro tiempo?

En una obra publicada por el Museo de Arte Moderno de Nueva York, William Rubin y otros estudiosos han hecho un revelador cotejo de imágenes. Página tras página, se documenta la deuda del arte que llamamos arte con el arte de los pueblos llamados *primitivos*, que es fuente de inspiración o plagio.

Los principales protagonistas de la pintura y de la escultura contemporáneas han sido alimentados por el arte africano, y algunos lo han copiado sin dar ni las gracias. El genio más alto del arte del siglo, Pablo Picasso, trabajó siempre rodeado de máscaras y tapices del África, y ese influjo aparece en las muchas maravillas que dejó. La obra que dio origen al cubismo, *Les demoiselles d'Avinyó* (las señoritas de la calle de las putas, en Barcelona) brinda uno de los numerosos ejemplos. La cara más célebre del cuadro, la que más rompe la simetría tradicional, es la reproducción exacta de una máscara del Congo, que representa una cara deformada por la sífilis, expuesta en el Museo Real del África Central, en Bélgica.

Algunas cabezas talladas por Amedeo Modigliani son hermanas gemelas de máscaras de Mali y Nigeria. Las franjas de signos de los tapices tradicionales de Mali sirvieron de modelo a las grafías de Paul Klee. Algunas de las tallas estilizadas del Congo o de Kenia, hechas antes de que Alberto Giacometti naciera, podrían pasar por obras de Alberto Giacometti en cualquier museo, y nadie se daría cuenta. Se podría jugar a las diferencias, y sería muy difícil adivinarlas, entre el óleo de Max Ernst, *Cabeza de hombre*, y la escultura en madera de la Costa de Marfil, *Cabeza de un caballero*, que pertenece a una colección privada de Nueva York. La *Luz de luna en una ráfaga de viento*, de Alexander Calder, contiene un rostro que es el clon de una máscara luba, del Congo, ubicada en el Museo de Seattle.

Fuentes consultadas

Berry, Mary Frances, y John W. Blassingame, «Long memory. The black experience in America». Nueva York/ Oxford, Oxford University Press, 1982.

Commager, Henry Steele, «The Empire of-Reason: How Europe imagined and America realized the Enlightenment». Nueva York, Doubleday, 1978.

Escobar, Ticio, «La belleza de los otros». Asunción, CDI, 1993.

Friedemann, Nina S. de, «Vida y muerte en el Caribe afrocolombiano: cielo, tierra, cantos y tambores». En *América negra*, Bogotá, n° 8, 1994.

Galton, Francis, «Herencia y eugenesia». Madrid, Alianza, 1988.

Gould, Stephen Jay, «Ever since Darwin». Nueva York, Norton, 1977.

— «The mismeasure of man». Nueva York, Norton, 1981.

Graham, Richard, y otros, «The idea of race in Latin America, 1870/1940». Austin, University of Texas, 1990.

Guinea, Gerardo, «Armas para ganar una nueva batalla». Gobierno de Guatemala, 1957.

Herrnstein, Richard, y Charles Murray, «The bell curve: Intelligence and class structure in american life». Nueva York, Free Press, 1994.

Iglesias, Susana, y otros, obra citada.

Ingenieros, José, «Crónicas de viaje». Buenos Aires, Elmer, 1957.

Ingrao, Pietro, «Chi é l'invasore». En *Il Manifesto*, Roma, 17 de noviembre de 1995.

Kaminer, Wendy, «It's all the rage: Crime and culture». Nueva York, Addison-Wesley, 1995.

Lewontin, R. C., y otros, «No está en los genes. Racismo, genética e ideología». Barcelona, Crítica, 1987.

Lombroso, Cesare, «L'homme criminel». París, Alcan, 1887.

— «Los anarquistas». Madrid, Júcar, 1977.

Lozano Domingo, Irene, «Lenguaje femenino, lenguaje masculino». Madrid, Minerva, 1995.

Martínez, Stella Maris, «Manipulación genética y derecho penal». Buenos Aires, Universidad, 1994.
Mörner, Magnus, «La mezcla de razas en la historia de América Latina». Buenos Aires, Paidós, 1969.
Organización de las Naciones Unidas (CEPAL/CELADE), «Población, equidad y transformación productiva». Santiago de Chile, 1995.
Palma, Milagros, «La mujer es puro cuento». Bogotá, Tercer Mundo, 1986.
Price, Richard, «First time. The historical vision of an afroamerican people». Baltimore, Johns Hopkins University, 1983.
Rodrigues, Raymundo Nina, «As raças humanas e a responsabilidade penal no Brasil». Salvador de Bahía, Progresso, 1957.
Rojas-Mix, Miguel, «América imaginaria». Barcelona, Lumen, 1993.
Rowbotham, Sheila, «La mujer ignorada por la historia». Madrid, Debate, 1980.
Rubin, William, y otros, «"Primitivism" en 20th. century art». Nueva York, Museum of Modern Art, 1984.
Shipler, David K., «A country of strangers: Black and whites in America». Nueva York, Knopf, 1997.
Spencer, Herbert, «El individuo contra el estado». Sevilla, 1885.
Tabet, Paola, «La pelle giusta». Turín, Einaudi, 1997.
Taussig, Michael, «Shamanism, colonialism and the wild man». Chicago, University Press, 1987.
Trexler, Richard, «Sex and Conquest». Cambridge, Polity, 1995.
UNICEF, informes citados.
United Nations Population Fund, «State of world population». Nueva York, 1997.
Vidart, Daniel, «Ideología y realidad de América». Bogotá, Nueva América, 1985.
Weatherford, Jack, «Indian givers. How the indians of the Americas transformed the world». Nueva York, Fawcett, 1988.
Zaffaroni, Eugenio Raúl, «Criminología. Aproximación desde un margen». Bogotá, Temis, 1988.
— Prólogo a Nils Christie, «La industria del control del delito». Buenos Aires, Del Puerto, 1993.

«La justicia es como las serpientes: sólo
muerde a los descalzos.»
(Monseñor Óscar Arnulfo Romero,
arzobispo de San Salvador,
asesinado en 1980)

Cátedras del miedo

- La enseñanza del miedo
- La industria del miedo
- Clases de corte y confección: cómo elaborar enemigos a medida

La enseñanza del miedo

En un mundo que prefiere la seguridad a la justicia, hay cada vez más gente que aplaude el sacrificio de la justicia en los altares de la seguridad. En las calles de las ciudades, se celebran las ceremonias. Cada vez que un delincuente cae acribillado, la sociedad siente alivio ante la enfermedad que la acosa. La muerte de cada malviviente surte efectos farmacéuticos sobre los bienvivientes. La palabra farmacia viene de *phármakos*, que era el nombre que daban los griegos a las víctimas humanas de los sacrificios ofrendados a los dioses en tiempos de crisis.

El gran peligro del fin de siglo

A mediados de 1982, ocurrió en Río de Janeiro un hecho de rutina: la policía mató a un sospechoso de hurto. La bala entró por la espalda, como suele ocurrir cuando los agentes de la ley matan en defensa propia, y el asunto fue archivado. En su informe, el jefe explicó que el sospechoso era «un verdadero *microbio social*», que había sido «absuelto, en este planeta, por su muerte». Los diarios, las radios y la televisión de Brasil frecuentemente definen a los delincuentes con un vocabulario que proviene de la medicina y de la zoología: *virus, cáncer, infección social, animales, alimañas, insectos, fieras salvajes* y también *pequeñas fieras* cuando se trata de niños. Los aludidos son siempre pobres. Cuando no lo son, la noticia merece la primera página: «Joven que murió robando era de clase media», tituló el diario *Folha de São Paulo*, en su edición del 25 de octubre de 1995.

Sin contar a las numerosas víctimas de los grupos parapoliciales, en 1992 la policía del estado de San Pablo mató *oficialmente* a cuatro personas por día, lo que al cabo del año dio un total cuatro veces mayor que todos los muertos de la dictadura militar que reinó en Brasil durante quince años. A fines del 95, se otorgó aumento de sueldo a los policías de Río de Janeiro que actuaran con «valentía y arrojo». Ese aumento se tradujo de inmediato en otro aumento: se multiplicó la cantidad de *presuntos delincuentes* acribillados a tiros. «No son ciudadanos, son bandidos», explica el general Nilton Cerqueira, estrella de la represión en la dictadura militar y actual responsable de la seguridad pública en Río. Él siempre ha creído que un buen soldado y un buen policía disparan primero y preguntan después.

Las fuerzas armadas latinoamericanas habían cambiado de orientación, a partir del terremoto de

El miedo global

Los que trabajan tienen miedo de perder el trabajo.

Los que no trabajan tienen miedo de no encontrar nunca trabajo.

Quien no tiene miedo al hambre, tiene miedo a la comida.

Los automovilistas tienen miedo de caminar y los peatones tienen miedo de ser atropellados.

La democracia tiene miedo de recordar y el lenguaje tiene miedo de decir.

Los civiles tienen miedo a los militares, los militares tienen miedo a la falta de armas, las armas tienen miedo a la falta de guerras.

Es el tiempo del miedo.

Miedo de la mujer a la violencia del hombre y miedo del hombre a la mujer sin miedo.

Miedo a los ladrones, miedo a la policía.

Miedo a la puerta sin cerradura, al tiempo sin relojes, al niño sin televisión, miedo a la noche sin pastillas para dormir y miedo al día sin pastillas para despertar.

Miedo a la multitud, miedo a la soledad, miedo a lo que fue y a lo que puede ser, miedo de morir, miedo de vivir.

la revolución cubana en 1959. De la defensa de las fronteras de cada país, que era su tarea tradicional, habían pasado a ocuparse del *enemigo in-*

terno, la subversión guerrillera y sus múltiples incubadoras, porque así lo exigía la defensa del mundo libre y del orden democrático. Inspirados por esos propósitos, los militares acabaron con la libertad y con la democracia en muchos países. Sólo en cuatro años, entre 1962 y 1966, hubo nueve golpes de estado en América latina; y en los años siguientes, los hombres de uniforme siguieron derribando gobiernos civiles y masacrando gente, según mandaba el catecismo de la doctrina de la seguridad nacional. Ha pasado el tiempo, el orden civil se ha restablecido. El enemigo sigue siendo *interno*, pero ya no es el que era. Las fuerzas armadas están empezando a participar en la lucha contra los llamados *delincuentes comunes*. La doctrina de la seguridad nacional está siendo desplazada por la histeria de la seguridad pública. Por regla general, a los militares no les gusta ni un poquito que los rebajen a la categoría de meros policías; pero la realidad exige.

Hasta hace unos treinta años, el orden había tenido enemigos de todos los colores, desde el rosa pálido hasta el rojo fuego. La actividad de los ladrones de gallinas y de los navajeros de suburbios no atraía más que a los lectores de las páginas policiales, a los devoradores de truculencias y a los expertos en criminología. Ahora, en cambio, la llamada *delincuencia común* es una obsesión universal. El delito se ha democratizado, y ya está al alcance de cualquiera: lo ejercen muchos, lo padecen todos. Tamaño peligro constituye la fuente más fecunda de inspiración para los políticos y los

América latina, paisajes típicos

Los estados dejan de ser empresarios y se dedican a ser policías.

Los presidentes se convierten en gerentes de empresas ajenas.

Los ministros de Economía son buenos traductores.

Los industriales se convierten en importadores.

Los más dependen cada vez más de las sobras de los menos.

Los trabajadores pierden sus trabajos.

Los campesinos pierden sus tierritas.

Los niños pierden su infancia.

Los jóvenes pierden las ganas de creer.

Los viejos pierden su jubilación.

«La vida es una lotería», opinan los que ganan.

periodistas que, a grito pelado, exigen mano dura y pena de muerte; y también ayuda al éxito civil de algunos jefes militares. El pánico colectivo, que identifica a la democracia con el caos y la inseguridad, es una de las explicaciones posibles para la buena fortuna de las campañas políticas de algunos generales latinoamericanos. Hasta hace pocos años, esos militares habían ejercido dictaduras sangrientas, o habían participado en ellas como protagonistas de primer plano, pero después se metieron en la contienda democrática con sorprendente eco popular. El general Ríos Montt, ángel exterminador de los indígenas de Guatemala, encabezaba las encuestas cuando se prohibió su candidatura presidencial, y lo mismo ocurrió con el general Oviedo en Paraguay. El general Bussi, que mientras mataba sospechosos depositaba en los bancos suizos el sudor de su frente, fue electo y reelecto gobernador de la provincia argentina de Tucumán; y otro asesino uniformado, el general Banzer, fue recompensado con la presidencia de Bolivia.

Los técnicos del Banco Interamericano de Desarrollo, capaces de traducir en dinero la vida y la muerte, calculan que América latina pierde cada año 168 mil millones de dólares por el auge del delito. Estamos ganando el campeonato mundial del crimen. Los homicidios latinoamericanos superan en seis veces el promedio mundial. Si la economía creciera al ritmo que crece el crimen, seríamos los más prósperos del planeta. ¿Paz en El Salvador?¿Qué paz? Al ritmo de un asesinato por hora, El Salvador está duplicando la violencia de los peores años de la guerra. La industria del secuestro es la más lucrativa en Colombia, Brasil y México. En nuestras grandes ciudades, ninguna persona puede considerarse normal si no ha sufrido, al menos, una tentativa de robo. Hay cinco veces más asesinatos en Río de Janeiro que en Nueva York. Bogotá es la capital de la violencia, Medellín es la ciudad de las viudas. Los policías de élite, miembros de los *grupos especiales*, han empezado a patrullar las calles de algunas ciudades latinoamericanas: están equipados, de la cabeza a los pies, para la tercera guerra mundial. Llevan visor nocturno de infrarrojos, audífono, micrófono y chaleco antibalas; en la cintura cargan cápsulas de agresivos químicos y municiones; un fusil ametralladora en la mano y una pistola en el muslo.

En Colombia, de cada cien crímenes, noventa y siete quedan impunes. Parecida es la proporción de impunidad en los suburbios de Buenos Aires, donde hasta hace poco tiempo, la policía dedicaba sus mejores energías a ejercer la delincuencia y a fusilar jóvenes: desde la restauración de la democracia, en 1983, hasta mediados del 97, la policía había fulminado a 314 muchachos de aspecto sospechoso. A fines del 97, en plena reorganización policial, la prensa informó que había cinco mil uniformados que cobraban sueldo, pero nadie sabía qué hacían, ni dónde estaban. Al mismo tiempo, las encuestas revelaban el descrédito de las fuerzas del orden en el río de la Plata: poquitos eran los argentinos y los uruguayos dispuestos a recurrir a la policía ante cualquier problema grave. Seis de cada diez uruguayos aprobaban la justicia por mano propia, y unos cuantos se afiliaban al Club de Tiro.

En los Estados Unidos, cuatro de cada diez ciudadanos reconocen, en los sondeos de opinión, que han alterado sus rutinas de vida por causa de la criminalidad y, al sur del río Bravo, se habla de robos y de asaltos tanto como del fútbol o del tiempo. La industria de la opinión pública echa leña a la hoguera, y mucho contribuye a convertir

la seguridad pública en manía pública; pero hay que reconocer que la realidad es la que más ayuda. Y la realidad dice que la violencia crece todavía más de lo que las estadísticas confiesan. En muchos países, la gente no hace las denuncias, porque no cree en la policía, o le teme. El periodismo uruguayo llama *superbandas* a las bandas autoras de los asaltos espectaculares, y *polibandas* a las que tienen policías entre sus miembros. De cada diez venezolanos, nueve creen que la policía roba. En 1996, la mayoría de los policías de Río de Janeiro admitió que había recibido propuestas de sobornos, mientras uno de sus jefes opinaba que «la policía fue creada para que sea corrupta» y atribuía la culpa a la sociedad, «que desea una policía corrupta y violenta».

Un informe recibido por Amnistía Internacional, de fuentes oficiosas de la propia policía, reveló que los uniformados cometen seis de cada diez delitos en la capital mexicana. Para atrapar a cien delincuentes a lo largo de un año, se requieren catorce policías en Washington, quince en París, dieciocho en Londres y mil doscientos noventa y cinco policías en la ciudad de México. En 1997, el alcalde admitió:

—*Hemos permitido que los policías se corrompieran en exceso.*

—*¿En exceso?* —preguntó el preguntón Carlos Monsiváis—. *¿Qué les pasa? ¿Son corruptos o le andan haciendo al honestito? Pónganle ganas.*

En este fin de siglo, todo se globaliza y todo se parece: la ropa, la comida, la falta de comida, las ideas, la falta de ideas, y también el delito y el miedo al delito. En el mundo entero, el crimen aumenta más de lo que los numeritos cantan, aunque mucho cantan: desde 1970, las denuncias de delitos han crecido tres veces más que la población mundial. En los países del este de Europa, mientras el consumismo enterraba al comunismo, la violencia cotidiana subía al ritmo en que caían los salarios: en los años noventa, se multiplicó por tres en Bulgaria, en la República Checa, en Hungría, en Letonia, en Lituania y en Estonia. El crimen organizado y el crimen desorganizado se han apoderado de Rusia, donde florece como nunca la delincuencia infantil. Se llaman *olvidados* los niños que vagan por las calles de las ciudades rusas: «Tenemos centenares de miles de niños sin hogar», reconoce, al fin del siglo, el presidente Boris Yeltsin.

En los Estados Unidos, el pánico a los asaltos se tradujo de la más elocuente manera en una ley promulgada en Louisiana, a fines del 97. Esa ley autoriza a cualquier automovilista a matar a quien intente robarlo, aunque el ladrón esté desarmado. La reina de belleza de Louisiana promovió, por televisión, con todos los dientes de su sonrisa, este fulminante método para evitar molestias. Mientras tanto, había subido espectacularmente la popularidad del alcalde de Nueva York, Rudolph Giuliani, que estaba golpeando duro a los delincuentes con su política de *tolerancia cero*. En Nueva York, el delito cayó en la misma proporción en que subieron las denuncias por brutalidad policial. La represión en plan bestia, pócima mágica muy elogiada por los medios de comunicación, se descargó con saña sobre los negros y otras *minorías* que suman la mayoría de la población neoyorquina. La *tolerancia cero* se convirtió, rápidamente, en un modelo ejemplar para las ciudades latinoamericanas.

Elecciones presidenciales en Honduras, 1997: la delincuencia es el tema central de los discursos de todos los candidatos, y todos prometen seguridad a una población espantada por las fechorías. Elecciones legislativas en Argentina, en el mismo año: la candidata Norma Miralles se proclama partidaria de la pena de muerte, pero con sufrimiento previo: «Es poco matar a un condenado, porque no sufre». Poco antes, el alcalde de Río de Janeiro, Luiz Paulo Conde, había dicho que prefería la cadena perpetua o los trabajos forzados, porque la pena de muerte tiene el inconveniente de ser «una cosa muy rápida».

No hay ley que valga ante la invasión de los fuera de la ley: se multiplican los asustados, y los asustados pueden ser más peligrosos que el peligro que los asusta. No sólo los vividores de la abundancia sienten el acoso. También muchos de los numerosos sobrevivientes de la escasez, pobres que sufren los zarpazos de otros más pobres o más desesperados que ellos. *Turbas enloquecidas queman vivo a un niño por robar una naranja*, titulan los diarios: entre 1979 y 1988, la prensa brasileña dio noticia de 272 linchamientos, furia ciega de los pobres contra los pobres, venganzas feroces ejecutadas por gente que no tenía dinero para pagar el servicio a la policía. Pobres eran también los autores de los cincuenta y dos linchamientos que ocurrieron en Guatemala en 1997, y pobres eran los autores de los 166 linchamientos que ocurrieron, entre 1986 y 1991, en Jamaica. Mientras tan-

El enemigo público/1

En abril del 97, los telespectadores brasileños fueron invitados a votar: ¿qué final merecía el joven autor de un asalto violento? Hubo abrumadora mayoría de votos por el exterminio: la pena de muerte duplicó los votos de la pena de prisión.

Según la investigadora Vera Malaguti, el enemigo público número uno está siendo esculpido sobre el modelo del muchacho bisnieto de esclavos, que vive en las favelas, no sabe leer, adora la música *funk*, consume drogas o vive de ellas, es arrogante y atropellador, y no muestra el menor signo de resignación.

to, en esos cinco años, el gatillo fácil de la policía jamaiquina mató a más de mil sospechosos: una encuesta posterior señaló que un tercio de la población cree que hay que ahorcar a los delincuentes, ya que ni la venganza popular ni la violencia policial son suficientes. Las encuestas de 1997 en Río de Janeiro y San Pablo revelaron que más de la mitad de la gente considera *normal* el linchamiento de los malhechores.

Buena parte de la población aplaude también, a la vista o en secreto, a los escuadrones de la muerte, que aplican la pena capital, aunque la ley no la autorice, con la habitual participación o com-

El enemigo público/2

A principios del 98, el periodista Samuel Blixen hizo una comparación elocuente. El botín de cincuenta atracos, realizados por las bandas de delincuentes más espectaculares del Uruguay, sumaba cinco millones de dólares. El botín de dos atracos, cometidos sin fusiles ni pistolas por un banco y un financista, sumaba setenta millones.

plicidad de policías y militares. En Brasil, empezaron matando guerrilleros. Después, delincuentes adultos. Después, homosexuales y mendigos. Después, adolescentes y niños. Silvio Cunha, presidente de una asociación de comerciantes de Río de Janeiro, opinaba en 1991:

—*Matando a un joven favelado, se presta servicio a la sociedad.*

La dueña de una tienda en el barrio de Botafogo sufrió cuatro asaltos en dos meses. Un policía le explicó lo que ocurría: de nada servía llevar presos a los niños, porque el juez los soltaba y volvían al robo nuestro de cada día.

—*Depende de usted* —dijo el policía.

Y ofreció horas extras, a precio razonable, para cumplir el servicio:

—*Acabar con ellos* —dijo.

—*¿Acabar?*

—*Acabar, mismo.*

Por encargo de los comerciantes, los grupos de exterminio, que en Brasil gustan llamarse *de autodefensa*, se ocupan de la limpieza de las ciudades, mientras otros colegas pistoleros se ocupan de la limpieza de los campos, por cuenta de los latifundistas, acribillando a los campesinos sin tierra y a otra gente molesta. Según la revista *Isto é* (20 de mayo del 98), en el estado de Maranhão, la vida de un juez vale quinientos dólares, y cuatrocientos la de un sacerdote. Trescientos dólares cuesta matar a un abogado. Las organizaciones de asesinos de alquiler ofrecen sus servicios por Internet, con precios especiales para abonados.

En Colombia, los escuadrones de la muerte, que dicen ser *grupos de limpieza social*, también empezaron matando guerrilleros, y ahora matan a cualquiera, al servicio de los comerciantes, los terratenientes, o de quien guste pagar. Muchos de sus miembros son policías y militares sin uniforme, pero también se entrenan verdugos de edad temprana. En Medellín, funcionan algunas escuelas de sicarios, que ofrecen dinero fácil y emociones fuertes a niños de quince años. Esos niños, instruidos en las artes del crimen, matan a veces, por encargo, a otros niños tan muertos de hambre como ellos. Pobres contra pobres, como de costumbre: la pobreza es una manta demasiado corta, y cada cual tira para su lado. Pero las víctimas pueden ser también prominentes políticos o periodistas famosos. El blanco elegido se llama *perro* o *bulto*. Los jóvenes asesinos cobran su trabajo según la importancia del *perro* y el riesgo de la operación. A menudo los exterminadores trabajan protegidos por las máscaras legales de las empresas que venden seguridad. A fines del 97, el gobierno colombiano reconoció que disponía de treinta inspectores para controlar a tres mil empresas de seguridad privada. El año anterior, hubo una inspección ejemplar: en una sola recorrida, que duró una semana, un inspector revisó cuatrocientos *grupos de autodefensa*. No encontró nada raro.

Los escuadrones de la muerte no dejan huellas. Muy raras veces se rompe la regla de la impunidad; muy raras veces se rompe el silencio. Una excepción, en Colombia: a mediados del 91, sesenta mendigos murieron acribillados en la ciudad de Pereira. Los asesinos no fueron presos, pero al menos trece agentes de policía y dos oficiales se jubilaron, obligados por una «sanción disciplinaria». Otra excepción, en Brasil: a mediados del 93, fueron ametrallados cincuenta niños que dormían en los portales de la iglesia de la Candelaria, en Río de Janeiro. Ocho murieron. La matanza tuvo repercusión mundial y, a la larga, marcharon presos dos de los policías militares que, vestidos de civil, habían ejecutado la operación. Un milagro.

Afanásio Jazadji fue electo diputado estadual con la mayor cantidad de votos de la historia del estado de San Pablo. Él había ganado su popularidad desde la radio. Día tras día, micrófono en mano, predicaba: basta de problemas, ha llegado la hora de las soluciones. Solución al problema de las cárceles superpobladas: «Tenemos que agarrar a todos esos presos incorregibles, ponerlos contra la pared y quemarlos con un lanzallamas. O meterles una bomba, búúúúúm, y asunto resuelto. Estos vagabundos nos están costando muchos millones y millones». En 1987, entrevistado por Bell Chevigny, Jazadji explicó que la tortura está muy bien, porque la policía sólo tortura a los culpables. A veces, dijo, la policía no sabe qué crímenes ha cometido el delincuente, y se entera golpeándolo, como hace el marido cuando propina una paliza a su mujer. La tortura, concluyó, es la única manera de conocer la verdad.

Allá por el año 1252, el papa Inocencio IV autorizó el suplicio contra los sospechosos de herejía. La Inquisición desarrolló la producción de dolor, que la tecnología del siglo veinte ha elevado a niveles de perfección industrial. Amnistía Internacional ha documentado la práctica sistemática de torturas con choques eléctricos en cincuenta países.

En el siglo trece, el poder hablaba sin pelos en la lengua; ahora, la tortura se hace pero no se dice. El poder evita las malas palabras. A fines de 1996, cuando el Tribunal Supremo de Israel autorizó la tortura contra los prisioneros palestinos, la llamó *presión física moderada*. En América latina, las torturas se llaman *apremios ilegales*. Desde siempre, los delincuentes comunes, o quienes tengan cara de, sufren *apremios* en las comisarías de nuestros países. Es costumbre, se considera normal, que la policía arranque confesiones, mediante métodos de tormento idénticos a los que las dictaduras militares habían aplicado a los presos políticos. La diferencia está en que buena parte de aquellos presos políticos provenía de la clase media y, algunos, de la clase alta; y las fronteras de clase social son los únicos límites que la impunidad puede reconocer, a veces, en estos casos. En tiempos del horror militar, las campañas de denuncias, que llevaron adelante los organismos de derechos humanos, no siempre sonaron en campana de palo: algún eco encontraron, en ocasiones amplio eco, en el cerrado ámbito de los países sometidos a las dictaduras, y también en los medios universales de comunicación. A los presos comunes, en cambio, ¿quién los escucha? Ellos son socialmente despreciables y jurídicamente invisibles. Cuando alguno comete la locura de denunciar que ha sido torturado, la policía vuelve a someterlo a tratamiento, con multiplicado fervor.

Cárceles inmundas, presos como sardinas en lata: en su gran mayoría, son presos sin condena. Muchos, sin proceso siquiera, están ahí no se sabe

por qué. Si se compara, el infierno del Dante parece cosa de Disney. Continuamente, estallan motines en estas cárceles que hierven. Entonces, las fuerzas del orden cocinan a tiros a los desordenados y, de paso, matan a todos los que pueden, y así se alivia en algo el problema de la falta de espacio. En 1992, hubo más de cincuenta sublevaciones de presos en las cárceles latinoamericanas con más graves problemas de hacinamiento. Los motines dejaron un saldo de novecientos muertos, casi todos ejecutados a sangre fría.

Gracias a la tortura, que hace cantar a los mudos, muchos presos están presos por delitos que jamás cometieron, porque más vale inocente entre rejas que culpable en libertad. Otros han confesado asesinatos que resultan juegos de niños al lado de las hazañas de algunos generales, o robos que parecen chistes si se comparan con los fraudes de nuestros mercaderes y banqueros, o con las comisiones que cobran los políticos cada vez que venden algún pedazo de país. Las dictaduras militares ya no están, pero las democracias latinoamericanas tienen sus cárceles hinchadas de presos. Los presos son pobres, como es natural, porque sólo los pobres van presos en países donde nadie va preso cuando se viene abajo un puente recién inaugurado, cuando se derrumba un banco vaciado o cuando se desploma un edificio construido sin cimientos.

El mismo sistema de poder que fabrica la pobreza es el que declara la guerra sin cuartel a los desesperados que genera. Hace un siglo, Georges Vacher de Lapouge exigía más guillotina para purificar la raza. Este pensador francés, que creía que todos los genios son alemanes, estaba convencido de que sólo la guillotina podía corregir los errores de la *selección natural* y detener la alarmante proliferación de los ineptos y de los criminales. «El buen bandido es el bandido muerto», dicen, ahora, los que exigen una terapia social de mano dura. La sociedad tiene el derecho de matar, en legítima defensa de la salud pública, ante la amenaza de los arrabales plagados de vagos y drogadictos. Los problemas sociales se han reducido a problemas policiales, y hay un clamor creciente por la pena de muerte. Es un castigo justo, se dice, que ahorra gastos en cárceles, ejerce un saludable efecto de intimidación y resuelve el problema de la reincidencia suprimiendo al posible reincidente. Muriendo, se aprende. En la mayoría de los países latinoamericanos, la ley no autoriza la pena capital, aunque el terror de estado la aplica cada vez que el disparo de advertencia de un policía entra por la nuca de un sospechoso y cada vez que los escuadrones de la muerte fusilan con impunidad. Con o sin ley, el estado practica el homicidio con premeditación, alevosía y ventaja y, sin embargo, por mucho que el estado mate, no puede evitar el desafío de las calles convertidas en tierra de nadie.

El poder corta y recorta la mala hierba, pero no puede atacar la raíz sin atentar contra su propia vida. Se condena al criminal, y no a la máquina que lo fabrica, como se condena al drogadicto, y no al modo de vida que crea la necesidad del consuelo químico y su ilusión de fuga. Así se exonera de responsabilidad a un orden social que arroja cada vez más gente a las calles y a las cárceles, y que genera cada vez más desesperanza y desesperación. La ley es como una telaraña, hecha para atrapar moscas y otros insectos chiquitos, y no para cortar el paso a los bichos grandes, ha comprobado Daniel Drew; y hace más de un siglo, José Hernández, el poeta, había comparado a la ley con el cuchillo, que jamás ofende a quien lo maneja. Pero los discursos oficiales invocan la ley como si la ley rigiera para todos, y no solamente para los infelices que no pueden eludirla. Los delincuentes pobres son los villanos de la película; los delincuentes ricos escriben el guión y dirigen a los actores.

En otros tiempos, la policía funcionaba al servicio de un sistema productivo que necesitaba mano de obra abundante y dócil. La justicia castigaba a los vagonetas y sus agentes los metían en las fábricas a golpes de bayoneta. Así, la sociedad industrial europea proletarizó a los campesinos y pudo imponer, en las ciudades, la disciplina del trabajo. ¿Cómo se puede imponer, ahora, la disciplina de la desocupación?¿Qué técnicas de la obediencia obligatoria pueden funcionar contra las crecientes multitudes que no tienen, ni tendrán, empleo? ¿Qué se hace con los náufragos, cuando son tantos, para que sus manotazos no echen a pique la balsa?

Hoy por hoy, la *razón de estado* es la razón de los mercados financieros que dirigen el mundo y que no producen nada más que especulación. Marcos, el vocero de los indígenas de Chiapas, ha retratado lo que ocurre con palabras certeras: asistimos, ha dicho, al *strip tease* del estado; el estado se desprende de todo, salvo de su prenda íntima indispensable, que es la represión. La hora de la verdad: zapatero a tus zapatos. El estado sólo merece existir para pagar la deuda externa y para garantizar la paz social.

Hablemos claro

El Primer Congreso Policial Sudamericano se reunió en Uruguay, en 1979, en plena dictadura militar. El Congreso decidió continuar su actividad en Chile, en plena dictadura militar, *en beneficio de los altos intereses que rutilan en la ruta de los pueblos de América,* según dice la resolución final.

En ese Congreso del 79, la policía argentina, también en plena dictadura militar, iluminó la función de las fuerzas del orden en la lucha contra la delincuencia infanto-juvenil. El informe de la policía argentina llamó al pan, pan, y al vino, vino: *Aunque parezca simplista diremos y reiteraremos que el mínimo común es la realidad familiar, que poco tiene que ver con el aspecto socio-económico-cultural, para situarse en la raíz de la misma, en su esencia y substracto vivificador de su dinámica y evolución... El adolescente carenciado trata de encontrar en otras sub-culturas (hippie, del delito, etc.) los modelos identificatorios, produciendo de esta manera una incisión en el proceso de socialización... El mantenimiento del orden público trasciende lo inter-individual y replegándose en el intra-individuo, retoma esa única e indivisible realidad del ser individuo y ser social... Si algunos de los menores han manifestado conductas que podían degenerar en comportamientos inadecuados que presenten peligro individual-social, han sido fácilmente detectados, orientados y resueltos.*

El estado asesina por acción y por omisión. Fines del 95, noticias de Brasil y de Argentina:

Crímenes por acción: la policía militar de Río de Janeiro mataba civiles a un ritmo ocho veces más acelerado que a fines del año anterior, y la policía de los suburbios de Buenos Aires cazaba jóvenes como si fueran pajaritos.

Crímenes por omisión: al mismo tiempo, cuarenta enfermos del riñón morían en el pueblo de Caruarú, en el nordeste del Brasil, porque la salud pública les había hecho diálisis con agua contaminada; y en la provincia de Misiones, en el nordeste de Argentina, el agua potable, contaminada por los plaguicidas, generaba bebés con labios leporinos y deformaciones en la médula espinal.

En las favelas de Río de Janeiro, las mujeres

llevan latas de agua, a modo de coronas, sobre sus cabezas; y los niños alzan cometas al viento para avisar que viene la policía. Cuando llega el carnaval, de esos morros bajan las reinas y los reyes de piel negra: pelucas de blancos rulos, collares de luces, mantos de seda. El miércoles de cenizas, cuando el carnaval acaba y se van los turistas, la policía se lleva preso a quien siga disfrazado. Y, durante todos los demás días del año, el estado se ocupa de mantener a raya, a sangre y fuego, a los plebeyos que han sido monarcas por un ratito. A principios de siglo, había una sola favela en Río. En los años cuarenta, cuando ya había unas cuantas, el escritor Stefan Zweig las visitó: no encontró allí violencia ni tristeza. Ahora, las favelas de Río son más de quinientas. Allí vive mucha gente que trabaja, brazos baratos que sirven la mesa y lavan los autos y las ropas y los baños en los barrios acomodados, y también viven en las favelas muchos excluidos del mercado laboral y del mercado de consumo que, en algunos casos, reciben de las drogas dinero o alivio. Desde el punto de vista de la sociedad que las ha generado, las favelas no son más que refugios del crimen organizado y del tráfico de cocaína. La policía militar las invade con frecuencia, en operaciones que parecen de la guerra de Vietnam, y también decenas de grupos de exterminio se ocupan de ellas. Los muertos, analfabetos hijos de analfabetos, son, en su mayoría, adolescentes negros.

Hace un siglo, el director del reformatorio infantil de Illinois llegó a la conclusión de que una tercera parte de sus internados no tenía redención. Esos niños eran los futuros criminales, «que aman al mundo, a la carne y al Diablo». No quedó claro qué se podía hacer con esa tercera parte; pero ya por entonces algunos científicos, como el inglés Cyril Burt, proponían eliminar a la fuente del crimen, los pobres muy pobres, «impidiendo la propagación de su especie». Cien años después, los países del sur del mundo tratan a los pobres muy pobres como si fueran basura tóxica. Los países del norte exportan al sur sus residuos industriales peligrosos, y así se deshacen de ellos, pero el sur no puede exportar al norte sus residuos humanos peligrosos. ¿Qué hacer con los pobres muy pobres que no tienen redención? Las balas hacen lo que pueden para impedir «la propagación de su especie», mientras el Pentágono, vanguardia militar del mundo, anuncia la renovación de sus arsenales: las guerras del siglo veintiuno exigirán más armamento especializado en los motines callejeros y los saqueos. En algunas ciudades americanas,

como Washington y Santiago de Chile, y en numerosas ciudades británicas, ya hay cámaras de vídeo vigilando las calles.

La sociedad de consumo consume fugacidades. Cosas, personas: las cosas, fabricadas para no durar, mueren poco después de nacer; y hay cada vez más personas condenadas desde que se asoman a la vida. Los niños abandonados de las calles de Bogotá, que antes se llamaban *gamines*, ahora se llaman *desechables* y están marcados para morir. Los numerosos nadies, los fuera de lugar, son «económicamente inviables», según el lenguaje técnico. La ley del mercado los expulsa, por superabundancia de mano de obra barata. ¿Qué destino tienen los sobrantes humanos? El mundo los invita a desaparecer, les dice: «Ustedes no existen, porque no merecen existir». La realidad oficial intenta ocultarlos o perderlos: se llama *Ciudad oculta* la población marginal que más ha crecido en Buenos Aires, y se llaman *Ciudades perdidas* los barrios de lata y cartón que brotan en los barrancos y basurales de la ciudad de México.

La Fundación Casa Alianza entrevistó a más de ciento cuarenta niños huérfanos y abandonados, de los muchos que vivían y viven en las calles de la ciudad de Guatemala: todos habían vendido su cuerpo por monedas, todos sufrían enfermedades venéreas, todos inhalaban pegamentos o solventes. Una mañana, a mediados de 1990, algunos de esos niños estaban charlando en un parque, cuando unos hombres armados se los llevaron en un camión. Una niña se salvó, escondida en una lata de basura. Los cadáveres de cuatro niños aparecieron unos días después: sin orejas, sin ojos, sin lenguas. La policía les había propinado una buena lección.

En abril del 97, Galdino Jesús dos Santos, un jefe indígena que estaba de visita en Brasilia, fue quemado vivo mientras dormía en una parada de ómnibus. Cinco muchachos de buena familia, que andaban de parranda, lo rociaron con alcohol y le prendieron fuego. Ellos se justificaron diciendo:

—*Creímos que era un mendigo.*

Un año después, la justicia brasileña les aplicó penas leves de prisión, porque no se trataba de un caso de homicidio calificado. El relator del Tribunal de Justicia del Distrito Federal explicó que los muchachos habían utilizado nada más que la mitad del combustible que tenían, y eso probaba que habían actuado «movidos por la intención de divertirse, no de matar». La quema de mendigos es un deporte que los jóvenes de la clase alta brasileña practican con cierta frecuencia pero, por lo general, la noticia no aparece en los diarios.

Los *desechables:* niños de la calle, vagos, mendigos, prostitutas, travestis, homosexuales, carteristas y otros ladrones de poca monta, drogadictos, borrachos, juntapuchos. En 1993, los *desechables* colombianos emergieron de abajo de las piedras y se juntaron para gritar: la manifestación estalló cuando se supo que los *grupos de limpieza social* mataban mendigos y los vendían a los estudiantes de medicina que aprenden anatomía en la Universidad Libre de Barranquilla. Y entonces Nicolás Buenaventura, contador de cuentos, les contó la verdadera historia de la Creación. Ante los vomitados del sistema, Nicolás contó que a Dios le habían sobrado pedacitos de todo lo que había creado. Mientras nacían de su mano el sol y la luna, el tiempo, el mundo, los mares y las selvas, Dios iba arrojando al abismo los desechos que le sobraban. Pero Dios, distraído, se olvidó de crear a la mujer y al hombre, y la mujer y el hombre no tuvieron más remedio que hacerse a sí mismos. Y allí, en el fondo del abismo, en el basural, la mujer y el hombre se crearon con las sobras de Dios. Los seres humanos hemos nacido de la basura, y por eso tenemos todos algo de día y algo de noche, y somos todos tiempo y tierra y agua y viento.

Fuentes consultadas

Banco de datos de derechos humanos y violencia política en Colombia, informes publicados en *Noche y niebla*, Bogotá, CINEP/Justicia y Paz, 1997 y 1998.

Baratta, Alessandro, «Criminología crítica y crítica del derecho penal». México, Siglo XXI, 1986.

Batista, Nilo, «Fragmentos de un discurso sedicioso». En *Discursos sediciosos,* n° 1, Río de Janeiro, Instituto Carioca de Criminología, 1996.

Batista, Vera Malaguti, «Drogas e criminalização da juventude pobre no Rio de Janeiro». Tesis, Niterói, Universidade Federal/História Contemporânea, 1997.

Blixen, Samuel, «Para rapiñar, rapiñar a lo grande». En *Brecha,* Montevideo, 13 de febrero de 1998.

CEPAL (Comisión Económica para América Latina, Naciones Unidas), «Marginalidad e integración social en Uruguay», Montevideo, 1997.

Chevigny, Paul, «Edge of the knife. Police violence in the Americas». Nueva York, The New Press, 1995.

Girard, René, «Le bouc émissaire». París, Grasset, 1978.

Monsiváis, Carlos, «Por mi madre, bohemios», en *La Jornada,* México, 29 de septiembre de 1997.

Oris, John, «Law and order», en *Latin Trade,* Miami, junio de 1997.

Pavarini, Massimo, «Control y dominación. Teorías criminológicas burguesas y proyecto hegemónico». Epílogo de Roberto Bergalli. México, Siglo XXI, 1983.

Platt, Anthony M., «Street crime. A View from the left», en *Crime and Social Justice,* n° 9, Berkeley.

— «The child savers. The invention of delinquency». University of Chicago, 1977.

Ruiz Harrell, Rafael, «La impunidad y la eficiencia policíaca». En *La Jornada*, México, 22 de enero de 1997.

Sudbrack, Umberto Guaspari, «Grupos de extermínio: aspectos jurídicos e de política criminal», en *Discursos sediciosos*, n° 2, Río de Janeiro, Instituto Carioca de Criminología, 1996.

Van Dijk, Jan J. M., «Responses to crime across the world; results of the international crime victims survey». Universidad de Leyden/Ministerio de Justicia de Holanda, 1996.

Ventura, Zuenir, «Cidade partida». San Pablo, Companhia das Letras, 1994.

La industria del miedo

El miedo es la materia prima de las prósperas industrias de la seguridad privada y del control social. Una demanda firme sostiene el negocio. La demanda crece tanto o más que los delitos que la generan, y los expertos aseguran que así seguirá siendo. Florece el mercado de las policías privadas y las cárceles privadas, mientras todos, quien más, quien menos, nos vamos volviendo vigilantes del prójimo y prisioneros del miedo.

El tiempo de los carceleros cautivos

«Nuestra mejor publicidad son los noticieros de la televisión», dice, y bien sabe lo que dice, uno de los especialistas en la venta de seguridad. En Guatemala, hay ciento ochenta empresas del ramo, y hay seiscientas en México; en Perú, mil quinientas. Hay tres mil en Colombia. En Canadá y en los Estados Unidos, la seguridad privada gasta el doble que la seguridad pública; al filo del siglo, habrá dos millones de policías privados en los Estados

Unidos. En Argentina, el negocio de la seguridad mueve mil millones de dólares por año. En Uruguay, aumenta cada día la cantidad de casas que pasan a tener cuatro cerraduras en lugar de tres, lo que hace que algunas puertas parezcan guerreros de las Cruzadas.

Una canción de Chico Buarque comienza con los aullidos de la sirena policial: *¡Llame al ladrón! ¡Llame al ladrón!*, suplica el cantor brasileño. En América latina, la industria del control del delito no sólo se alimenta del incesante torrente de noticias de asaltos, secuestros, crímenes y violaciones: también se nutre del desprestigio de la policía pública, que con entusiasmo delinque y que practica una sospechosa ineficiencia. Ya están enrejadas, o alambradas, las casas de todos los que tienen algo que perder, por poquito que ese algo sea; y hasta los ateos nos encomendamos a Dios antes que encomendarnos a la policía.

También en los países donde la policía pública es más eficaz, la alarma ante la amenaza del crimen se traduce en la privatización del pánico. En los Estados Unidos, no sólo se multiplica la policía privada, sino también las armas de fuego que están a la orden en la mesita de luz y en la guantera del automóvil. La National Rifle Association, presidida por el actor Charlton Heston, tiene casi tres millones de miembros, y justifica la portación de armas por las Sagradas Escrituras. Motivos no le faltan para hinchar el pecho de orgullo: hay doscientos treinta millones de armas de fuego en manos de los ciudadanos. Eso da un promedio de un

Dejad que los niños vengan a mí

La venta de armas de fuego está prohibida a los menores de edad en los Estados Unidos, pero la publicidad apunta a esa clientela. Un aviso de la National Rifle Association dice que el futuro de los deportes de tiro está «en manos de nuestros nietos», y un folleto de la National Shooting Sports Foundation explica que cualquier niño de diez años debería disponer de un arma de fuego cuando se queda solo en casa o cuando marcha solo a hacer alguna compra. El catálogo de la fábrica de armas New England Firearms dice que los niños son «el futuro de estos deportes que todos amamos».

Según los datos del Violence Policy Center, las balas matan *cada día*, por crimen, suicidio o accidente, a catorce niños y adolescentes menores de diecinueve años, en los Estados Unidos. La nación vive de respingo en respingo, y de sofocón en sofocón, por las balaceras infantiles. Cada dos por tres aparece algún niño, casi siempre blanco, pecoso, que acribilla a sus compañeritos de clase, o a sus maestros.

arma por alma, exceptuando a los bebés y a los alumnos del jardín de infantes. En realidad, el arsenal está concentrado en un tercio de la población: para ese tercio, el arma es como la mujer amada, que no se puede dormir sin ella, y como la tarjeta de crédito, que sin ella no se puede salir.

En el mundo entero, son cada vez menos los perros que pueden darse el lujo de ser nada más que mascotas, y son cada vez más los que están obligados a ganarse el hueso asustando a los intrusos. Se venden como agua las alarmas para autos y las pequeñas alarmas personales, que chillan como locas en la cartera de la dama y en el bolsillo del caballero. También las picanas eléctricas portátiles, o *shockers*, que desmayan al sospechoso, y los aerosoles que lo paralizan a distancia. La empresa Security Passions, cuyo nombre bautiza bien las pasiones del fin de siglo, ha lanzado recientemente al mercado una elegante chaqueta que atrae las miradas y rechaza las balas. «Protéjase usted y proteja a su familia», aconseja en Internet la publicidad de estas corazas de cuero, de aspecto deportivo. (En Colombia, las siempre prósperas fábricas de chalecos antibalas venden cada vez más las tallas infantiles.)

En muchos lugares se instalan circuitos cerrados de televisión y alarmas por monitores, que controlan en pantalla a las personas y a las empresas. La vigilancia electrónica se ejerce, a veces, por cuenta de esas personas y de esas empresas, y a veces por cuenta del estado. En Argentina, los diez mil funcionarios de los organismos estatales de inteligencia gastan dos millones de dólares por día espiando a la gente: pinchan teléfonos, filman y graban.

No hay país que no use la seguridad pública como explicación o pretexto. Las cámaras ocultas y los micrófonos ocultos se meten en los bancos, los supermercados, las oficinas y los estadios deportivos; y a veces también atraviesan las fronteras de la vida privada y siguen los pasos de cualquier ciudadano hasta su dormitorio. ¿No habrá un ojo escondido en la botonera del televisor? ¿Oídos que escuchan desde el cenicero? Billy Graham, el millonario telepredicador de la pobreza de Jesús, reconoció que él se cuida mucho cuando habla por teléfono, y hasta cuando habla con su mujer en la cama. «Nuestro negocio no promueve al Hermano Grande», se defiende el vocero de la Security Industry Association de los Estados Unidos. En una profética novela, George Orwell había imaginado, hace medio siglo, la pesadilla de una ciudad donde el poder, el Hermano Grande, vigilaba a todos los habitantes por pantallas de televisión. La tituló *1984*. Quizá se equivocó en la fecha.

¿Quiénes son los carceleros, y quiénes los cautivos? Bien se podría decir que, de alguna manera, estamos todos presos. Los que están en las cárceles y los que estamos afuera. ¿Están libres los presos de la necesidad, obligados a vivir para trabajar porque no pueden darse el lujo de trabajar para vivir? ¿Y los presos de la desesperación, que no tiene trabajo ni lo tendrán, condenados a vivir robando o milagreando? Y los presos del miedo, ¿estamos libres? ¿No estamos todos presos del miedo, los de arriba, los de abajo y los del medio también? En sociedades obligadas al sálvese quien pueda, estamos presos los vigilantes y los vigilados, los elegidos y los parias. El dibujante argentino Nik imaginó a un periodista entrevistando a un vecino del barrio, que contesta aferrado a los barrotes:

—Mire... todos pusimos rejas en las ventanas, cámaras de TV, reflectores, cerrojos dobles y vidrio blindado...

—¿Ya no recibe a sus parientes?

—Sí. Tengo un régimen de visitas.

—¿Y la policía qué le dice?

—Que si cumplo buena conducta, el domingo a la mañana voy a poder salir hasta la panadería.

Yo he visto rejas hasta en algunos ranchos de lata y madera de los suburbios de las ciudades, pobres defendiéndose de otros pobres, unos y otros tan pobres como ratón de iglesia. El desarrollo urbano, metástasis de la desigualdad: crecen los suburbios, y en los suburbios hay tugurios y jardines. Los suburbios ricos suelen no estar demasiado lejos de los arrabales que los abastecen de mucamas, jardineros y guardianes. En los espacios del desamparo, acecha la bronca de los que comen salteado. En los espacios del privilegio, los ricos viven en arresto domiciliario. En un barrio privado de San Isidro, en Buenos Aires, opina el repartidor de diarios:

—¿Vivir aquí? Yo, ni loco. Si no tengo nada que ocultar, ¿por qué voy a vivir encerrado?

Los helicópteros atraviesan los cielos de la ciudad de San Pablo, yendo y viniendo entre las prisiones de lujo y las azoteas de los edificios del centro. Las calles, secuestradas por los malandrines, envenenadas por la contaminación, son una trampa que más vale eludir. Fugitivos de la violencia y del *smog*, los ricos están obligados a la clandestinidad. Paradojas del afán exhibicionista: la opulen-

cia está cada vez más obligada a recluirse tras altas murallas, en casas sin cara, invisible a la envidia y la codicia de los demás. Se alzan microciudades en las afueras de las grandes ciudades. Allí se agrupan las mansiones, protegidas por complejos sistemas electrónicos de seguridad y por guardias armados que custodian sus fronteras. Así como los *shopping centers* equivalen a las catedrales de otros tiempos, estos castillos de nuestro tiempo tienen torres, almenares y troneras para divisar al enemigo y mantenerlo a raya. No tienen, en cambio, el señorío ni la belleza de aquellas viejas fortalezas de piedra.

Crónica familiar

A Nicolás Escobar se le murió la tía más querida. Ella murió mientras dormía, muy tranquilamente, en su casa de Asunción del Paraguay. Cuando supo que había perdido a su tía, Nicolás tenía seis años de edad y miles de horas de televisión. Y preguntó:

—*¿Quién la mató?*

Los cautivos del miedo no saben que están presos. Pero los prisioneros del sistema penal, que llevan un número en el pecho, han perdido la libertad y han perdido el derecho de olvidarlo. Las cárceles más modernas, últimos chillidos de la moda, tienden a ser, todas, cárceles de máxima seguridad. Ya no se proponen reinsertar al delincuente en la sociedad, recuperar al extraviado, como antes se decía: simplemente se proponen aislarlo, y ya nadie se toma el trabajo de mentir sermones. La justicia se venda los ojos para no ver de dónde viene el que delinquió, ni por qué ha delinquido, lo que sería un primer paso hacia su posible rehabilitación. La cárcel modelo del fin de siglo no tiene el menor propósito de redención, y ni siquiera de escarmiento. La sociedad enjaula al peligro público, y tira la llave.

En algunas prisiones de construcción reciente, en los Estados Unidos, las paredes de las celdas son de acero y sin ventanas, y las puertas se abren y se cierran electrónicamente. El sistema penitenciario norteamericano sólo es generoso en la distribución de televisores, a los que atribuye efectos narcóticos; pero cada vez hay más presos que tienen poco o ningún contacto con los demás presos. El preso aislado puede ver, de vez en cuando, a algún guardián, aunque los guardianes son cada vez más escasos. La tecnología actual permite que un solo funcionario vigile, desde la cabina de control, a cien prisioneros. Las máquinas se ocupan de todo.

También los presos en prisión domiciliaria están controlados por medios electrónicos, desde que un juez llamado Love, Jack Love, concibió amorosamente un brazalete a control remoto. El brazalete, atado a la muñeca o al tobillo del delincuente, permite vigilar sus movimientos y saber si pretende arrancárselo, si bebe alcohol o si se escapa de su casa. Al paso que vamos, presiente el criminólogo Nils Christie, de aquí a poco, los procesos penales se realizarán por videos, sin que el procesado sea jamás visto en carne y hueso por el fiscal que lo acusa, ni por el abogado que lo defiende, ni por el juez que lo condena.

En 1997, había un millón ochocientos mil presos en las cárceles de los Estados Unidos, más del doble que diez años antes. Pero la cifra se multiplica *por tres* si se le agregan los que purgan prisión domiciliaria, los que están en libertad bajo palabra y en régimen de prueba: cinco veces más negros que los penados en África del Sur en los peores tiempos del *apartheid*, y un total de castigados equivalente a la población de toda Dinamarca. La gigantesca clientela, tentadora para cualquier inversionista, ha sido uno de los factores de la privatización. Cada vez hay más cárceles privadas en los Estados Unidos, aunque la experiencia, breve pero elocuente, habla de comida pésima y de malos tratos, y prueba que las cárceles privadas no son más baratas que las públicas, porque sus ganancias desmesuradas anulan los costos bajos.

Allá por el siglo diecisiete, los carceleros ingleses sobornaban a los jueces para que les enviaran presos. Cuando les llegaba la hora de la libertad, los presos quedaban endeudados, y mendigaban o trabajaban para los carceleros hasta el fin de sus días. A fines del siglo veinte, una empresa norteamericana de prisiones privadas, Corrections Corporation, figura entre las cinco empresas de más alta cotización en la Bolsa de Nueva York. Corrections Corporation nació en 1983, con capitales que venían de los pollos fritos de Kentucky, y desde el pique anunció que iba a vender cárceles como se venden pollos. A fines del 97, el valor de sus acciones se había multiplicado setenta veces, y la empresa ya colocaba prisiones en Inglaterra, Australia y Puerto Rico. Pero el mercado interno es la base del negocio. Hay cada vez más presos en los Estados Unidos; las cárceles son hoteles siempre llenos. En 1992, más de cien empresas se dedicaban al diseño, construcción o administración de prisiones.

En 1996, el World Research Group auspició una reunión de especialistas, con el fin de *maximi-*

Se ofrece

Éstos son algunos de los anuncios publicados, en abril de 1998, por la revista norteamericana *Corrections Today.*

Bell Atlantic propone «los más seguros sistemas telefónicos», para vigilar y grabar las llamadas: «El más completo control sobre a quién, cuándo y cómo llaman los presos».

El anuncio de la US West Inmate Telephone Service muestra un preso al acecho, el pucho entre los labios: «Él podría destriparte. En algún lugar de la cárcel, puede haber un criminal pesado, que esconde un arma afilada».

En otra página, una sombra amenazante, otro preso al acecho: «No le des ni una pulgada», advierte la empresa LCN, que ofrece las mejores cerraduras de alta seguridad: cualquier puerta que no esté herméticamente cerrada «es una abierta invitación al lío».

«Los presos vienen más duros que nunca. Afortunadamente, también nuestros productos», asegura Modu Form, que fabrica mobiliario indestructible. Motor Coach Industries muestra el último modelo de su prisión sobre ruedas: algo así como una perrera dividida en jaulas de acero. «Ahorre tiempo, ahorre dólares», aconseja Mark Correctional Systems, fabricante de prisiones: «¡Economía! ¡Calidad! ¡Rapidez! ¡Durabilidad! ¡Seguridad!».

zar el lucro de esta dinámica industria. La convocatoria decía: «Mientras los arrestos y las condenas están creciendo, las ganancias también: las ganancias del crimen». La verdad es que la criminalidad ha descendido, en estos últimos años, en los Estados Unidos, pero el mercado ofrece cada vez más presos. La cantidad de presos aumenta no sólo cuando la criminalidad crece, sino también cuando disminuye: quien no va preso por lo que ha hecho, va preso por lo que podría hacer. Las estadísticas del delito no tienen por qué perturbar la brillante marcha del negocio. Y, además, una ejecutiva del ramo, Diane McClure, tranquilizó a los accionistas, en octubre del 97, con una buena noticia: «Nuestros análisis de mercado muestran que el crimen *juvenil* continuará creciendo».

En una entrevista de principios del 98, la novelista Toni Morrison comprobó que «el tratamiento brutal de los presos en las cárceles privadas ha llegado a extremos tan escandalosos que hasta los texanos se asustaron. Texas, que no es un lugar famoso por su buen corazón, está rescindiendo los contratos». Pero los presos, los no-libres, están al servicio del mercado libre, y no merecen mejor trato que cualquier otra mercancía. Las cárceles privadas se han especializado en alta seguridad y costos bajos, y todo indica que seguirá siendo próspero el negocio del dolor y del castigo. La National Criminal Justice Commission estima que, al ritmo actual de desarrollo de la población carcelaria, en el año 2020 estarán entre rejas seis de cada diez hombres negros. En los últimos veinte años, los gastos públicos en prisiones se han incrementado en un novecientos por ciento: eso no ha contribuido ni un poquito a aliviar el miedo de la población, que padece un clima general de inseguridad, pero ha contribuido más que un muchito a la prosperidad de la industria carcelaria.

«Al fin y al cabo, cárcel quiere decir dinero», concluye Nils Christie. Y cuenta el caso de un parlamentario británico, sir Edward Gardner, que en los años ochenta cruzó el Atlántico, a la cabeza de una comisión europea que viajó a los Estados Unidos para estudiar el asunto. Sir Edward era enemigo de las cárceles privadas. Cuando regresó a Londres, había cambiado de opinión y se había convertido en presidente de la empresa Contract Prisons PLC.

Fuentes consultadas

Bates, Eric, «Private prisons». En *The Nation*, Nueva York, 5 de enero de 1998.

Burton-Rose, Daniel, con Dan Pens y Paul Wright, «The celling of America. An inside look at the U.S. prison industry». Maine, Common Courage, 1998.

Christie, Nils, «La industria del control del delito. ¿La nueva forma del holocausto?». Buenos Aires, Del Puerto, 1993.

— Entrevista en *The New Internationalist*, Oxford, agosto de 1996.

Foucault, Michel, «Vigilar y castigar. Nacimiento de la prisión». México, Siglo XXI, 1976.

Human Rights Watch, «Prison conditions in the United States». Nueva York, 1992.

Informe publicado en *The US News and World Report*, mayo de 1995.

Informe publicado en *Crónica*, Guatemala, 19 de julio de 1996.

Informe publicado en *The New Internationalist*, Oxford, agosto de 1996.

Informe publicado en *La Maga*, Buenos Aires, 13 de agosto de 1997.

Lyon, David, «El ojo electrónico». Madrid, Alianza, 1995.

Marron, Kevin, «The slammer: The crisis in Canada's prison system». Toronto, Doubleday, 1996.

Morrison, Toni, entrevista en *Die Zeit*, 12 de febrero de 1998.

Neuman, Elías, «Los que viven del delito y los otros. La delincuencia como industria». Buenos Aires, Siglo XXI, 1997.

Rusche, Georg, y Otto Kirchheimer, «Pena y estructura social». Bogotá, Temis, 1984.

Clases de corte y confección: cómo elaborar enemigos a medida

Muchos de los grandes negocios promueven el crimen y del crimen viven. Nunca hubo tanta concentración de recursos económicos y de conocimientos científicos y tecnológicos dedicados a la producción de muerte. Los países que más armas venden al mundo son los mismos países que tienen a su cargo la paz mundial. Afortunadamente para ellos, la amenaza de la paz se está debilitando, ya se alejan los negros nubarrones, mientras el mercado de la guerra se recupera y ofrece promisorias perspectivas de carnicerías rentables. Las fábricas de armas trabajan tanto como las fábricas que elaboran enemigos a la medida de sus necesidades.

El amplio guardarropa del Diablo

Buenas noticias para la economía militar, que es como decir: buenas noticias para la economía.

La industria de las armas, venta de muerte, exportación de violencia, trabaja y prospera. El mundo ofrece mercados firmes y en alza, mientras la siembra universal de la injusticia continúa dando buenas cosechas y crecen la delincuencia y la drogadicción, la agitación social y el odio nacional, regional, local y personal.

Después de algunos años de declive tras el fin de la guerra fría, la venta de armamentos ha vuelto a aumentar. El mercado mundial de armas creció en un ocho por ciento en el 96, con una facturación total de cuarenta mil millones de dólares. A la cabeza de los países compradores, con nueve

Puntos de vista/7

En alguna pared de San Francisco, una mano escribió: «Si el voto cambiara algo, sería ilegal».

En alguna pared de Río de Janeiro, otra mano escribió: «Si los hombres parieran, el aborto sería legal».

En la selva, ¿llaman *ley de la ciudad* a la costumbre de devorar al más débil?

Desde el punto de vista de un pueblo enfermo, ¿qué significa la moneda sana?

La venta de armas es una buena noticia para la economía. ¿Es también una buena noticia para sus difuntos?

Puntos de vista/8

Hasta no hace muchos años, los historiadores de la democracia ateniense no mencionaban más que de paso a los esclavos y a las mujeres. Los esclavos eran la mayoría de la población de Grecia, y las mujeres eran la mitad. ¿Cómo sería la democracia ateniense vista desde el punto de vista de los esclavos y de las mujeres?

La Declaración de Independencia de los Estados Unidos proclamó, en 1776, que «todos los hombres nacen iguales». ¿Qué significaba eso desde el punto de vista de los esclavos negros, medio millón de esclavos que siguieron siendo esclavos después de la declaración? Y las mujeres, que siguieron sin tener ningún derecho, ¿nacían iguales a quién?

Desde el punto de vista de los Estados Unidos, es justo que los nombres de los norteamericanos caídos en Vietnam estén grabados, sobre un inmenso muro de mármol, en Washington. Desde el punto de vista de los vietnamitas que la invasión norteamericana mató, allí faltan sesenta muros.

mil millones de dólares, figura Arabia Saudita. Este país está también a la cabeza, desde hace muchos años, en la lista de los países que violan los derechos humanos. En el 96, dice Amnistía Internacional, «continuaron recibiéndose informes sobre torturas y malos tratos a detenidos, y los tribunales impusieron penas de flagelación, de entre 120 y 200 latigazos, a por lo menos 27 personas. Entre ellos, 24 filipinos, a quienes, según informes, se condenó por comportamientos homosexuales. Al menos 69 personas recibieron sentencias de muerte y fueron ejecutadas». Y también: «El gobierno del rey Fahd mantuvo la prohibición de los partidos políticos y de los sindicatos. Continuó ejerciéndose una estricta censura sobre la prensa».

Hace muchos años que esta monarquía petrolera es la mejor cliente de la industria norteamericana de armamentos y de los aviones británicos de combate. El sano intercambio de petróleo por armamentos, permite a la dictadura saudí ahogar en sangre la protesta interna, y permite a los Estados Unidos y a Gran Bretaña alimentar sus economías de guerra y asegurar sus fuentes de energía contra cualquier amenaza: armas y petróleo, dos factores claves de la prosperidad nacional. Algún malpensado podría llegar a creer que el rey Fahd paga esas millonadas por las armas y, de paso, compra impunidad. Por motivos que Alá sabrá, jamás vemos, escuchamos ni leemos ninguna denuncia de las atrocidades de Arabia Saudita, en los medios masivos de comunicación. Esos medios, sin embargo, suelen preocuparse por los derechos humanos en otros países árabes. El fundamentalismo islámico sólo es demoníaco cuando obstaculiza los negocios, y los mejores amigos son los que más armas compran. La industria norteamericana de armamentos practica la lucha contra

Enigmas

¿De qué se ríen las calaveras?

¿Quién es el autor de los chistes sin autor? ¿Quién es el viejito que inventa los chistes y los siembra por el mundo? ¿En qué cueva se esconde?

¿Por qué Noé puso mosquitos en el arca?

San Francisco de Asís, ¿amaba también a los mosquitos?

Las estatuas que faltan, ¿son tantas como las estatuas que sobran?

Si la tecnología de la comunicación está cada vez más desarrollada, ¿por qué la gente está cada vez más incomunicada?

¿Por qué a los expertos en comunicación no los entiende ni Dios?

¿Por qué los libros de educación sexual te dejan sin ganas de hacer el amor por varios años?

En las guerras, ¿quién vende las armas?

el terrorismo vendiendo armas a gobiernos terroristas, cuya única relación con los derechos humanos consiste en que hacen todo lo posible por aniquilarlos.

En la Era de la Paz, que es el nombre que dicen que tiene el período histórico abierto en 1946, las guerras han matado no menos de 22 millones de personas y han expulsado de sus tierras, de sus casas o de sus países a más de cuarenta millones. Nunca falta alguna guerra o guerrita para que se lleven a la boca los televidentes consumidores de noticias. Pero nunca los informadores informan, ni los comentaristas comentan, nada que pueda ayudar a entender lo que pasa. Para eso, tendrían que empezar por responder a las preguntas más elementales: *¿Quién está traficando con todo este dolor humano? ¿A quién da de ganar esta tragedia?* «La cara del verdugo está siempre bien escondida», cantó, alguna vez, Bob Dylan.

En 1968, dos meses antes de que una bala le rompiera la cara, el pastor Martin Luther King había denunciado que su país era «el mayor exportador de violencia en el mundo». Treinta años después, las cifras dicen: de cada diez dólares que el mundo gasta en armamentos, cuatro dólares y medio van a parar a los Estados Unidos. Según el Instituto Internacional de Estudios Estratégicos, los mayores vendedores de armas son los Estados Unidos, el Reino Unido, Francia y Rusia. En la lista, algunos lugares más atrás, también figura China. Y estos son, casualmente, los cinco países que tienen derecho de veto en el Consejo de Seguridad de las Naciones Unidas. En buen romance, el derecho de veto significa *poder de decisión*. La Asamblea General del máximo organismo internacional, donde están todos los países, formula recomendaciones; pero quien decide es el Consejo de Seguridad. La Asamblea habla o calla; el Consejo hace o deshace. O sea: *la paz mundial está en manos de las cinco potencias que explotan el gran negocio de la guerra.*

El resultado no tiene nada de sorprendente. Los miembros permanentes del Consejo de Seguridad gozan del derecho de hacer lo que se les cante. En esta última década, por ejemplo, los Estados Unidos pudieron bombardear impunemente el barrio más pobre de la ciudad de Panamá y, después, pudieron arrasar Irak; Rusia pudo castigar a sangre y fuego los clamores de independencia en Chechenia; Francia pudo violar el Pacífico sur con sus explosiones nucleares; y China puede seguir fusilando, legalmente, cada año, diez veces más gente que la que cayó acribillada, a mediados del 89, en la plaza de Tien An Men. Como antes había ocurrido en la guerra de las islas Malvinas, la invasión de Panamá sirvió para que la aviación militar probara la eficacia de sus nuevos modelos; y la televisión convirtió a la invasión de Irak en una universal vidriera de exhibición de las nuevas armas que se ofrecían al mercado: vengan a ver las novedades de la muerte en la gran feria de Bagdad.

Tampoco tiene por qué sorprender a nadie el desdichado balance mundial de la guerra y la paz. Por cada dólar que las Naciones Unidas gastan en sus misiones de paz, el mundo invierte dos mil dólares en gastos de guerra, destinados al sacrificio de seres humanos en cacerías donde el cazador y la presa son de la misma especie, y donde más éxito tiene quien más prójimos mata. Bien decía don Teodoro Roosevelt que «ningún triunfo pacífico es tan grandioso como el supremo triunfo de la guerra». En 1906, le dieron el Premio Nobel de la Paz.

Hay treinta y cinco mil armas nucleares en el mundo. Los Estados Unidos poseen la mitad, y la otra mitad pertenece a Rusia y, en menor medida, a otras potencias. Los dueños del monopolio nuclear ponen el grito en el cielo cuando India, o Pakistán, o quien sea, realiza el sueño de la explosión propia, y entonces denuncian el peligro que el mundo corre: cada una de esas armas puede matar a varios millones de personas, y unas cuantas bastarían para acabar con la aventura humana en el planeta, y con el planeta también. Pero las grandes potencias jamás dicen cuándo ha tomado Dios la decisión de otorgarles el monopolio, ni por qué siguen fabricando esas armas. En los años de la guerra fría, el armamento nuclear era un peligrosísimo instrumento de intimidación recíproca. Pero ahora, que los Estados Unidos y Rusia andan del brazo, ¿para qué sirven esos inmensos arsenales? ¿Para asustar a quién? ¿A la humanidad entera?

Toda guerra tiene el inconveniente de que exige un enemigo, y de ser posible más de uno. Sin la provocación, amenaza o agresión de uno o varios enemigos, espontáneos o fabricados, la guerra resulta poco convincente, y la oferta de armas puede enfrentar un dramático problema de contracción de la demanda. En 1989, apareció en el mercado mundial una nueva muñeca Barbie, que vestía uniforme de guerra y hacía la venia. Mal momento había elegido Barbie para iniciar su carrera militar. A fines de ese año, cayó el Muro de Berlín, y en seguida se desmoronó todo lo demás. El Imperio del Mal se vino abajo, y súbitamente Dios quedó huérfano de Diablo. El presupuesto del Pentágono y el negocio de la venta de armas se encontraron, de buenas a primeras, con una situación peliaguda.

Enemigo se busca. Hacía ya muchos años que los alemanes y los japoneses se habían convertido al Bien, y ahora eran los rusos quienes habían perdido, de un día para el otro, sus largos colmillos y su olor a azufre. El síndrome de la ausencia de

Puntos de vista/9

Desde el punto de vista de la economía, la venta de armamentos no se distingue de la venta de alimentos.

El derrumbamiento de un edificio o la caída de un avión son más bien inconvenientes desde el punto de vista de quienes estaban adentro, pero son convenientes para el crecimiento del PNB, el Producto Nacional Bruto, que a veces podría llamarse Producto Criminal Bruto.

villanos encontró en Hollywood una terapia inmediata. Ya Ronald Reagan había anunciado, lúcido profeta, que había que ganar la guerra en el espacio sideral. Todo el talento y el dinero de Hollywood se consagraron a la fabricación de enemigos en las galaxias. La invasión extraterrestre ya había sido, antes, tema de cine, pero sin mayor pena ni gloria: de apuro, y con tremendo éxito de taquilla, las pantallas se abocaron a la tarea de exhibir la feroz amenaza de los marcianos y otros repulsivos extranjeros reptiloides o cucarucháceos, que a veces adoptan forma humana para engañar incautos y para reducir, de paso, los costos de filmación.

Mientras tanto, aquí en la tierra, ha mejorado el panorama. Es verdad que la oferta de malos ha caído, pero al sur del mundo sigue habiendo villanos de larga duración. A Fidel Castro, el Pentágono tendría que levantarle un monumento, por sus cuarenta años de abnegada labor. Muammar al-Khaddafi, que había sido un villano bastante cotizado, trabaja poco o nada en la actualidad, pero Saddam Hussein, que fue bueno en los años ochenta, en los noventa pasó a ser malo malísimo,

y sigue resultando tan útil que, a principios del 98, los Estados Unidos amenazaron con invadir Irak, por segunda vez, para que la gente se dejara de hablar de las costumbres sexuales del presidente Bill Clinton. A principios del 91, otro presidente, George Bush, había advertido que no había por qué ponerse a buscar enemigos en las lejanías siderales. Después de invadir Panamá, y mientras invadía Irak, Bush sentenció:

—*El mundo es un lugar peligroso.*

¿Nace una estrella?

A mediados del 98, la Casa Blanca lanza otro villano a la cartelera mundial: responde al nombre artístico de Osama bin Laden, es fundamentalista islámico, lleva barba y turbante, y en el regazo acaricia un fusil. ¿Hará carrera esta nueva figura estelar? ¿Tendrá buena taquilla? ¿Logrará demoler los cimientos de la civilización occidental, o será no más que un actor secundario? En el cine de terror, nunca se sabe.

Y esta certeza siguió siendo, a lo largo de los años, la más irrefutable justificación de la próspera industria militar y del presupuesto de guerra más alto del planeta, que misteriosamente se llama *presupuesto de Defensa*. El nombre constituye un enigma. Los Estados Unidos no han sido invadidos por nadie, desde que los ingleses quemaron la ciudad de Washington en 1812. Salvo una fugaz excursión de Pancho Villa en los tiempos de la revolución mexicana, ningún enemigo ha atravesado sus fronteras. En cambio, los Estados Unidos han tenido siempre la desagradable costumbre de invadir a los demás.

Buena parte de la opinión pública norteamericana padece una asombrosa ignorancia acerca de todo lo que ocurre fuera de su país, y teme o desprecia lo que ignora. En el país que más ha desarrollado la tecnología de la información, los informativos de la televisión otorgan poco o ningún espacio a las novedades del mundo, como no sea para confirmar que los extranjeros tienen tendencia al terrorismo y a la ingratitud. Cada acto de rebelión o explosión de violencia, ocurra donde ocurra, se convierte en nueva prueba de que la conspiración internacional prosigue su marcha, alimentada por el odio y por la envidia. Poco importa que la guerra fría haya terminado, porque el demonio dispone de un amplio guardarropa y no sólo viste de rojo. Las encuestas indican que Rusia ocupa ahora el último lugar en la lista de enemigos, pero numerosos ciudadanos temen un ataque nuclear de algún grupo terrorista. No se sabe

El deseo

Un hombre encontró la lámparà de Aladino tirada por ahí. Como era un buen lector, el hombre la reconoció y la frotó. El genio apareció, hizo una reverencia, se ofreció:

—*Estoy a su servicio, amo. Pídame un deseo, y será cumplido. Pero ha de ser un solo deseo.*

Como era un buen hijo, el hombre pidió:

—*Deseo que resucites a mi madre muerta.*

El genio hizo una mueca:

—*Lo lamento, amo, pero es un deseo imposible. Pídame otro.*

Como era un buen tipo, el hombre pidió:

—*Deseo que el mundo no siga gastando dinero en matar gente.*

El genio tragó saliva:

—*Este... ¿Cómo dijo que se llamaba su mamá?*

cuál es el grupo terrorista que tiene armas nucleares pero, como advierte el sociólogo Woody Allen, «ya nadie puede morder una hamburguesa, sin miedo a que estalle». En realidad, el más feroz atentado terrorista de la historia norteamericana ocurrió en 1995, en Oklahoma, y el autor no fue un extranjero provisto de armas nucleares, sino un ciudadano norteamericano, blanco, que había sido condecorado en la guerra contra Irak.

Entre todos los fantasmas del terrorismo internacional, el *narcoterrorismo* es el que más asusta. Decir *la droga* es como era, en otras épocas, decir *la peste:* el mismo terror, la misma sensación de impotencia. Una maldición misteriosa, encarnación del demonio que tienta y pierde a sus víctimas: como todas las desgracias, viene de afuera. De la marihuana, antes llamada *the killer weed,* la yerba asesina, ya se habla poco, y quizás algo tiene que ver el hecho de que las plantas de marihuana se han incorporado exitosamente a la agricultura local y se cultivan en once estados de la Unión. En cambio, la heroína y la cocaína, producidas en el extranjero, han sido elevadas a la categoría de enemigos que socavan las bases de la nación.

Las fuentes oficiales estiman que los ciudadanos norteamericanos gastan en drogas unos 110 mil millones de dólares al año, lo que equivale a una décima parte del valor de toda la producción industrial del país. Las autoridades jamás han atrapado ni a un solo traficante norteamericano de alguna importancia, pero la guerra contra las drogas ha multiplicado a los consumidores. Como ocurría con el alcohol en tiempos de la *ley seca,* la prohibición estimula la demanda y hace florecer las ganancias. Según Joe McNamara, que fue jefe de policía en San José de California, las ganancias llegan al 17.000 por ciento.

La droga es tan norteamericana como el pastel de manzanas, norteamericana como tragedia y también como negocio, pero la culpa la tienen Colombia, Bolivia, Perú, México y demás malagradecidos. Al estilo de la guerra de Vietnam, los heli-

cópteros y los aviones bombardean los cultivos latinoamericanos culpables o sospechosos, con venenos químicos fabricados por Dow Chemical, Chevron, Monsanto y otras empresas. Esas fumigaciones, que arrasan la tierra y la salud humana, han demostrado ser más bien inútiles para erradicar las plantaciones, que simplemente se mudan a otro lugar. Los campesinos que cultivan la coca o las amapolas, objetivos movedizos de las campañas militares, son, en realidad, el último orejón del tarro en el próspero negocio de la droga. Las materias primas pesan poco o nada en el precio final. Entre los campos donde se cosecha la coca y las calles de Nueva York, donde la cocaína se vende, el precio se multiplica entre cien y quinientas veces, según los bruscos vaivenes de la cotización del polvo blanco en el mercado clandestino.

No hay mejor aliado que el narcotráfico para las instituciones bancarias, las fábricas de armas y los jefes militares: la droga brinda fortunas a los bancos y pretextos a la máquina de la guerra. Una industria ilegal de la muerte sirve, así, a la industria legal de la muerte: se militarizan, a la vez, el vocabulario y la realidad. Según uno de los voceros de la dictadura militar que asoló Brasil desde 1964, las drogas y el amor libre eran *tácticas de guerra revolucionaria* contra la civilización cristiana. En 1985, el delegado norteamericano ante la conferencia sobre estupefacientes y psicotrópicos, dijo en Santiago de Chile que la lucha contra la droga había llegado a ser *una guerra mundial.* En 1990, el jefe de policía de Los Ángeles, Daryl Gates, opinó que había que cocinar a tiros a los consumidores de drogas, *porque estamos en guerra.* Poco antes, el presidente George Bush había exhortado a *ganar la guerra* contra las drogas, y había explicado que ésa era *una guerra internacional,* porque eran de origen foráneo las drogas que constituían la amenaza más grave contra la nación. La guerra contra las drogas sigue siendo el tema infaltable en todos los discursos presidenciales, desde cualquier presidente de club de barrio que habla en la inauguración de una piscina, hasta el presidente de los Estados Unidos, que no pierde ocasión de confirmar su derecho a otorgar o negar certificados de buena conducta a los demás países.

Un problema de salud pública se ha ido convirtiendo, así, en un problema de seguridad pública, que no reconoce fronteras. El Pentágono tiene el deber de intervenir en los campos de batalla donde se está librando la guerra contra la *narcosubversión* y el *narcoterrorismo,* dos palabras nuevas que juntan en la misma bolsa a la rebelión y a la delincuencia. La Estrategia Nacional contra la Droga no está dirigida por un médico, sino por un militar.

Frank Hall, que fue jefe de narcóticos de la policía de Nueva York, declaró alguna vez: «Si la cocaína importada desapareciera, sería reemplazada en dos meses por drogas sintéticas». Parece cosa de sentido común; pero ocurre que el combate contra las fuentes latinoamericanas del Mal, proporciona la mejor coartada para mantener el más estricto control militar, y en gran medida político, de toda la región. El Pentágono tiene la intención de instalar en Panamá un Centro Multilateral Antidrogas, para coordinar la lucha contra el narcotráfico de los ejércitos de las Américas. Panamá ha sido una gran base militar norteamericana durante todo el siglo veinte. El tratado que impuso esa humillación llega hasta el último día del siglo, y la lucha contra las drogas bien podría exigir la prórroga del alquiler del país por otra eternidad.

Hace ya algún tiempo que la droga viene justificando la intervención militar norteamericana en los países del sur del río Bravo. Precisamente, Panamá fue la víctima de la primera invasión que mintió esa coartada. En 1989, veintiséis mil soldados irrumpieron en Panamá y, a sangre y fuego, impusieron a un presidente, el impresentable Guillermo Endara, que multiplicó el narcotráfico con el pretexto de combatirlo. Y es en nombre de la guerra contra la droga, que el Pentágono se está metiendo en Colombia, Perú y Bolivia, como Perico por su casa. Esta sagrada causa, vade retro Satanás, también sirve para brindar a los militares latinoamericanos una nueva razón de ser, para estimular su regreso al escenario civil y para otorgarles los recursos que necesitan a la hora de hacer frente a las frecuentes explosiones de protesta social.

El general Jesús Gutiérrez Rebollo, que encabezaba la guerra contra las drogas en México, ya no duerme en su casa. Desde febrero de 1997, está preso por tráfico de cocaína. Pero los helicópteros y las armas sofisticadas que los Estados Unidos han enviado a México para combatir las drogas, han demostrado ser de lo más útiles contra los campesinos alzados en Chiapas y en otros lugares. Buena parte de la ayuda militar norteamericana antinarcóticos se utiliza, en Colombia, para matar campesinos en áreas que no tienen nada que ver con las drogas. Las fuerzas armadas que más sistemáticamente violan los derechos humanos, como es el caso de Colombia, son las que más asistencia norteamericana están recibiendo, en armamentos y en asesoría técnica. Esas fuerzas armadas llevan ya unos cuantos años en guerra contra los pobres enemigos del orden, y en defensa del orden enemigo de los pobres.

Al fin y al cabo, de eso se trata. Exactamente de eso: la guerra contra las drogas es una máscara de la guerra social. Lo mismo ocurre con la guerra contra la delincuencia común. Se sataniza al drogadicto y, sobre todo, al drogadicto pobre, como se sataniza al pobre que roba, para absolver a la sociedad que los genera. ¿Contra quiénes se aplica la ley? En Argentina, la cuarta parte de los presos sin condena está entre rejas por la tenencia de menos de cinco gramos de marihuana o cocaína. En los Estados Unidos, la cruzada antinarcóticos está centrada en el *crack*, la devastadora cocaína de cuarta categoría que consumen los negros, los latinos y demás carne de cárcel. Según confiesan los datos del US Public Health Service, son blancos ocho de cada diez consumidores de drogas, pero sólo hay un blanco cada diez presos por drogas. En las prisiones federales norteamericanas, han estallado algunas revueltas que los medios de comunicación difundieron como *motines raciales:* eran protestas contra la injusticia de las sentencias, que castigan a los adictos al *crack* con una severidad cien veces mayor que la que se aplica contra los consumidores de cocaína. Literalmente, cien veces: según la ley federal, un gramo de *crak* equivale a cien gramos de cocaína. Los presos por *crack* son casi todos negros.

En América latina, donde los delincuentes pobres son el nuevo *enemigo interno* de la seguridad nacional, la guerra contra las drogas apunta al objetivo que Nilo Batista describe en Brasil: «El adolescente negro de las favelas, que vende drogas a otros adolescentes bien nacidos». ¿Un asunto de farmacia o una afirmación del poder social y racial? En Brasil, y en todas partes, los muertos por la guerra contra las drogas son mucho más numerosos que los muertos por sobredosis de drogas.

Seré curioso

¿Por qué se identifica a la coca con la cocaína?

Si tan perversa es la coca, ¿por qué se llama Coca-Cola uno de los símbolos de la civilización occidental?

Si se prohíbe la coca por el mal uso que se hace de ella, ¿por qué no se prohíbe también la televisión?

Si se prohíbe la industria de la droga, industria asesina, ¿por qué no se prohíbe la industria de armamentos, que es la más asesina de todas?

¿Con qué derecho los Estados Unidos actúan como policías de la droga en el mundo, si ese país es el que compra más de la mitad de las drogas que se producen en el mundo?

¿Por qué entran y salen de los Estados Unidos las avionetas de la droga con tan asombrosa impunidad? ¿Por qué la tecnología modernísima, que puede fotografiar una pulga en el horizonte, no puede detectar una avioneta que pasa ante la ventana?

¿Por qué jamás ha caído, en los Estados Unidos, ni un solo pez gordo de la red interna del tráfico, aunque sea uno solito de los reyes de la nieve que operan dentro de fronteras?

¿Por qué los medios masivos de comunicación hablan tanto de la droga y tan poco de sus causas? ¿Por qué se condena al drogadicto y no al modo de vida que multiplica la ansiedad, la angustia, la soledad y el miedo, ni a la cultura de consumo que induce al consuelo químico?

Si una enfermedad se transforma en delito, y ese delito se transforma en negocio, ¿es justo castigar al enfermo?

¿Por qué no libran los Estados Unidos una guerra contra sus propios bancos, que lavan buena parte de los dólares que las drogas generan? ¿O contra los banqueros suizos, que lavan más blanco?

¿Por qué los traficantes son los más fervorosos partidarios de la prohibición?

¿No favorece el tráfico ilegal la libre circulación de mercancías y capitales? ¿No es el negocio de la droga la más perfecta puesta en práctica de la doctrina neoliberal? ¿Acaso no cumplen los narcotraficantes con la ley de oro del mercado, según la cual no hay demanda que no encuentre su oferta?

¿Por qué las drogas de mayor consumo son, hoy por hoy, las drogas de la productividad? ¿Las que enmascaran el cansancio y el miedo, las que mienten omnipotencia, las que ayudan a rendir más y a ganar más? ¿No se puede leer, en eso, un signo de los tiempos? ¿Será por pura casualidad que hoy parecen cosa de la prehistoria las alucinaciones improductivas del ácido lisérgico, que fue la droga de los años sesenta? ¿Eran otros los desesperados? ¿Eran otras las desesperaciones?

Fuentes consultadas

Amnistía Internacional, «Informe 1995». Londres/Madrid, 1995.

Amnistía Internacional, «Informe 1996». Londres/Madrid, 1996.

Amnistía Internacional, «Informe 1997». Londres/Madrid, 1997.

Bergalli, Roberto, «Introducción a la cuestión de la droga en Argentina». En *Poder y Control,* n° 2, Barcelona, 1987.

Batista, Nilo, «Política criminal com derramamento de sangue». En *Revista Brasileira de Ciências Criminais,* n° 20, San Pablo, 1997.

Del Olmo, Rosa, «La cara oculta de la droga». En *Poder y Control,* n.° 2, Barcelona, 1987.

— «¿Prohibir o domesticar? Políticas de drogas en América Latina». Caracas, Nueva Sociedad, 1992.

— y otros, «Drogas. El conflicto de fin de siglo». En *Cuadernos de Nueva Sociedad,* n.° 1, Caracas, 1997.

Human Rights Watch, «Colombia's killer networks: The military-paramilitary partnership and the United States». Nueva York, 1996.

International Institute for Strategic Studies, «The military balance, 1997/98». Oxford University Press, 1997.

Levine, Michael, «The big white lie. The CIA and the cocaine/crack epidemic: An undercover odyssey». Nueva York, Thunder's Mouth, 1993.

Miller, Jerome, «Search and destroy: African-american males in the criminal justice system». Cambridge University Press, 1996.

National Institute on Drug Abuse, «National household survey on drug abuse. Population estimates, 1990». Washington, U.S. Government, 1991.

Niño, Luis Fernando: «¿De qué hablamos cuando hablamos de drogas?». En «Drogas: mejor hablar de ciertas cosas», varios autores. Buenos Aires, Facultad de Derecho y Ciencias Sociales, Universidad, 1997.

Reuter, Peter, «The organization of illegal markets. An economic analysis». US Department of Justice, Washington, 1985.

Schell, Jonathan, «The gift of time. The case for abolishing nuclear weapons». En *The Nation*, Nueva York, 2/9 de febrero de 1998.

Wray, Stephan John, «The drug war and information warfare in Mexico». Tesis, Universidad de Texas, Austin, agosto de 1997.

Youngers, Coletta, «The only war we've got. Drug enforcement in Latin America». En *Nacla*, Nueva York, septiembre/octubre de 1997.

«El que no llora no mama,
y el que no afana es un gil.»
(Del tango *Cambalache*, de Enrique
Santos Discépolo.)

Seminario de ética

- Trabajos prácticos: cómo triunfar en la vida y ganar amigos
- Lecciones contra los vicios inútiles

Trabajos prácticos: cómo triunfar en la vida y ganar amigos

El crimen es el espejo del orden. Los delincuentes que pueblan las cárceles son pobres y casi siempre trabajan con armas cortas y métodos caseros. Si no fuera por esos defectos de pobreza y artesanía, los delincuentes de barrio bien podrían lucir coronas de reyes, galeras de caballeros, bonetes de obispos y sombreros de generales, y firmarían decretos de gobierno en vez de estampar la huella digital al pie de las confesiones.

El poder imperial

La reina Victoria de Inglaterra dio nombre a una época, la era victoriana, que tan victoriosa fue: tiempo de esplendores de un imperio dueño de los mares del mundo y de buena parte de sus tierras. Según nos informa la Enciclopedia Británica en la letra V, la reina guió a sus compatriotas con el ejemplo de su vida austera, siempre ceñida a la moral y a las buenas costumbres, y a ella se debió, en gran medi-

da, la consolidación de conceptos como la dignidad, la autoridad y el respeto a la familia, característicos de la sociedad victoriana. Sus retratos la muestran siempre con cara de mala leche, lo que quizá revela las dificultades que enfrentó y los sinsabores que sufrió por su perseverancia en la vida virtuosa.

Aunque la Enciclopedia Británica no menciona este detalle, la reina Victoria fue, además, la mayor traficante de drogas del siglo diecinueve. Bajo su largo reinado, el opio se convirtió en la mercancía más valiosa del comercio imperial. El cultivo en gran escala de amapolas, y la producción de opio, se desarrollaron en la India por iniciativa británica y bajo británico control. Buena parte de ese opio entraba en China de contrabando. La industria de la droga había abierto en China un creciente mercado de consumo. Se calcula que había unos doce millones de adictos cuando, en 1839, el emperador prohibió el tráfico y el uso del opio, por sus efectos devastadores sobre la población, y mandó confiscar los cargamentos de algunos buques británicos. La reina, que nunca en su vida mencionó la palabra *droga*, denunció ese imperdonable sacrilegio contra la libertad de comercio, y envió su flota de guerra a las costas de China. La palabra *guerra* tampoco fue mencionada

a lo largo de las dos décadas que duró, con un par de interrupciones, la guerra del opio iniciada en 1839.

Tras los buques de guerra, iban los buques mercantes cargados de opio. Concluida cada acción militar, comenzaba la operación mercantil. En una de las primeras batallas, la toma del puerto de Tin-hai, en 1841, murieron tres británicos y más de dos mil chinos. El balance de pérdidas y ganancias siguió siendo más o menos el mismo en los años siguientes. Hubo una primera tregua, que se interrumpió en 1856, cuando la ciudad de Cantón fue bombardeada por orden de sir John Bowring, un devoto cristiano que siempre decía: «Jesús es el comercio libre, y el comercio libre es Jesús». La segunda tregua acabó en 1860, cuando se desbordó el vaso de la paciencia de la reina Victoria. Ya era hora de poner fin a la tozudez de los chinos. A cañonazos cayó Pekín, y las tropas invasoras asaltaron y quemaron el palacio imperial de verano. Entonces, China aceptó el opio, se multiplicaron los drogadictos, y los mercaderes británicos fueron felices y comieron perdices.

El poder del secreto

Los países más ricos del mundo son Suiza y Luxemburgo. Dos países chicos, dos grandes plazas financieras. De la minúscula Luxemburgo, poco o nada se sabe. Suiza goza de fama universal gracias a la puntería de Guillermo Tell, la precisión de los relojes y la discreción de los banqueros.

Viene de lejos el prestigio de la banca helvética; una tradición de siete siglos garantiza su seriedad y su seguridad. Pero fue durante la segunda guerra mundial que Suiza pasó a ser una gran potencia financiera. Fiel a su también larga tradición de neutralidad, Suiza no participó en la guerra. Participó, en cambio, en el negocio de la guerra, vendiendo sus servicios, a muy buen precio, a la Alemania nazi. Un negocio brillante: la banca suiza convertía en divisas internacionales el oro que Hitler robaba a los países ocupados y a los judíos atrapados, incluyendo los dientes de oro de los muertos en las cámaras de gas de los campos de concentración. El oro entraba en Suiza sin ningún inconveniente, mientras los perseguidos por los nazis eran devueltos en la frontera.

Bertolt Brecht decía que robar un banco es delito, pero más delito es fundarlo. Después de la guerra, Suiza se convirtió en una cueva internacional de Alí Babá para los dictadores, los políticos ladrones, los malabaristas de la evasión fiscal y los traficantes de drogas y de armas. Bajo las aceras resplandecientes de la Banhofstrasse de Zurich o la Correterie de Ginebra, duermen, invisibles, convertidos en lingotes de oro y en montañas de billetes, los frutos del saqueo y del fraude.

El secreto bancario ya no es lo que era, debilitado como está por los escándalos y las investiga-

ciones judiciales, pero mal que bien continúa activo este motor de la prosperidad nacional. El dinero sigue teniendo derecho a usar disfraz y antifaz, un carnaval que dura todo el año; y los plebiscitos revelan que a la mayoría de la población eso no le parece nada mal.

Por sucio que llegue el dinero, y por complicados que resulten los enjuagues, la lavandería lo deja sin una sola manchita. En los años ochenta, cuando Ronald Reagan presidía los Estados Unidos, Zurich fue el centro de operaciones de las manipulaciones a varias puntas que tuvo a su cargo el coronel Oliver North. Según reveló el escritor suizo Jean Ziegler, las armas norteamericanas llegaban a Irán, país enemigo, que en parte las pagaba con morfina y heroína; desde Zurich se vendía la droga, y en Zurich se depositaba el dinero que luego financiaba a los mercenarios que bombardeaban cooperativas y escuelas en Nicaragua. Por entonces, Reagan solía comparar a esos mercenarios con los Padres Fundadores de los Estados Unidos.

Templos de altas columnas de mármol o discretas capillas, los santuarios helvéticos evitan preguntas y ofrecen misterio. Ferdinand Marcos, déspota de las Filipinas, tenía entre mil y mil quinientos millones de dólares guardados en cuarenta bancos suizos. El cónsul general de Filipinas en Zurich era un director del Crédit Suisse. A principios del 98, doce años después de la caída de Marcos, al cabo de mucho pleito y contrapleito, el Tribunal Federal mandó a devolver quinientos setenta millones al estado filipino. No era todo, pero algo era. Una excepción a la regla: normalmente, el dinero delincuente desaparece sin dejar rastros. Los cirujanos suizos le cambian la cara y el nombre, y se ocupan de dar vida legal a su nueva identidad de fantasía. Del botín de la dinastía de los Somoza, vampiros de Nicaragua, no apareció nada. Casi nada se encontró, y nada se restituyó, de lo que la dinastía Duvalier robó en Haití. Mobutu Sese Seko, que exprimió al Congo hasta la última gota de su jugo, se entrevistaba con sus banqueros en Ginebra, siempre con su escolta de Mercedes blindados. Mobutu tenía entre cuatro y cinco mil millones de dólares: sólo seis millones aparecieron, cuando se derrumbó su dictadura. El dictador de Malí, Moussa Traoré, tenía mil y pico de millones: los banqueros suizos devolvieron cuatro millones.

A Suiza fueron a parar los dineritos de los militares argentinos que se sacrificaron por la patria ejerciendo el terror desde 1976. Veintidós años después, una investigación judicial reveló la punta de ese *iceberg*. ¿Cuántos millones se habrán desvanecido en la niebla que ampara las cuentas fantasmas? En los años noventa, la familia Salinas desvalijó a México. A Raúl Salinas, hermano del presidente, lo llamaban Señor Diez por Ciento, en mérito a las comisiones que embolsaba por la privatización de los servicios públicos y por la protección a la mafia de la droga. La prensa ha informado que ese río de dólares desembocó en el Citibank y también en la Union de Banques Suisses, la Société de Banque Suisse y otras vertientes de la Cruz Roja del dinero. ¿Cuánto se podrá recuperar? En las mágicas aguas del lago de Ginebra, el dinero se zambulle y se hace invisible.

Hay quienes elogian al Uruguay llamándolo *la Suiza de América*. Los uruguayos no estamos muy seguros del homenaje. ¿Será por la vocación democrática de nuestro país, o por el secreto bancario? Desde hace algunos años, el secreto bancario está convirtiendo al Uruguay en la caja de caudales del Cono Sur: un gran banco con vista al mar.

El poder divino

La última noche del año 1970, tres banqueros de Dios se dieron cita en un hotel de Nassau, en las islas Bahamas. Acariciados por la brisa del trópico, envueltos en un paisaje de tarjeta postal, Roberto Calvi, Michele Sindona y Paul Marcinkus celebraron el nacimiento del año nuevo brindando por la aniquilación del marxismo. Doce años después, ellos aniquilaron el Banco Ambrosiano.

El Banco Ambrosiano no era marxista. Conocido como *la banca dei preti*, el banco de los curas, el Ambrosiano no admitía accionistas que no fueran bautizados. Ésta no era la única institución bancaria ligada a la Iglesia. El Banco del Espíritu Santo, fundado por el papa Paulo V allá por el año 1605, ya no hacía milagros financieros en beneficio divino, porque había pasado a manos del estado italiano, pero el Vaticano tenía, y sigue teniendo, su propio banco oficial, piadosamente llamado Instituto para Obras de Religión (IOR). De todos modos, el Ambrosiano era muy importante, el segundo banco privado de Italia, y su naufragio fue definido por el diario *Financial Times* como la más grave crisis de toda la historia bancaria de Occidente. La colosal estafa dejó un agujero de más de mil millones de dólares y comprometió directamente al Vaticano, que era uno de sus principales accionistas y uno de los mayores beneficiarios de sus préstamos.

Muchos camellos pasaron por el ojo de esa aguja. El Ambrosiano tejió una telaraña universal para el lavado de dólares que venían del tráfico de drogas y de armas, trabajó codo a codo con las mafias de Sicilia y de los Estados Unidos, y con la red del narcotráfico en Turquía y en Colombia. Sirvió de vehículo para la evasión del fruto de los contrabandos y secuestros de la *Cosa Nostra* y fue una regadera de dólares para los sindicatos polacos, en lucha contra el régimen comunista. También abasteció generosamente a la *contra* en Nicaragua, y en Italia a la logia P-2: estos masones se aliaron a la Iglesia, su enemiga de siempre, para enfrentar unidos al enemigo de ahora, el peligro rojo. Los capos de la P-2 recibieron del Ambrosiano cien millones de dólares, que contribuyeron a su prosperidad familiar y que los ayudaron a formar un gobierno paralelo, y a realizar atentados terroristas, para castigar a la izquierda italiana y asustar a la población.

El vaciamiento del banco se fue cumpliendo, a lo largo de los años, a través de muchas bocas financieras abiertas en Suiza, las Bahamas, Panamá y otros paraísos fiscales. Jefes de gobierno, ministros, cardenales, banqueros, capitanes de industria y altos burócratas fueron cómplices del saqueo organizado por Calvi, Sindona y Marcinkus. Calvi,

Para la Cátedra de Religión

Cuando llegué a Roma por primera vez, yo ya no creía en Dios, y no tenía más que a la tierra por único cielo y único infierno. Pero no guardaba un mal recuerdo del Dios padre de los años de mi infancia, y en mis adentros seguía ocupando un lugar entrañable el Dios hijo, el rebelde de Galilea que había desafiado a la ciudad imperial donde yo estaba aterrizando en aquel avión de Alitalia. Del Espíritu Santo, lo confieso, poco o nada me había quedado: apenas el vago recuerdo de una paloma blanca de alas desplegadas, que caía en picada y embarazaba a las vírgenes.

No bien entré al aeropuerto de Roma, un gran cartel me golpeó los ojos:

BANCO DEL ESPÍRITU SANTO

Yo era muy joven, y me impresionó enterarme de que la paloma andaba en eso.

que administraba fondos para la Santa Sede y presidía el Ambrosiano, era famoso por el hielo de su sonrisa y por su habilidad para las piruetas contables. Sindona, rey de la Bolsa italiana, hombre de confianza del Vaticano para sus inversiones inmobiliarias y financieras, servía también de vehículo para las contribuciones de la embajada norteamericana a los partidos italianos de derecha. En va-

rios países poseía bancos, fábricas y hoteles, y hasta era dueño del edificio Watergate, en Washington, que había ganado escandalosa fama gracias a la curiosidad del presidente Nixon. El arzobispo Marcinkus, que presidía el Instituto para Obras de Religión, había nacido en Chicago, en el mismo barrio que Al Capone. Hombre fornido, siempre con un habano en la boca, monseñor Marcinkus había sido guardaespaldas del Papa antes de convertirse en el jefe de sus negocios.

Los tres habían trabajado por la mayor gloria de Dios y de sus propios bolsillos. Bien se puede decir que tuvieron una carrera exitosa. Pero ninguno de los tres pudo escapar al destino de persecución y martirio que los evangelios habían anunciado a los apóstoles de la fe. Poco antes de la quiebra del Banco Ambrosiano, Roberto Calvi apareció ahorcado bajo un puente de Londres. Cuatro años después, Michele Sindona, preso en una cárcel de máxima seguridad, pidió un café con azúcar: le entendieron mal, y le sirvieron un café con cianuro. Unos meses más tarde, se dictó orden de captura contra el arzobispo Marcinkus, por bancarrota fraudulenta.

El poder político

Hace sesenta años, el escritor Roberto Arlt aconsejaba a quien quisiera hacer carrera política:

—*Usted proclame: «He robado, y aspiro a robar en grande». Comprométase a rematar hasta la última pulgada de tierra argentina, a vender el Congreso y a instalar un conventillo en el Palacio de Justicia. En sus discursos, diga: «Robar no es fácil, señores. Se necesita ser un cínico, y yo lo soy. Se necesita ser un traidor, y yo lo soy».*

Según el escritor argentino, ésta sería una fórmula de éxito seguro, porque todos los sinvergüenzas hablan de honestidad, y la gente está harta de mentiras. Un político brasileño, Adhemar de Barros, conquistó al electorado del estado de San Pablo, el más rico del país, con el lema «Rouba mas faz», *Él roba pero hace.* En Argentina, en cambio, aquel consejo no tuvo nunca éxito entre los candidatos, y en nuestros días sigue resultando imposible encontrar a un político que tenga el coraje de anunciar lo que robará, o que a viva voz confiese lo que ya robó, y no hay ningún saqueador de fondos públicos capaz de reconocer: «Robé para mí, robé para darme la gran vida». Si su conciencia existiera, y fuera capaz de tormento, el ladrón diría, en todo caso: «Lo hice por el partido, por el pueblo, por la patria». Es por amor a la patria, que algunos políticos se la llevan a su casa.

La fórmula de Roberto Arlt no funcionaría. Ningún político brasileño ha copiado la receta de Adhemar de Barros. Por regla general, está compro-

Precios

En 1993, el minúsculo Partido da Social Democracia Brasileira no tenía la cantidad de diputados que necesitaba para presentarse a las elecciones presidenciales. Por un precio que osciló entre los treinta mil y los cincuenta mil dólares, el PSDB obtuvo el pase de algunos diputados de otros partidos. Uno de ellos lo admitió, y además lo explicó:

—*Es lo que hacen los jugadores de fútbol, cuando cambian de club.*

Cuatro años después, la cotización había subido en Brasilia. Dos diputados vendieron en doscientos mil dólares sus votos a la enmienda constitucional que haría posible la reelección del presidente Cardoso.

bado, las que más votos rinden son las artes de teatro, las buenas actuaciones, las máscaras bien elegidas. Como dice otro escritor argentino, José Pablo Feinmann, el éxito electoral suele recompensar el doble discurso y la doble personalidad. Al igual que Superman y Batman, los superhéroes, muchos políticos profesionales cultivan la esquizofrenia, y ella les da superpoderes, como el timorato Clark Kent se vuelve Superman con sólo sacarse los anteojos, y como el insípido Bruce Wayne se convierte en Batman no bien se pone la capa de murciélago.

No se necesita ser un experto politólogo para advertir que, por regla general, los discursos sólo cobran su verdadero sentido cuando se los lee al revés. Pocas excepciones tiene la regla: en el llano, los políticos prometen cambios y en el gobierno cambian, pero cambian... de opinión. Algunos quedan redondos, de tanto dar vueltas; produce tortícolis verlos girar, de izquierda a derecha, con tanta velocidad. *¡La educación y la salud, prime-*

> ### Para la Cátedra de Relaciones Internacionales
>
> Terence Todman y James Cheek fueron embajadores de los Estados Unidos en Argentina, en tiempos recientes. Los dos, uno tras otro, recorrieron el mismo camino: por amor al tango, se fueron pero volvieron. Apenas terminado el trabajo diplomático, regresaron a Buenos Aires, para hacer *lobby*.
>
> Ambos ejercieron toda su influencia sobre el gobierno argentino, en favor de las empresas privadas que querían quedarse con los aeropuertos del país. Y poco después, la imagen de Cheek, con una muñeca en las rodillas, copó los televisores y los periódicos. Concluida su victoriosa campaña por los aeropuertos, Cheek pasó a ser empleado de Barbie, la mujercita que invita a cometer el pecado del plástico.

Almas generosas

En los Estados Unidos, la venta de favores políticos es legal y puede realizarse abiertamente, sin necesidad de disimulo ni riesgo de escándalo.

Trabajan en Washington más de diez mil profesionales del soborno, que se ocupan de influir sobre los legisladores y los inquilinos de la Casa Blanca. En una suma que se queda corta, el Center for Responsive Politics registró mil doscientos millones de dólares legalmente pagados, a lo largo de 1997, por numerosas organizaciones empresariales y profesionales: un promedio de cien millones de dólares por mes. Encabezaron la larga lista de *donantes* la American Medical Association, ligada al negocio de la salud privada, la Cámara de Comercio, las empresas Philip Morris y General Motors y el Edison Electric Institute.

La cifra, que va aumentando año tras año, no incluye los pagos por debajo de la mesa. Johnnie Chung, un hombre de negocios que reconoció haber hecho donaciones ilegales, explicó en 1998: «La Casa Blanca es como el Metro: para entrar, hay que poner monedas».

ro!, claman, como clama el capitán del barco: *¡Las mujeres y los niños, primero!*, y la educación y la salud son las primeras en ahogarse. Los discursos elogian al trabajo, mientras los hechos maldicen a

Vidas ejemplares/1

En setiembre del 94, en los estudios de televisión de la red Globo en Brasilia, el ministro de Hacienda, Rubens Ricupero, estaba esperando que se ajustaran las luces y los micrófonos, para una entrevista. Mientras tanto, conversaba, distendido, con el periodista. Hablando en confianza, el ministro confesó que él sólo divulgaba los datos económicos favorables al gobierno y que, en cambio, ocultaba las cifras que no convenían:

—*Yo no tengo escrúpulos* —dijo.

Y anunció al periodista, así, entre nosotros:

—*Cuando pasen las elecciones, vamos a sacar la policía contra los huelguistas.*

Pero hubo una falla electrónica. Y la charla confidencial, recogida por satélite, llegó a las antenas parabólicas de todo Brasil. Las palabras del ministro se trasmitieron por el país entero. En esa ocasión histórica, los brasileños escucharon la verdad: por una vez, y por error, escucharon la verdad.

Después, el ministro no recorrió de rodillas el camino de Santiago, ni se azotó la espalda, ni arrojó cenizas sobre su cabeza. Tampoco buscó refugio en las cumbres del Himalaya. Rubens Ricupero se convirtió en secretario general de la Conferencia de las Naciones Unidas para el Comercio y el Desarrollo (UNCTAD).

los trabajadores. Los políticos que juran, mano al pecho, que la soberanía nacional no tiene precio, suelen ser los que después la regalan; y los que anuncian que correrán a los ladrones, suelen ser los que después roban hasta las herraduras de los caballos al galope.

A mediados del 96, Abdalá Bucaram conquistó la presidencia de Ecuador diciendo ser el azote de los corruptos. Bucaram, un político estrepitoso que creía que cantaba como Julio Iglesias y creía que eso era un mérito, no duró mucho en el poder. Fue derribado por una pueblada, pocos meses después. Una de las gotas que desbordó el vaso de la paciencia popular fue la fiesta que ofreció Jacobito, su hijo de dieciocho años, para festejar el primer millón de dólares que había ganado haciendo milagros en las aduanas. En 1990, Fernando Collor llegó a la presidencia de Brasil. En una campaña electoral breve y fulminante, que la televisión hizo posible, Collor vociferó sus discursos moralistas contra los *marajás*, los altos funcionarios públicos que desvalijaban al estado. Dos años y medio después, Collor fue destituido, cuando estaba hundido hasta el cuello en los escándalos de sus cuen-

tas fantasmas y de sus fastuosas exhibiciones de riqueza súbita. En 1993, también el presidente de Venezuela, Carlos Andrés Pérez, fue despojado de su cargo, y condenado a prisión domiciliaria, por malversación de fondos. En ningún caso, nunca nadie en la historia de América latina ha sido obligado a devolver el dinero que robó: ni los presidentes derribados, ni los muchos ministros renunciados por comprobada corrupción, ni los directores de servicios públicos, ni los legisladores, ni los funcionarios que reciben dinero por debajo de la mesa. Nunca nadie ha devuelto nada. No digo que no hayan tenido la intención: es que a nadie se le ocurrió la idea.

No sólo se roba dinero. A veces, también, se roban elecciones, como ocurrió en México en 1988, cuando el candidato opositor de izquierda, Cuahutémoc Cárdenas, fue despojado de la presidencia

Vidas ejemplares/2

A fines de la década del 80, todos los jóvenes españoles querían ser como él. Las encuestas coincidían: esta estrella del mundo financiero español, rey Midas de la banca, había eclipsado al Cid Campeador y a Don Quijote y era el modelo de las nuevas generaciones. Acróbata del salto alto en el ascenso social, había llegado desde un pueblecito de Galicia hasta las cumbres del poder y del éxito. Las lectoras de las revistas del corazón lo elegían por unanimidad: el español más atractivo, el marido ideal. Siempre sonriente, el pelo engominado, parecía recién salido de la tintorería cuando leía balances o bailaba sevillanas o navegaba por el Mediterráneo. *Quiero ser Mario Conde,* se titulaba la canción de moda.

Diez años después, en 1997, el fiscal pidió cuarenta y cuatro años de cárcel para Mario Conde, lo que no era mucho para quien había cometido el mayor fraude financiero de la historia de España.

que había ganado, por mayoría de votos, en las urnas. Años después, en 1997, algunos legisladores del PRI, el partido de gobierno, acusaron al líder de la oposición de derecha, Diego Fernández de Cevallos, de haber recibido catorce millones de dólares por su complicidad en el fraude. La prensa destacó la noticia, porque el intercambio de puñetazos convirtió a esa sesión parlamentaria en una velada de boxeo, y lo del soborno fue bastante comentado, pero se pasó por alto, como si tal cosa, algo que era mucho más grave: esa denuncia implicaba una confesión de la estafa electoral por parte de los propios legisladores oficialistas.

Los robos mayores pertenecen al orden de los vicios aceptados por costumbre. Mientras se desprestigia la democracia, se difunde la moral del vale todo: nadie triunfa meando agua bendita. ¿Cuántos norteamericanos creen que sus senadores tienen *muy altos niveles éticos*? El dos por ciento. A fines del 96, el diario *Página/12* publicó en Buenos Aires una reveladora encuesta de Gallup: siete de cada diez jóvenes argentinos opinaban que la deshonestidad es la única vía que conduce al éxito. Y nueve de cada diez entrevistados, jóvenes y no jóvenes, reconocieron que era una práctica habitual la evasión de impuestos, y el pago de sobornos a la burocracia y a la policía.

Se castiga abajo lo que se recompensa arriba. El robo chico es delito contra la propiedad, el robo grande es derecho de los propietarios. Los políticos sin escrúpulos no hacen más que actuar de acuerdo con las reglas de juego de un sistema donde el éxito justifica los medios que lo hacen posible, por sucios que sean: las trampas contra el fisco y contra el prójimo, la falsificación de balances, la evasión de capitales, el vaciamiento de empresas, la invención de sociedades anónimas de ficción, las subfacturaciones, las sobrefacturaciones, las comisiones fraudulentas.

El poder de los secuestradores

Según el diccionario, *secuestrar* significa «retener indebidamente a una persona para exigir dinero por su rescate». El delito está duramente castigado por todos los códigos penales; pero a nadie se le ocurriría mandar preso al gran capital financiero, que tiene de rehenes a muchos países del mundo y, con alegre impunidad, les va cobrando, día tras día, fabulosos rescates.

En los viejos tiempos, los *marines* ocupaban las aduanas para cobrar las deudas de los países centroamericanos y de las islas del mar Caribe. La ocupación norteamericana de Haití duró diecinueve años, desde 1915 hasta 1934. Los invasores no se fueron hasta que el Citibank cobró sus préstamos, varias veces multiplicados por la usura. En su lugar, los *marines* dejaron un ejército nacional fabricado para ejercer la dictadura y para cumplir con la deuda externa. En la actualidad, en tiempos de democracia, los tecnócratas internacionales resultan más eficaces que las expediciones militares. El pueblo haitiano no ha elegido, ni con un voto siquiera, al Fondo Monetario Internacional ni al Banco Mundial, pero son ellos quienes deciden hacia dónde sale cada peso que entra en las arcas públicas. Como en todos los países pobres, más poder que el voto tiene el veto: el voto democrático propone y la dictadura financiera dispone.

El Fondo Monetario se llama Internacional, como el Banco se llama Mundial, pero estos hermanos gemelos viven, cobran y deciden en Washington; y la numerosa tecnocracia jamás escupe el plato donde come. Aunque Estados Unidos es, por lejos, el país con más deudas en el mundo, nadie le dicta desde afuera la orden de poner bandera de remate a la Casa Blanca, y a ningún funcionario internacional se le pasaría por la cabeza semejante insolencia. En cambio, los países del sur del mundo, que entregan doscientos cincuenta mil dólares *por minuto* en servidumbre de deuda, son países cautivos, y los acreedores les descuartizan la soberanía, como descuartizaban a sus deudores plebeyos, en la plaza pública, los patricios romanos de otros tiempos imperiales. Por mucho que esos países paguen, no hay manera de calmar la sed de la gran vasija agujereada que es la deuda externa. Cuanto más pagan, más deben; y cuanto más deben, más obligados están a obedecer la orden de desmantelar el estado, hipotecar la independencia política y enajenar la economía nacional. *Vivió pagando y murió debiendo*, podrían decir las lápidas.

Santa Eduviges, patrona de los endeudados, es la santa más solicitada de Brasil. En peregrinación acuden a sus altares miles y miles de deudores desesperados, suplicando que los acreedores no les lleven el televisor, el auto o la casa. A veces, santa Eduviges hace el milagro. Pero, ¿cómo podría la santa ayudar a los países donde los acreedores ya se han llevado al gobierno? Esos países tienen la libertad de hacer lo que les mandan hacer unos señores sin rostro, que viven muy lejos y que, a larga distancia, practican la extorsión finan-

ciera. Ellos abren o cierran la bolsa, según la sumisión demostrada ante el *right economic track*, el camino económico correcto. La verdad única se impone con un fanatismo digno de los monjes de la Inquisición, los comisarios del partido único o los fundamentalistas del Islam: se dicta exactamente la misma política para países tan diversos como Bolivia y Rusia, Mongolia y Nigeria, Corea del Sur y México.

A fines del 97, el presidente del Fondo Monetario Internacional, Michel Camdessus, declaró: «El estado no debe dar órdenes a los bancos». Traducido, eso significa: «Son los bancos quienes deben dar órdenes al estado». Y, a principios del 96, el banquero alemán Hans Tietmeyer, presidente del Bundesbank, había comprobado: «Los mercados financieros desempeñarán, cada vez más, el papel de *gendarmes*. Los políticos deben comprender que, desde ahora, están bajo el control de los mercados financieros». Alguna vez el sociólogo brasileño Hebert de Souza, *Betinho*, propuso que los presidentes se marcharan a disfrutar de cruceros turísticos. Los gobiernos gobiernan cada vez menos, y cada vez se siente menos representado por ellos el pueblo que los ha votado. Las encuestas revelan la poca fe: creen en la democracia menos de la mitad de los brasileños y poco más de la mitad de los chilenos, los mexicanos, los paraguayos y los peruanos. En las elecciones legislativas del 97, Chile registró la mayor cantidad de votos en blanco o nulos de toda su historia. Y nunca habían sido tantos los jóvenes que no se tomaron el trabajo de inscribirse en los padrones.

El poder globalitario

En sus doce años de gobierno desde 1979, Margaret Thatcher ejerció la dictadura del capital financiero sobre las islas británicas. La dama de hierro, muy elogiada por sus virtudes masculinas, puso fin a la era de los buenos modales, pulverizó a los obreros en huelga, y restableció una rígida sociedad de clases con celeridad asombrosa. Así, Gran Bretaña se convirtió en el modelo de Europa. Mientras tanto, Chile se había convertido en el modelo de América latina, bajo la dictadura militar del general Pinochet. Los dos países modelos figuran, ahora, entre los países más injustos del mundo. Según los datos sobre la distribución del ingreso y

El aceite

Está prohibido que las empresas alemanas paguen sobornos a los alemanes. En cambio, hasta hace poco tiempo, cuando las empresas compraban políticos, militares o funcionarios extranjeros, el fisco las premiaba. Los sobornos se deducían de los impuestos. Según el periodista Martin Spiewak, la empresa de telecomunicaciones Siemens y la metalúrgica Klöckner pagaron así 32 millones de dólares a los militares cercanos al dictador Suharto, en Indonesia.

Uno de los portavoces del Partido Socialdemócrata, Ingomar Hauchler, estimó en 1997 que las empresas alemanas gastaban anualmente tres mil millones de dólares para aceitar sus negocios con el exterior. Las autoridades lo justificaban en nombre de la defensa de las fuentes de trabajo y de las buenas relaciones comerciales, y también invocaban el respeto a la identidad cultural: comprando favores, se respetaba la cultura de los países donde la corrupción era costumbre.

el consumo, publicados por el Banco Mundial, una honda brecha separa, actualmente, a los británicos y chilenos que tienen de sobra, de los británicos y chilenos que viven de sobras. En ambos países, por increíble que parezca, la desigualdad social es mayor que en Bangladesh, India, Nepal o Sri Lanka. Y, por increíble que parezca, los Estados Unidos han logrado una desigualdad mayor que la que padece Ruanda, desde que Ronald Reagan empuñó el timón en 1980.

La razón del mercado impone sus dogmas totalitarios, que Ignacio Ramonet llama *globalitarios*, en escala universal. La razón se hace religión, y obliga a cumplir sus mandamientos: sentarse derechito en la silla, no alzar la voz y hacer los deberes sin preguntar por qué. ¿Qué hora es? La que usted mande, señor.

En los aporreados países del sur del mundo, los de abajo pagan la buena letra que hacen los de arriba, y las consecuencias están a la vista: hospitales sin remedios, escuelas sin techos, alimentos sin subsidios. Ningún juez podría mandar a la cárcel a un sistema mundial que impunemente mata por hambre, pero ese crimen es un crimen, aunque se cometa como si fuera la cosa más normal del mundo. «El pan de los pobres es su vida. Quien se lo quita, es un asesino», dice la Biblia (Eclesiástico, 34) y el teólogo Leonardo Boff comprueba que, en nuestros días, el mercado está celebrando más sacrificios humanos que los aztecas en el Templo Mayor o los cananeos al pie de la estatua de Moloch.

La mano comercial del orden globalitario roba lo que su mano financiera presta. Dime cuánto vendes, y te diré cuánto vales: las exportaciones latinoamericanas no llegan al cinco por ciento de las exportaciones mundiales, y las africanas suman el dos por ciento. Cada vez cuesta más lo que el sur compra, y cada vez vale menos lo que vende. Para comprar, los gobiernos se endeudan más y más, y para cumplir con la usura de los préstamos, venden las joyas de la abuela y a la abuela también.

A las órdenes del mercado, el estado se privatiza. ¿No habría que *desprivatizarlo*, más bien, estando como está el estado en manos de la banquería internacional y de los políticos nacionales que lo desprestigian para después venderlo, impunemente, a precio de ganga? El tráfico de favores, el canje de empleos por votos, ha hinchado de parásitos a los estados latinoamericanos. Una insoportable *burrocracia* ejerce el proxenetismo, en el sentido original del término: hace dos mil años, la palabra *proxeneta* designaba a quienes resolvían los trámites burocráticos a cambio de propinas. La ineficiencia y la corrupción hacen posible que las privatizaciones se realicen con el visto bueno o la indiferencia de la opinión pública mayoritaria.

Los países se desnacionalizan a ritmo de vértigo, con excepción de Cuba y también de Uruguay, donde un plebiscito popular rechazó la enajenación de las empresas públicas, con un 72 por

ciento de los votos, a fines de 1992. Los presidentes viajan por el mundo, convertidos en vendedores ambulantes: venden lo que no es suyo, y esa actividad delictiva bien merecería una denuncia policial, si la policía fuera digna de confianza. «Mi país es un producto, yo ofrezco un producto que se llama Perú», ha proclamado, en más de una ocasión, el presidente Alberto Fujimori.

Se privatizan las ganancias, se socializan las pérdidas. En 1990, el presidente Carlos Menem mandó al muere a Aerolíneas Argentinas. Esta empresa pública, que daba ganancias, fue vendida, o más bien regalada, a otra empresa pública, la española Iberia, que era un ejemplo universal de mala administración. Las rutas, internacionales y nacionales, se cedieron por quince veces menos de su valor, y dos aviones Boeing 707, que estaban vivos y volando y tenían para rato, fueron comprados al módico precio de un dólar con cincuenta y cuatro centavos cada uno.

En su edición del 31 de enero del 98, el diario uruguayo *El Observador* felicitó al gobierno de Brasil por su decisión de vender la empresa telefónica nacional, Telebras. El aplauso al presidente Fernando Henrique Cardoso, «por sacarse de encima empresas y servicios que se han convertido en una carga para las arcas estatales y los consumidores», se publicó en la página 2. En la página 16, el mismo diario, el mismo día, informó que Telebras, «la empresa más rentable de Brasil, generó el año pasado ganancias líquidas por 3.900 millones de dólares, un récord en la historia del país».

El gobierno brasileño movilizó un ejército de seiscientos setenta abogados para hacer frente al bombardeo de demandas contra la privatización de Telebras; y justificó su programa de desnacionalizaciones por la necesidad de dar al mundo «señales de que somos un país abierto». El escritor Luis Fernando Verissimo opinó que esas señales «son algo así como aquellos sombreros puntiagudos que en la Edad Media identificaban a los bobos de la aldea».

El poder del casino

Dicen que la astrología fue inventada para dar la impresión de que la economía es una ciencia exacta. Nunca los economistas sabrán mañana por qué sus previsiones de ayer no se han cumplido hoy. Ellos no tienen la culpa. Se han quedado sin asunto, la verdad sea dicha, desde que la economía real dejó de existir y dejó paso a la economía virtual. Ahora mandan las finanzas, y el frenesí de la especulación financiera es, más bien, tema de psiquiatras.

Los banqueros Rotschild se enteraron por palomas mensajeras de la derrota de Napoleón en Waterloo, pero ahora las noticias corren más veloces que la luz, y con ellas viaja el dinero en las pantallas de las computadoras. Un anillo digno de Saturno gira, enloquecido, alrededor de la tierra: está formado por los 2.000.000.000.000 de dólares que cada día mueven los mercados de las finanzas mundiales. De todos esos muchos ceros, que marea mirarlos, sólo una ínfima parte corresponde a transacciones comerciales o a inversiones productivas. En 1997, de cada cien dólares negociados en divisas, apenas dos dólares y medio tuvieron algo que ver con el intercambio de bienes y servicios. En ese año, en vísperas del huracán que barrió las Bolsas de Asia y del mundo, el gobierno de Malasia propuso una medida de sentido común: la prohibición del tráfico de divisas no comerciales. La iniciativa no fue escuchada. El griterío de las Bolsas mete mucho ruido, y sus beneficiarios dejan sordo a cualquiera. Por poner un ejemplo, en 1995, sólo tres de las diez mayores fortunas de Japón estaban ligadas a la economía real. Los otros siete multimillonarios eran grandes especuladores.

Diez años antes de la crisis actual, el mercado financiero había sufrido otro colapso. Distinguidos economistas de la Casa Blanca, del Congreso de los Estados Unidos y de las Bolsas de Nueva York y de Chicago intentaron explicar lo que había ocurrido. La palabra *especulación* no fue mencionada en ninguno de esos análisis. Los deportes populares merecen respeto: cinco de cada diez norteamericanos participan de alguna manera en el mercado de valores. Las bombas inteligentes, *smart bombs*, eran las que mataban iraquíes en la guerra del Golfo sin que nadie se enterara, salvo los muertos; y el *smart money* es el que puede rendir ganancias del cuarenta por ciento, sin que se sepa cómo. Wall Street se llama así, Calle del Muro, por

El lenguaje/4

El lenguaje del mundo de los negocios, lenguaje universal, otorga nuevos sentidos a las viejas palabras, y así enriquece la comunicación humana y el inglés de Shakespeare.

Las opciones, *options*, ya no definen la libertad de elegir, sino el derecho de comprar; los futuros, *futures*, han dejado de ser misterios, para convertirse en contratos. Los mercados, *markets*, ya no son plazas bullangueras, sino pantallas de computadoras. La sala, el *lobby*, no se usa para esperar amigos, sino para comprar políticos. No sólo las naves se alejan *offshore*, mar adentro: *offshore* también se va el dinero, para evitar impuestos y preguntas. Las lavanderías, *laundries*, que otrora se ocupaban de la ropa, lavan ahora el dinero sucio.

El *lifting* ya no consiste en levantar pesas o ánimos: *lifting* es la cirugía que impide que envejezcan los autores de todas estas obras.

el muro alzado hace siglos para que no se fugaran los negros esclavos: Wall Street es actualmente el centro de la gran timba electrónica universal, y la humanidad entera está prisionera de las decisiones que allí se toman. La economía virtual traslada capitales, derriba precios, despluma incautos, arruina países y, en un santiamén, fabrica millonarios y mendigos.

En plena obsesión mundial de la inseguridad, la realidad enseña que los delitos del capital financiero son mucho más temibles que los delitos que aparecen en las páginas policiales de los diarios. Mark Mobius, que especula por cuenta de miles de inversores, explicaba a principios del 98, a la revista alemana *Der Spiegel*: «Mis clientes se burlan de los criterios éticos. Ellos quieren que multipliquemos sus ganancias». Durante la crisis del 87, otra frase lo había hecho famoso: «Hay que comprar cuando por las calles corre la sangre, aunque la sangre sea mía». George Soros, el especulador más exitoso del mundo, que amasó una fortuna derribando sucesivamente a la libra esterlina, la lira y el rublo, sabe de qué está hablando cuando comprueba: «El principal enemigo de la sociedad abierta, creo, ya no es el comunismo, sino la amenaza capitalista».

El doctor Frankenstein del capitalismo ha generado un monstruo que camina por su cuenta, y no hay quien lo pare. Es una suerte de estado por encima de los estados, un poder invisible que a todos gobierna, aunque ha sido elegido por nadie. En este mundo hay demasiada miseria, pero hay también demasiado dinero, y la riqueza no sabe qué hacer consigo misma. En otros tiempos, el capital financiero ampliaba, por la vía del crédito, los mercados de consumo. Estaba al servicio del sistema productivo, que para ser necesita crecer: actualmente, en plena desmesura, el capital financiero ha puesto al sistema productivo a su servicio, y con él juega como juega el gato con el ratón.

Cada derrumbe de las Bolsas es una catástrofe para los inversores modestos, que se han creído el cuento de la lotería financiera, y es también una catástrofe para los barrios más pobres de la aldea global, que sufren las consecuencias sin comerla ni beberla: de un manotazo, cada crisis les vacía el plato y les evapora los empleos. Pero rara vez las crisis bursátiles hieren de muerte a los sacrificados millonarios que día tras día, curvada la espalda sobre la computadora, las manos callosas en el teclado, redistribuyen la riqueza del mundo decidiendo el destino del dinero, el nivel de las tasas de interés y el valor de los brazos, de las cosas y de las monedas. Ellos son los únicos trabajadores que pueden desmentir a la mano anónima que alguna vez escribió, en un muro de Montevideo: *Al que trabaja, no le queda tiempo para hacer dinero.*

Fuentes consultadas

Arlt, Roberto, «Aguafuertes porteñas». Buenos Aires, Losada, 1985.

Boff, Leonardo, «A nova era: a civilização planetaria». San Pablo, Ática, 1994.

Calabrò, Maria Antonietta, «Le mani della Mafia. Vent'anni di finanza e politica attraverso la storia del Banco Ambrosiano». Roma, Edizioni Associate, 1991.

Di Giacomo, Maurizio, y Jordi Minguell, «El finançament de l'Església Catòlica». Barcelona, Index, 1996.

Feinmann, José Pablo, «Dobles vidas, dobles personalidades». En *Página 30*, Buenos Aires, septiembre de 1997.
Greenberg, Michael, «British trade and the opening of China». Nueva York, Monthly Review Press, 1951.
Hawken, Paul, «The ecology of commerce: A declaration of sustainability». Nueva York, Harper Business, 1993.
Henwood, Doug, «Wall Street». Nueva York/Londres, Verso, 1997.
Lietaer, Bernard, «De la economía real a la especulativa». En *Revista del Sur/Third World Resurgence*, Montevideo, enero/febrero de 1998.
Newsinger, John, «Britain's opium wars». En *Monthly Review*, Nueva York, octubre de 1997.
Pérez, Encarna, y Miguel Ángel Nieto, «Los cómplices de Mario Conde. La verdad sobre Banesto, su presidente y la Corporación Industrial». Madrid, Temas de Hoy, 1993.
Ramonet, Ignacio, obra citada.
Saad Herrería, Pedro, «La caída de Abdalá». Quito, El Conejo, 1997.
Silj, Alessandro, «Malpaese». Milán, Donzelli, 1996.
Soros, George, «The capitalist threat». En *The Atlantic Monthly*, febrero de 1997.
Spiewak, Martin, «Bastechend einfach». En *Das Sonntagsblatt*, Hamburgo, 24 de febrero de 1995.
Verbitsky, Horacio, «Robo para la Corona. Los frutos prohibidos del árbol de la corrupción». Buenos Aires, Planeta, 1991.
World Bank, obras citadas.
Ziegler, Jean, «La Suisse lave plus blanc». París, Seuil, 1990.
— «La Suisse, l'or et les morts». París, Seuil, 1997.

Lecciones contra los vicios inútiles

El desempleo multiplica la delincuencia, y los salarios humillantes la estimulan. Nunca tuvo tanta actualidad el viejo proverbio que enseña: *El vivo vive del bobo, y el bobo de su trabajo*. En cambio, ya nadie dice, porque nadie lo creería, aquello de *trabaja y prosperarás*.

El derecho laboral se está reduciendo al derecho de trabajar por lo que quieran pagarte y en las condiciones que quieran imponerte. El trabajo es el vicio más inútil. No hay en el mundo mercancía más barata que la mano de obra. Mientras caen los salarios y aumentan los horarios, el mercado laboral vomita gente. Tómelo o déjelo, que la cola es larga.

Empleo y desempleo en el tiempo del miedo

La sombra del miedo muerde los talones del mundo, que anda que te anda, a los tumbos, dando sus últimos pasos hacia el fin de siglo. Miedo de perder: perder el trabajo, perder el dinero, perder la comida, perder la casa, perder: no hay exorcismo que pueda proteger a nadie de la súbita maldición de la mala pata. Hasta el más ganador puede, de buenas a primeras, convertirse en perdedor, un fracasado indigno de perdón ni compasión.

¿Quién se salva del terror a la desocupación? ¿Quién no teme ser un náufrago de las nuevas tecnologías, o de la globalización, o de cualquier otro de los muchos mares picados del mundo actual? Los oleajes, furiosos, golpean: la ruina o la fuga de las industrias locales, la competencia de la mano de obra más barata de otras latitudes, o el implacable avance de las máquinas, que no exigen salario, ni vacaciones, ni aguinaldo, ni jubilación, ni indemnización por despido, ni nada más que la electricidad que las alimenta.

El desarrollo de la tecnología no está sirviendo para multiplicar el tiempo del ocio y los espacios de libertad, sino que está multiplicando la desocupación y está sembrando el miedo. Es universal el pánico ante la posibilidad de recibir la carta que lamenta comunicarle que nos vemos obligados a prescindir de sus servicios en razón de la nueva política de gastos, o debido a la impostergable reestructuración de la empresa, o porque sí nomás, que ningún eufemismo alivia el fusilamiento. Cualquiera puede caer, en cualquier momento y en cualquier lugar; cualquiera puede convertirse, de un día para el otro, en un viejo de cuarenta años.

En su informe sobre los años 96 y 97, dice la

Frases célebres

El 28 de noviembre de 1990, los diarios argentinos difundieron el pensamiento de un dirigente sindical elevado al poder político. Luis Barrionuevo explicó así su súbita fortuna.

—*La plata no se hace trabajando.*

Ante la lluvia de denuncias por fraude, los amigos le ofrecieron una cena de desagravio. Después, fue elegido presidente de un club de fútbol de primera división, y continuó dirigiendo el gremio gastronómico.

OIT, la Organización Internacional del Trabajo, que «la evolución del empleo en el mundo sigue siendo desalentadora». En los países industrializados, el desempleo sigue estando muy alto y aumentan las desigualdades sociales, y en los llamados países en desarrollo, hay un progreso espectacular del desempleo, una pobreza creciente y un descenso del nivel de vida. «De ahí que cunda el miedo», concluye el informe. Y el miedo cunde: el trabajo o la nada. A la entrada de Auschwitz, el campo nazi de exterminio, un gran cartel decía: *El trabajo libera*. Más de medio siglo después, el funcionario o el obrero que tiene trabajo debe agradecer el favor que alguna empresa le hace permitiéndole romperse el alma día tras día, carne de rutina, en la oficina o en la fábrica. Encontrar trabajo, o conservarlo, aunque sea sin vacaciones, ni jubilaciones, ni nada, y aunque sea a cambio de un salario de mierda, se celebra como si fuera milagro.

San Cayetano es el que más gente convoca en Argentina. Acuden las multitudes a implorar trabajo al patrono de los desempleados. Ningún otro santo, ni santa, tiene tanta clientela. Entre mayo y octubre del 97, aparecieron nuevas fuentes de trabajo. No se sabe si fue obra de san Cayetano o de la democracia: se venían las elecciones legislativas, y el gobierno argentino apabulló al santo repartiendo medio millón de empleos a diestra y siniestra. Pero los empleos, que pagaban salarios de doscientos dólares mensuales, duraron poco más que la campaña electoral. Algún tiempo después, el presidente Menem aconsejó a los argentinos que jugaran al golf, porque eso distrae y afloja los nervios.

Cada vez hay más desocupados en el mundo. Al mundo le sobra cada vez más gente. ¿Qué harán los dueños del mundo con tanta humanidad inútil? ¿La mandarán a la luna? A principios del 98, las gigantescas manifestaciones en Francia, Alemania, Italia y otros países europeos, ganaron los titulares de la prensa mundial. Algunos desempleados desfilaron metidos dentro de las bolsas negras de la basura: era la puesta en escena del drama del trabajo en el mundo actual. En Europa, todavía hay subsidios que alivian la suerte de los desocupados; pero el hecho es que uno de cada cuatro jóvenes no consigue empleo fijo. El trabajo *en negro*, al margen de la ley, se ha triplicado en Europa en el último cuarto de siglo. En Gran Bretaña, son cada vez más numerosos los trabajadores que permanecen en sus casas, siempre disponibles y sin cobrar nada, hasta que suena el teléfono. Entonces trabajan por un tiempo, al servicio de una agencia contratista. Después, vuelven al hogar, y sentados esperan que el teléfono suene nuevamente.

La globalización es una galera, donde las fábricas desaparecen por arte de magia, fugadas a los países pobres; la tecnología, que reduce vertiginosamente el tiempo de trabajo necesario para la producción de cada cosa, empobrece y somete a los trabajadores, en lugar de liberarlos de la necesidad y de la servidumbre; y el trabajo ha dejado de ser imprescindible para que el dinero se reproduzca. Son muchos los capitales que se desvían hacia las inversiones especulativas. Sin transformar la materia, y sin tocarla siquiera, el dinero se reproduce con más fecundidad haciendo el amor consi-

go mismo. Siemens, una de las mayores empresas industriales del mundo, está ganando más con sus inversiones financieras que con sus actividades productivas.

En los Estados Unidos hay mucha menos desocupación que en Europa, pero los nuevos empleos son precarios, mal pagados y sin protección social. «Lo veo entre mis alumnos», dice Noam Chomsky. «Ellos temen que, si no se comportan como es debido, nunca conseguirán trabajo, y eso tiene un efecto disciplinario». Sólo uno de cada diez trabajadores tiene el privilegio de un empleo permanente, y a tiempo completo, en las quinientas empresas norteamericanas de mayor magnitud. De cada diez nuevos empleos que se ofrecen en Gran Bretaña, nueve son precarios; en Francia, ocho de cada diez. La historia está pegando un salto de dos siglos, pero hacia atrás: la mayoría de los trabajadores no tiene, en el mundo actual, estabilidad laboral ni derecho a la indemnización por despido; y la inseguridad laboral derrumba los salarios. Seis de cada diez norteamericanos están recibiendo salarios inferiores a los salarios de hace un cuarto de siglo, aunque en estos veinticinco años la economía de los Estados Unidos ha crecido un cuarenta por ciento.

A pesar de esto, miles y miles de braceros mexicanos, los *espaldas mojadas*, siguen atravesando el río de la frontera y siguen arriesgando la vida en busca de otra vida. En un par de décadas se ha duplicado la brecha entre los salarios de los Estados Unidos y los de México. La diferencia era de cuatro veces; ahora, de ocho. Como bien saben los capitales que emigran al sur en busca de brazos baratos, y como bien saben los brazos baratos que intentan emigrar al norte, el trabajo es, en México, la única mercancía que cada mes baja de precio. En estos últimos veinte años, buena parte de la clase media ha caído en la pobreza, los pobres han caído en la miseria y los miserables se han caído de los cuadros estadísticos. La estabilidad de los que tienen trabajo está garantizada por la ley, pero en los hechos depende de la Virgen de Guadalupe.

La precariedad en el empleo, factor principal, junto a la desocupación, de la crisis de los salarios, es universal como la gripe. Se padece en todas partes, y a todos los niveles. Nadie está a salvo. Ni siquiera respiran en paz los trabajadores especializados en los sectores más sofisticados y dinámicos de la economía mundial. También allí, la contratación a destajo está sustituyendo velozmente los empleos fijos. En las telecomunicaciones y la electrónica, ya están funcionando las *empresas virtuales*, que necesitan muy poca gente. Las tareas se realizan de computadora a computadora, sin que los trabajadores se conozcan entre sí y sin que conozcan a sus empleadores, fugitivos fantasmas que no deben obediencia a ninguna legislación nacional. Los profesionales altamente calificados están tan condenados a la incertidumbre y a la inestabilidad laboral como cualquier hijo de vecino, aunque ganen mucho más y aunque sean los niños mimados, siempre abstractos, de las revistas que elogian los milagros de la tecnología en la era de la felicidad universal.

El miedo a la pérdida del empleo, y la angustia de no encontrarlo, no son para nada ajenos a un disparate que las estadísticas registran, y que sólo puede parecer normal en un mundo que ha perdido todos los tornillos. En los últimos treinta años, los horarios de trabajo *declarados*, que suelen ser inferiores a los horarios reales, *aumentaron* notablemente en Estados Unidos, Canadá y Japón, y sólo disminuyeron, un poco, en algunos países europeos. Éste es un alevoso atentado contra el sentido común, cometido por el mundo al revés: el asombroso aumento de la productividad operado por la revolución tecnológica no sólo no se traduce en una elevación proporcional de los salarios, sino que ni siquiera disminuye los horarios de trabajo en los países de más alta tecnología. En los Estados Unidos, las frecuentes encuestas indican que el trabajo es, actualmente, la principal fuente de *stress*, muy por encima de los divorcios y del miedo a la muerte, y en Japón el *karoshi*, el exceso de trabajo, está matando diez mil personas por año.

Cuando el gobierno de Francia decidió, en mayo del 98, reducir la semana laboral de 39 a 35 horas, dando así una elemental lección de cordura, la medida desató clamores de protesta entre empresarios, políticos y tecnócratas. En Suiza, que no tiene problemas de desempleo, me tocó asistir, hace algún tiempo, a un acontecimiento que me dejó turulato. Un plebiscito propuso trabajar menos horas sin disminuir los salarios, y los suizos

El realismo capitalista

Lee Iacocca, que había sido ejecutivo estrella de la empresa Chrysler, visitó Buenos Aires a fines del 93. En su conferencia, habló con admirable sinceridad sobre el desempleo y la educación:

—El problema del desempleo es un tema duro. Hoy podemos hacer el doble de autos con la misma cantidad de gente. Cuando se habla de mejorar el nivel educativo de la población, como solución al problema del desempleo, siempre digo que me preocupa el recuerdo de lo que pasó en Alemania: allí se publicitó la educación como remedio a la desocupación, y el resultado fue la frustración de cientos de miles de profesionales, que fueron empujados al socialismo y la rebelión. Me cuesta decirlo, pero me pregunto si no sería mejor que los desocupados actúen con lucidez y se vayan a buscar trabajo directamente a McDonald's.

votaron en contra. Recuerdo que no lo entendí, confieso que sigo sin entenderlo todavía. El trabajo es una obligación universal desde que Dios condenó a Adán a ganarse el pan con el sudor de su frente, pero no hay por qué tomarse tan a pecho la voluntad divina. Sospecho que este fervor laboral tiene mucho que ver con el terror al desempleo, aunque en el caso de Suiza el desempleo sea una amenaza borrosa y lejana, y con el pánico al tiempo libre. Ser es ser útil, para ser hay que ser vendible. El tiempo que no se traduce en dinero, tiempo libre, tiempo de vida vivida por el placer de vivir y no por el deber de producir, genera miedo. Al fin y al cabo, eso nada tiene de nuevo. El miedo ha sido siempre, junto con la codicia, uno de los dos motores más activos del sistema que otrora se llamaba capitalismo.

El miedo al desempleo permite que impunemente se burlen los derechos laborales. La jornada máxima de ocho horas ya no pertenece al orden jurídico, sino al campo literario, donde brilla entre otras obras de la poesía surrealista; y ya son reliquias, dignas de ser exhibidas en los museos de arqueología, los aportes patronales a la jubilación obrera, la asistencia médica, el seguro contra accidentes de trabajo, el salario vacacional, el aguinaldo y las asignaciones familiares. Los derechos laborales, legalmente consagrados con valor universal, habían sido, en otros tiempos, frutos de otros miedos: el miedo a las huelgas obreras y el miedo a la amenaza de la revolución social, que tan al acecho parecía. Pero aquel poder asustado, el poder de ayer, es el poder que hoy por hoy asusta, para ser obedecido. Y así se rifan, en un ratito, las conquistas obreras que habían costado dos siglos.

El miedo, padre de familia numerosa, también genera odio. En los países del norte del mundo, suele traducirse en odio contra los extranjeros que ofrecen sus brazos a precios de desesperación. Es la invasión de los invadidos. Ellos vienen desde las

Las estadísticas

En las islas británicas, de cada cuatro empleos, uno es un empleo de tiempo parcial. Y, en numerosos casos, es tan pero tan parcial, que no se entiende por qué se llama empleo. Para *masajear los números*, como dicen los ingleses, las autoridades han cambiado los criterios estadísticos en treinta y dos ocasiones, entre 1979 y 1997, hasta llegar a la fórmula perfecta, que se está aplicando en la actualidad: no está desempleado quien trabaja más de una hora por semana. Modestia aparte, en Uruguay el desempleo se mide así desde que yo tengo memoria.

tierras donde una y mil veces habían desembarcado las tropas coloniales de conquista y las expediciones militares de castigo. Los que hacen, ahora, este viaje al revés, no son soldados obligados a matar: son trabajadores obligados a vender sus brazos en Europa o al norte de América, al precio que sea. Vienen de África, de Asia, de América latina y, en estos últimos años, después de la hecatombe del poder burocrático, también vienen del este europeo.

En los años de la gran expansión económica europea y norteamericana, la prosperidad creciente exigía más y más mano de obra, y poco importaba que los brazos fueran extranjeros, mientras trabajaran mucho y cobraran poco. En los años del estancamiento, o del crecimiento enfermo y amenazado por la crisis, los huéspedes inevitables se han vuelto intrusos indeseables: huelen mal, hacen ruido y quitan empleos. Esos trabajadores, chivos emisarios de la desocupación y de todas las desgracias, están también condenados al miedo. Varias espadas penden sobre sus cabezas: la siempre inminente expulsión del país adonde han llegado, huyendo de la vida penosa, y la siempre posible explosión del racismo, sus advertencias sangrientas, sus castigos: turcos incendiados, árabes acuchillados, negros baleados, mexicanos apaleados. Los inmigrantes pobres realizan las tareas más pesadas y peor pagadas, en los campos y en las calles. Después de las horas de trabajo, vienen las horas de peligro. Ninguna tinta mágica los baña para hacerlos invisibles.

Paradójicamente, muchos trabajadores del sur del mundo emigran al norte, o intentan contra viento y marea esa aventura prohibida, mientras muchas fábricas del norte emigran al sur. El dinero y la gente se cruzan en el camino. El dinero de los países ricos viaja hacia los países pobres atraído por los jornales de un dólar y las jornadas sin horarios, y los trabajadores de los países pobres viajan, o quisieran viajar, hacia los países ricos, atraídos por las imágenes de felicidad que la publicidad ofrece o la esperanza inventa. El dinero viaja sin aduanas ni problemas; lo reciben besos y flores y sones de trompetas. Los trabajadores que emigran, en cambio, emprenden una odisea que a veces termina en las profundidades del mar Mediterráneo o del mar Caribe, o en los pedregales del río Bravo.

En otras épocas, mientras Roma se apoderaba de todo el Mediterráneo y mucho más, los ejércitos regresaban arrastrando caravanas de prisioneros de guerra. Esos prisioneros se convertían en esclavos, y la cacería de esclavos empobrecía a los trabajadores libres. Cuantos más esclavos había en Roma, más caían los salarios y más difícil resultaba encontrar empleo. Dos mil años después, el em-

La ley y la realidad

Gérard Filoche, inspector de trabajo en París, ha comprobado que el ladrón que roba la radio de un auto sufre más castigo que el empresario responsable por la muerte de un obrero en un accidente evitable.

Filoche sabe, por experiencia propia, que son muchas las empresas francesas que mienten los sueldos, los horarios y la antigüedad de los trabajadores, y que impunemente eluden las normas legales de seguridad y de higiene: «Los asalariados deben callarse», dice, «porque viven con el cuchillo del desempleo en la garganta».

Por cada millón de violaciones a la ley que los inspectores de trabajo constatan en Francia, sólo trece mil encuentran condena al término de los procesos. Y, en casi todos los casos, esa condena consiste en el pago de una multa ridícula.

presario argentino Enrique Pescarmona hizo una reveladora alabanza de la globalización:

—*Los asiáticos trabajan veinte horas al día* —declaró— *por ochenta dólares al mes. Si quiero competir, tengo que recurrir a ellos. Es el mundo globalizado. Las chicas filipinas, en nuestras oficinas en Hong Kong, están siempre dispuestas. No hay sábados ni domingos. Si se tienen que quedar varios días de corrido sin dormir, lo hacen, y no cobran horas extras ni piden nunca nada.*

Unos meses antes de esta elegía, se había incendiado una fábrica de muñecas en Bangkok. Las obreras, que ganaban menos de un dólar por día, y comían y dormían en la fábrica, murieron quemadas vivas. La fábrica estaba cerrada por fuera, como los barracones en la época de la esclavitud.

Son numerosas las industrias que emigran a los países pobres, en busca de brazos, que los hay baratísimos y en abundancia. Los gobiernos de esos países pobres dan la bienvenida a las nuevas fuentes de trabajo, que en bandeja de plata traen los mesías del progreso. Pero en muchos de esos países pobres, el nuevo proletariado fabril labora en condiciones que evocan el nombre que el trabajo tenía en tiempos del Renacimiento: *tripalium*, que era también el nombre de un instrumento de tortura. El precio de una camiseta con la imagen de la princesa Pocahontas, vendida por la casa Disney, equivale al salario de toda una semana del obrero que ha cosido esa camiseta en Haití, a un ritmo de 375 camisetas por hora. Haití fue el primer país en el mundo que abolió la esclavitud; y dos siglos después de aquella hazaña, que muchos muertos costó, el país padece la esclavitud asalariada. La cadena McDonald's regala juguetes a sus clientes infantiles. Esos juguetes se fabrican en Vietnam, donde las obreras trabajan diez horas segui-

das, en galpones cerrados a cal y canto, a cambio de ochenta centavos. Vietnam había derrotado la invasión militar de los Estados Unidos; y un cuarto de siglo después de aquella hazaña, que muchos muertos costó, el país padece la humillación globalizada.

La cacería de brazos ya no requiere ejércitos, como ocurría en los tiempos coloniales. De eso se encarga, solita, la miseria que padece la mayor parte del planeta. Es la muerte de la geografía: los capitales atraviesan las fronteras a la velocidad de la luz, por obra y gracia de las nuevas tecnologías de la comunicación y del transporte, que han hecho desaparecer el tiempo y las distancias. Y cuando una economía se resfría en algún lugar del planeta, otras economías estornudan en la otra punta del mundo. A fines del 97, la devaluación de la moneda en Malasia implicó el sacrificio de miles de empleos en la industria del calzado del sur de Brasil.

Los países pobres están metidos, con alma y vida y sombrero, en el concurso universal de la buena conducta, a ver quién ofrece salarios más raquíticos y más libertad para envenenar el medio ambiente. Los países compiten entre sí, a brazo partido, para seducir a las grandes empresas multinacionales. Las *mejores* condiciones para las empresas son las *peores* condiciones para el nivel de salarios, la seguridad en el trabajo y la salud de la tierra y de la gente. A lo largo y a lo ancho del mundo, los derechos de los trabajadores se están nivelando *hacia abajo*, mientras la mano de obra disponible se multiplica como nunca antes, ni en los peores tiempos, había ocurrido.

«La globalización tiene ganadores y perdedores», advierte un informe de las Naciones Unidas. «Se supone que una marea de riqueza en ascenso levantará todos los botes. Pero algunos pueden navegar mejor que otros. Los yates y los transoceánicos de hecho se están elevando, en respuesta a las nuevas oportunidades, pero las balsas y los botes de remo están haciendo agua, y algunos se están hundiendo rápidamente.» Los países tiemblan ante la posibilidad de que el dinero no venga, o que el dinero huya. El naufragio es una realidad o una amenaza que se traduce en el pánico generalizado. Si no se portan bien, dicen las empresas, nos vamos a Filipinas, o a Tailandia, o a Indonesia, o a China, o a Marte. Portarse mal significa: defender la naturaleza o lo que quede de ella, reconocer el derecho de formar sindicatos, exigir el respeto de las normas internacionales y de las leyes locales, elevar el salario mínimo.

En 1995, la cadena de tiendas GAP vendía en los Estados Unidos camisas *made in El Salvador*. Por cada camisa vendida a veinte dólares, los obreros salvadoreños recibían 18 centavos. Los obreros, o mejor dicho obreras, porque eran en su mayoría mujeres y niñas, que se deslomaban más de catorce horas por día en el infierno de los talleres, organizaron un sindicato. La empresa contratista echó a trescientos cincuenta. Vino la huelga. Hubo palizas de la policía, secuestros, prisiones. A fines del 95, las tiendas GAP anunciaron que se marchaban al Asia.

En América latina, la nueva realidad del mundo se traduce en un vertical crecimiento del llamado *sector informal* de la economía. El *sector informal*, que traducido significa *trabajo al margen de la ley*, ofrece 85 de cada cien nuevos empleos. Los trabajadores fuera de la ley trabajan más, ganan menos, no reciben beneficios sociales y no están amparados por las garantías laborales conquistadas en largos años, duros años, de lucha sindical. Y tampoco es mucho mejor la situación de los trabajadores legales: *desregulación* y *flexibilización* son los eufemismos que definen una situación en la que cada cual debe arreglárselas como pueda. Esa situación fue certeramente definida por una vieja obrera paraguaya, que me comentó, a propósito de su jubilación de hambre:

—*Si éste es el premio, ¡cómo será el castigo!*

Jorge Bermúdez tiene tres hijos y tres empleos. Al alba, sale a recorrer las calles de la ciudad de Quito en un viejo Chevrolet que hace de taxi. Desde la primera hora de la tarde, dicta clases de inglés. Hace dieciséis años que él es profesor en un colegio público, donde gana ciento cincuenta dólares mensuales. Cuando termina su jornada en el colegio público, empieza en un colegio privado, hasta la medianoche. Jorge Bermúdez no tiene nunca ningún día libre. Desde hace tiempo, sufre ardores de estómago, y anda de mal humor y con poca paciencia. Un psicólogo le explicó que esos eran malestares psicosomáticos y trastornos de conducta derivados del exceso de trabajo, y le indicó que debía abandonar dos de sus tres empleos para restablecer su salud física y mental. El psicólogo no le indicó cómo hacer para llegar a fin de mes.

Vidas ejemplares/3

A mediados del 98, se desató una ventolera de indignación popular contra la dictadura del general Suharto, en Indonesia. Entonces, el Fondo Monetario Internacional le agradeció los servicios prestados, y el general se jubiló.

Su vida laboral había comenzado en 1965, cuando asaltó el poder matando a medio millón de comunistas, o presuntos comunistas. Suharto no tuvo más remedio que dejar el gobierno, pero se quedó con los ahorros acumulados en más de treinta años de trabajo: 16 mil millones de dólares, según la revista *Forbes* (28/7/97).

Un par de meses después del retiro de Suharto, su sucesor, el presidente Habibie, habló por televisión: exhortó al ayuno. El presidente dijo que si el pueblo indonesio no comía dos días por semana, los lunes y los jueves, se podría superar la crisis económica.

En el mundo al revés, la educación no paga. La enseñanza pública latinoamericana es uno de los sectores más castigados por la nueva situación laboral. Maestros y profesores reciben elogios, la cursilería de los discursos que exaltan la abnegada labor de los apóstoles de la docencia que amorosamente moldean con sus manos la arcilla de las nuevas generaciones; y además, reciben salarios que se ven con lupa. El Banco Mundial llama a la educación «una inversión en capital humano», lo que es, desde su punto de vista, un homenaje; pero en un informe reciente propone, como posibilidad, *reducir* los sueldos del profesorado en los países donde «la oferta de profesores» permita mantener el nivel docente.

¿Reducir los sueldos? ¿Qué sueldos? «Pobres, pero docentes», se dice en Uruguay, y también: «Tengo más hambre que maestro de escuela». Los profesores universitarios están en las mismas. A mediados del 95, leí en la prensa un llamado a

A la buena de Dios

A fines del 93, asistí a los funerales de una linda escuela-taller, que había funcionado durante tres años, en Santiago de Chile. Los alumnos de la escuela venían de los suburbios más pobres de la ciudad. Eran muchachos condenados a ser delincuentes, mendigos o putas. La escuela les enseñaba oficios, herrería, carpintería, jardinería, y sobre todo les enseñaba a quererse y a querer lo que hacían. Por primera vez escuchaban decir que ellos valían la pena, y que valía la pena hacer lo que estaban aprendiendo a hacer. La escuela dependía de la financiación extranjera. Cuando se acabó la plata, los maestros recurrieron al estado. Fueron al ministerio, y nada. Fueron a la alcaldía, y el alcalde les aconsejó:

—*Conviértanse en empresa.*

Ventajas

A fines de 1997, Leonardo Moledo publicó un artículo en defensa de los sueldos bajos en la enseñanza argentina. Este profesor universitario reveló que las magras retribuciones aumentan la cultura general, favorecen la diversidad y la circulación de los conocimientos y evitan las deformaciones de la fría especialización. Gracias a los sueldos de morondanga, un catedrático que por la mañana enseña cirugía del cerebro puede enriquecer su cultura, y la cultura de los demás, haciendo fotocopias por la tarde y exhibiendo sus habilidades, por la noche, como trapecista de circo. Un especialista en literatura germánica tiene la estupenda oportunidad de atender también un horno de pizza y luego puede desempeñar la función de acomodador en el Teatro Colón. El titular de Derecho Penal puede darse el lujo de manejar un camión de reparto, de lunes a viernes, y puede dedicarse a cuidar una plaza los fines de semana; y el adjunto de biología molecular está en óptimas condiciones para aprovechar su formación haciendo changas de plomería y pintura de automóviles.

concurso de la Facultad de Psicología de Montevideo. Se necesitaba un profesor de Ética, se ofrecían cien dólares por mes. Yo pensé que había que ser un mago de la ética para no corromperse con semejante fortuna.

Fuentes consultadas

Banco Mundial, «Prioridades y estrategias para la educación». Washington, 1996.

Cerrutti, Gabriela, entrevista con el empresario Enrique Pescarmona. En *Página-12,* Buenos Aires, 18 de febrero de 1997.

Chomsky, Noam, entrevista en *La Jornada,* México, 1° de febrero de 1998.

Economic Policy Institute, «The state of working America, 1996/1997». Washington, Sharpe, 1997.

Figueroa, Héctor, «In the name of fashion. Exploitation in the garment industry», y el testimonio de la obrera Judith Yanira Viera, «The GAP and sweatshop labor in El Salvador». En *Nacla,* Nueva York, enero/febrero de 1996.

Filoche, Gérard, «Le travail jetable». París, Ramsay, 1997.

Forrester, Viviane, «El horror económico». México, FCE, 1997.

Gorz, André, «Misères du present, richesse du possible». París, Galilée, 1997.

Iacocca, Lee, conferencia en Buenos Aires, *El Cronista,* 12 de noviembre de 1993.

Méda, Dominique, «Le travail. Une valeur en voie de disparition». París, Aubier, 1995.

Moledo, Leonardo, «En defensa de los bajos sueldos universitarios». En *Página-12,* Buenos Aires, 2 de diciembre de 1997.

Montelh, Bernard, y otros, «C'est quoi le travail?». París, Autrement, 1997.

OIT (Organización Internacional del Trabajo), «Panorama laboral, 1996». Ginebra, 1996.

— «Panorama laboral, 1997». Ginebra, 1997.

— «El empleo en el mundo, 1996/97. Las políticas nacionales en la era de la mundialización». Ginebra, 1997.

Rifkin, Jeremy, «The end of work». Nueva York, Putnam's, 1995.

Stalker, Peter, «The work of strangers: A survey of international labour migration». Ginebra, OIT, 1994.

Stronach, Frank, declaración citada en *New York Newsday*, 7 de agosto de 1992.

Van Liemt, Gijsbert, «Industry on the move». Ginebra, OIT, 1992.

Verity, J., «A company that's 100% virtual». En *Business Week*, 21 de noviembre de 1994.

«El robo no es menos robo
porque se cometa en nombre
de leyes o de emperadores.»
(John McDougall, senador por
California, en un discurso de 1861.)

Clases magistrales de impunidad

- Modelos para estudiar
- La impunidad de los cazadores de gente
- La impunidad de los exterminadores del planeta
- La impunidad del sagrado motor

Modelos para estudiar

Estos ejemplos tienen un indudable valor didáctico. Aquí se relatan instructivas experiencias de la industria petrolera, que ama la naturaleza con más fervor que los pintores impresionistas; se cuentan episodios que ilustran la vocación filantrópica de la industria militar y de la industria química; y se revelan ciertas claves del éxito de la industria del crimen, que está a la vanguardia de la economía mundial.

El escritor ahorcado

Las empresas petroleras Shell y Chevron han arrasado el delta del río Níger. El escritor Ken Saro-Wiwa, del pueblo ogoni de Nigeria, lo denunció: «Lo que la Shell y la Chevron han hecho al pueblo ogoni, a sus tierras y a sus ríos, a sus arroyos, a su atmósfera, llega al nivel de un genocidio. El alma del pueblo ogoni está muriendo, y yo soy su testigo».

A principios de 1995, el gerente general de la Shell en Nigeria, Naemeka Achebe, explicó así el

apoyo de su empresa al gobierno militar: «Para una empresa comercial que se propone realizar inversiones, es necesario un ambiente de estabilidad... Las dictaduras ofrecen eso». Unos meses más tarde, la dictadura de Nigeria ahorcó a Ken Saro-Wiwa. El escritor fue ejecutado con otros ocho ogonis, también culpables de luchar contra las empresas que aniquilaron sus aldeas y redujeron sus tierras a un vasto yermo. Muchos otros ogonis habían sido asesinados, antes, por el mismo motivo.

El prestigio de Saro-Wiwa dio a este crimen cierta resonancia internacional. El presidente de los Estados Unidos declaró entonces que su país suspendería el suministro de armas a Nigeria, y el mundo lo aplaudió. La declaración no se leyó como una confesión involuntaria, aunque lo era: el presidente de los Estados Unidos reconocía que su país había estado vendiendo armas al régimen carnicero del general Sani Abacha, que venía ejecutando gente a un ritmo de cien personas por año, en fusilamientos o ahorcamientos convertidos en espectáculos públicos.

Un embargo internacional impidió después que se firmaran *nuevos contratos* de venta de armas a Nigeria, pero la dictadura de Abacha continuó mul-

tiplicando su arsenal gracias a los contratos anteriores y a las *addendas* que por milagro se les agregaron, como elixires de la juventud, para que esos viejos contratos tuvieran vida eterna.

Los Estados Unidos venden cerca de la mitad de las armas del mundo y compran cerca de la mitad del petróleo que consumen. De las armas y del petróleo dependen, en gran medida, su economía y su estilo de vida. Nigeria, la dictadura africana que más dinero destina a los gastos militares, es un país petrolero. La empresa anglo-holandesa Shell se lleva la mitad; y la norteamericana Chevron, buena parte del resto. Chevron arranca a Nigeria más de la cuarta parte de todo el petróleo y el gas que explota en los veintidós países donde opera.

El precio del veneno

Nnimmo Bassey, compatriota de Ken Saro-Wiwa, visitó las Américas en 1996, al año siguiente del asesinato de su amigo y compañero de lucha. En su diario de viaje, cuenta instructivas historias sobre los gigantes petroleros y sus contribuciones a la felicidad pública.

Curaçao es una isla del mar Caribe. Según dicen, fue llamada así porque sus aires curaban a los enfermos. La empresa Shell erigió, en 1918, una gran refinería que, desde entonces, viene echando humos venenosos sobre esa isla de la salud. En 1983, las autoridades locales mandaron parar. Sin incluir los perjuicios a los habitantes, que son de valor inestimable, los expertos calcularon en 400 millones de dólares la indemnización, mínima, que la empresa debía pagar por los males que la naturaleza había sufrido.

La Shell no pagó nada, y en cambio compró impunidad a un precio de fábula infantil: vendió su refinería al gobierno de Curaçao, *por un dólar,* mediante un acuerdo que liberó a la empresa de cualquier responsabilidad por los daños que había infligido al medio ambiente en toda su historia.

La mariposita azul

En 1994, la empresa petrolera Chevron, que en otros tiempos supo llamarse Standard Oil of California, gastó muchos millones de dólares en una campaña publicitaria que exaltaba sus desvelos por la defensa del medio ambiente en los Estados Unidos. La campaña estaba centrada en la protección que la empresa brindaba a unas mariposítas azules que corrían peligro de extinción. El refugio que daba amparo a estos insectos costaba a la Chevron cinco mil dólares anuales; pero la empresa gastaba ochenta veces más para producir cada minuto de la propaganda que alababa su vocación ecologista, y mucho más todavía por cada minuto de emisión del bombardeo publicitario de las mariposítas azules aleteando en las pantallas de la televisión norteamericana.

El *spa* de los bichitos estaba instalado en la refinería El Segundo, en las arenas del sur de Los Ángeles. Y ésta sigue siendo una de las peores fuentes de contaminación del agua, el aire y la tierra en toda California.

La piedra azul

Ciudad de Goiania, Brasil, setiembre de 1987: dos juntapapeles encuentran un tubo de metal tirado en un terreno baldío. Lo rompen a martillazos, descubren una piedra de luz azul. La piedra mágica transpira luz, azulea el aire y da fulgor a todo lo que toca.

Los juntapapeles parten esa piedra de luz. Regalan los pedacitos a sus vecinos. Quien se frota la piel, brilla en la noche. Todo el barrio es una lámpara. El pobrerío, súbitamente rico de luz, está de fiesta.

Al día siguiente, los juntapapeles vomitan. Han comido mango con coco: ¿Será por eso? Pero todo el barrio vomita, y todos se hinchan, y arden. La luz azul quema y devora y mata; y se disemina llevada por el viento, la lluvia, las moscas y los pájaros.

Fue una de las mayores catástrofes nucleares de la historia. Muchos murieron, y muchos más quedaron por siempre jodidos. En aquel barrio de los suburbios de Goiania nadie sabía qué significaba la palabra radiactividad, y nadie había oído jamás hablar del cesio 137. Chernobyl resuena cada día en las orejas del mundo. De Goiania, nunca más se supo. En 1992, Cuba recibió a los niños enfermos de Goiania, y les dio tratamiento médico gratuito. Tampoco este hecho tuvo la menor repercusión, a pesar de que las fábricas universales de opinión pública siempre están, como se sabe, muy preocupadas por Cuba.

Un mes después de la tragedia, el jefe de la policía federal en Goiás, declaró:

—*La situación es absurda. No existe ningún responsable por el control de la radiactividad que se usa con fines medicinales.*

Edificios sin pies

Ciudad de México, setiembre de 1985: la tierra tiembla. Mil casas y edificios se vienen abajo en menos de tres minutos.

No se sabe, nunca se sabrá, cuántos muertos dejó ese momento de horror en la ciudad más grande y más frágil del mundo. Al principio, cuando empezó la remoción de los escombros, el gobierno mexicano contó cinco mil. Después, calló. Los primeros cadáveres rescatados alfombraban todo un estadio de béisbol.

Las construcciones antiguas aguantaron el terremoto, pero los edificios nuevos se derrumbaron como si no hubieran tenido cimientos, *porque muchos no los tenían*, o los tenían solamente en los planos. Han pasado los años, y los responsables siguen impunes: los empresarios que alzaron y vendieron modernos castillos de arena, los funcionarios que autorizaron rascacielos en la zona más hundida de la ciudad, los ingenieros que mintieron asesinamente los cálculos de cimentación y carga, los inspectores que se enriquecieron haciendo la vista gorda.

Los escombros ya no están, nuevos edificios se alzan sobre las ruinas, la ciudad sigue creciendo.

Verde que te quiero verde

Las más exitosas empresas terrestres tienen sucursales en el infierno y también en el cielo. Cuanto más venden en unas, mejor les va en las otras. Y así el Diablo paga y Dios perdona.

Según las proyecciones del Banco Mundial, las industrias ecologistas moverán fortunas mayores que la industria química, de aquí a poco, al filo del siglo, y ya están dando de ganar montañas de dinero. La salvación del medio ambiente está siendo el más brillante negocio de las mismas empresas que lo aniquilan.

En un libro reciente, *The corporate planet*, Joshua Karliner brinda tres ejemplos ilustrativos, y de alto valor pedagógico:

el grupo General Electric tiene cuatro de las empresas que más envenenan el aire del planeta, pero es también el mayor fabricante norteamericano de equipos para el control de la contaminación del aire;

la empresa química DuPont, una de las mayores generadoras de residuos industriales peligrosos en el mundo entero, ha desarrollado un lucrativo sector de servicios especializados en la incineración y el entierro de residuos industriales peligrosos;

y otro gigante multinacional, Westinghouse, que se ha ganado el pan vendiendo armas nucleares, vende también millonarios equipos para limpiar su propia basura radiactiva.

El pecado y la virtud

Hay más de cien millones de minas antipersonales diseminadas por el mundo. Estos artefactos continúan estallando muchos años después de concluidas las guerras. Algunas de las minas han sido diseñadas para atraer a los niños, en forma de muñecas o de mariposas o de cachivaches coloridos que llaman la atención de los ojos infantiles. Los niños suman la mitad de las víctimas.

Paul Donovan, uno de los promotores de la

campaña universal por la prohibición, ha denunciado que una nueva gallina de los huevos de oro está empollando en las mismas fábricas de armamentos que han vendido las minas: estas empresas ofrecen su *know how* para limpiar los vastos terrenos minados, y cualquiera puede darse cuenta de que nadie conoce el asunto tanto como ellas. Un negocio redondo: arrancar minas resulta cien veces más caro que colocarlas.

Hasta 1991, la empresa CMS fabricaba minas para el ejército de los Estados Unidos. A partir de la guerra del Golfo, cambió de ramo, y desde entonces gana 160 millones de dólares al año despejando terrenos. La CMS pertenece al consorcio alemán Daimler Benz, que produce misiles con el mismo entusiasmo con que produce automóviles, y que sigue fabricando minas por medio de otra de sus filiales, la empresa Messerschmidt-Bölkow-Blohm.

También está transitando el camino de la redención el grupo británico British Aerospace: una de sus empresas, la Royal Ordnance, firmó un contrato por noventa millones de dólares para arrancar de los campos de Kuwait las minas plantadas, casualmente, por la Royal Ordnance. En Kuwait compite con ella, en la abnegada tarea, la empresa francesa Sofremi, que limpia esos terrenos minados, a cambio de ciento once millones de dólares, mientras exporta armas que abastecen las guerras del mundo.

Uno de los ángeles que con más fervor cumple en la tierra esta misión humanitaria es un especialista sudafricano llamado Vernon Joynt, que se ha pasado la vida diseñando minas antipersonales y otros artilugios mortíferos. Este hombre tiene a su cargo el barrido de los campos de Mozambique y Angola, donde están plantadas millares de minas que él inventó para el ejército racista de África del Sur. Su tarea está auspiciada por las Naciones Unidas.

El crimen y el premio

El general Augusto Pinochet violó, torturó, asesinó, robó y mintió.

Violó la Constitución que había jurado respetar; fue el mandamás de una dictadura que torturó y asesinó a miles de chilenos; puso los tanques en la calle para desalentar la curiosidad de quien quisiera investigar lo que robó: y mintió cada vez que abrió la boca para referirse a todas estas experiencias.

Concluida su dictadura, Pinochet siguió siendo jefe del ejército. Y, a la hora de jubilarse, se incorporó al paisaje civil: mientras se escribía este libro, pasó a ser senador de la república, por mandato propio, hasta el fin de sus días. En las calles estalló la protesta, pero el general ocupó su lugar en el senado, sordo a nada que no fuera el himno militar que cantaba sus hazañas. Razones no le faltaban para la sordera: al fin y al cabo, el 11 de setiembre, día del golpe de estado que en 1973 había acabado con la democracia, se celebró durante un cuarto de siglo, hasta 1998, como fiesta nacional, y todavía da nombre a una de las principales avenidas del centro de Santiago de Chile.

El crimen y el castigo

A mediados de 1978, mientras la selección argentina ganaba el campeonato mundial de fútbol, la dictadura militar arrojaba sus prisioneros, *vivos*, al fondo del océano. Los aviones despegaban desde Aeroparque, bien cerca del estadio donde ocurrió la consagración deportiva.

No es mucha la gente que nace con esa incómoda glándula llamada conciencia, que impide dormir a pata suelta y sin otra molestia que los mosquitos del verano; pero a veces se da. Cuando el capitán Alfonso Scilingo reveló a sus superiores que no podía dormir sin lexotanil o borrachera, ellos le sugirieron un tratamiento psiquiátrico. A principios de 1995, el capitán Scilingo decidió hacer una confesión pública: dijo que él había echado al mar a treinta personas. Y denunció que a lo largo de dos años habían sido entre mil quinientos y dos mil los prisioneros políticos que la Marina argentina había enviado a las bocas de los tiburones.

Después de su confesión, Scilingo fue preso. No por haber asesinado a treinta personas, sino por haber firmado un cheque sin fondos.

El crimen y el silencio

El 20 de setiembre de 1996, el Departamento de Defensa de los Estados Unidos hizo también una confesión pública. Ninguno de los medios masivos de comunicación otorgó al asunto mayor importancia, y la noticia tuvo poca o ninguna difusión internacional. Las máximas autoridades militares de los Estados Unidos reconocieron ese día que habían cometido «un error»: habían instruido a los militares latinoamericanos en las técnicas de la amenaza, la extorsión, la tortura, el secuestro y el asesinato, mediante manuales que se habían utilizado en la Escuela de las Américas de Fort Benning, en Georgia, y en el Comando Sur de Panamá, entre 1982 y 1991. El *error* había durado una década, pero no se decía cuántos oficiales latinoamericanos habían recibido la equivocada enseñanza, ni cuáles habían sido las consecuencias.

En realidad, ya se había denunciado antes, mil veces, y se siguió denunciando después, que el Pentágono fabrica dictadores, torturadores y criminales en las clases que dicta desde hace medio siglo, y que ya han tenido por alumnos a unos sesenta mil militares latinoamericanos. Muchos de los alumnos, que se convirtieron en dictadores o en exterminadores públicos, han dejado un imbo-

rrable rastro de sangre al sur del río Bravo. Por citar el caso de un solo país, El Salvador, y por no dar más que unos pocos ejemplos de una lista interminable, eran graduados de la Escuela de las Américas casi todos los oficiales responsables del asesinato de monseñor Romero y de las cuatro monjas norteamericanas, en 1980, y también los responsables del crimen de los seis sacerdotes jesuitas acribillados en 1989.

El Pentágono había negado siempre sus derechos de autor en los manuales que, por fin, reconoció suyos. La confesión era un notición, pero pocos fueron los que se enteraron y muchos menos los que se indignaron: la primera potencia del mundo, el país modelo, la democracia más envidiada y más imitada, reconocía que sus viveros militares habían estado criando especialistas en la violación de los derechos humanos.

En 1996, el Pentágono prometió corregir el *error*, con la misma seriedad con que lo había practicado. A principios del 98, veintidós culpables fueron condenados a seis meses de cárcel y al pago de multas: eran veintidós ciudadanos norteamericanos que habían cometido la atrocidad de meterse en Fort Benning para realizar una procesión funeraria en memoria de las víctimas de la Escuela de las Américas.

El crimen y los ecos

En 1995, dos países latinoamericanos, Guatemala y Chile, atrajeron la atención de los diarios de los Estados Unidos, cosa que no era para nada habitual.

La prensa reveló que un coronel guatemalteco, acusado de dos crímenes, cobraba sueldo de la CIA desde hacía muchos años. Ese coronel estaba acusado del asesinato de *un ciudadano de los Estados Unidos y del marido de una ciudadana de los Estados Unidos*. La prensa prestó poca o ninguna importancia a los miles y miles de otros crímenes cometidos, desde 1954, por las numerosas dictaduras militares que los Estados Unidos habían ido poniendo y sacando en Guatemala, a partir del día en que la CIA volteó al gobierno democrático de Jacobo Arbenz, con el visto bueno del presidente Eisenhower. El largo ciclo del horror había tenido su auge en las matanzas de los años ochenta: por entonces, los oficiales recompensaban a los soldados que traían un par de orejas, colgándoles al cuello una cadenita con una hoja dorada de roble. Pero las víctimas de ese proceso de más de cuarenta años —la mayor cantidad de muertos de la segunda mitad del siglo veinte en todo el mapa de las Américas— eran guatemaltecos, y además, para colmo del desprecio, eran, en su mayoría, indígenas.

Mientras revelaban lo del coronel en Guatemala, los diarios norteamericanos informaron que dos altos oficiales de la dictadura de Pinochet habían sido condenados a prisión en Chile. El asesinato de Orlando Letelier constituía una de las excepciones a la norma latinoamericana de la impunidad, pero este detalle no llamó la atención de los periodistas: la dictadura había asesinado a Letelier, y a su secretaria norteamericana, *en la ciudad de Washington*. ¿Qué hubiera ocurrido si hubieran caído en Santiago de Chile, o en cualquier otra ciudad latinoamericana? ¿Qué ocurrió con el general chileno Carlos Prats, impunemente asesinado junto con su esposa, también chilena, en Buenos Aires, en un atentado idéntico al que mató a Letelier? Hasta mediados del 98, más de veinte años después, no había novedades.

Fuentes consultadas

Bañales, Jorge A., «La lenta confirmación». En *Brecha*, Montevideo, 27 de setiembre de 1996.

Bassey, Nnimmo, «Only business: A pollution tour through Latin America». En *Link*, Friends of the Earth, n.° 80, Amsterdam, setiembre/octubre de 1997.

Beristain, Carlos Martín, «Viaje a la memoria. Por los caminos de la milpa». Barcelona, Virus, 1997.

Donovan, Paul, «Making a killing». En *The New Internationalist,* Oxford, setiembre de 1997.
Greenpeace International, «The Greenpeace book on greenwash». Washington, 1992.
Helou, Suzana, y Sebastião Benício da Costa Neto, «Césio 137. Conseqüências psicosociais do acidente de Goiânia». Goiás, Universidade Federal, 1995.
Informe de *Uno más uno,* México, setiembre de 1985.
International Finance Corporation (World Bank), «Investing in the environment: Business opportunities in developing countries». Washington, 1992.
Karliner, Joshua, «The corporate planet. Ecology and politics in the age of globalization». San Francisco, Sierra Club, 1997.
Monsiváis, Carlos, «Entrada libre». México, Era, 1987.
Poniatowska, Elena, «Nada, nadie. Las voces del temblor». México, Era, 1988.
Saro-Wiwa, Ken, «Genocide in Nigeria: The ogoni tragedy». Londres, Saros, 1992.
Schlesinger, Stephen, y Stephen Kinzer, «Bitter fruit. The untold story of the american coup in Guatemala». Nueva York, Anchor, 1983.
Strada, Gino, «The horror of land mines». En *Scientific American,* mayo de 1996.
Tótoro, Dauno, «La cofradía blindada». Santiago de Chile, Planeta, 1998.
Verbitsky, Horacio, «El vuelo». Buenos Aires, Planeta, 1995.

La impunidad de los cazadores de gente

Aviso a los delincuentes que se inician en el oficio: no es negocio asesinar con timidez. El crimen paga; pero paga cuando se practica, como los negocios, en gran escala. No están presos por homicidio los altos jefes militares que han dado la orden de matar a un gentío en América latina, aunque sus fojas de servicio dejan colorados de vergüenza a los malevos y bizcos de asombro a los criminólogos.

Somos todos iguales ante la ley. ¿Ante qué ley? ¿Ante la ley divina? Ante la ley terrena, la igualdad se desiguala todo el tiempo y en todas partes, porque el poder tiene la costumbre de sentarse encima de uno de los platillos de la balanza de la justicia.

La amnesia obligatoria

Es la desigualdad ante la ley la que ha hecho y sigue haciendo la historia real, pero a la historia oficial no la escribe la memoria, sino el olvido. Bien lo sabemos en América latina, donde los exterminadores de indios y los traficantes de esclavos tienen estatuas en las plazas de las ciudades, y donde las calles y las avenidas suelen llamarse con los nombres de los ladrones de tierras y los vaciadores de arcas públicas.

Como a los edificios de México que se derrumbaron en el terremoto del 85, a las democracias latinoamericanas les han robado los cimientos. Sólo la justicia podría darles una sólida base de apoyo para poder pararse y caminar, pero en lugar de justicia tenemos amnesia obligatoria. Por regla general, los gobiernos civiles se están limitando a administrar la injusticia, defraudando las esperanzas de cambio, en países donde la democracia política se estrella continuamente contra los muros de las estructuras económicas y sociales enemigas de la democracia.

En los años sesenta y setenta, los militares asaltaron el poder. Para acabar con la corrupción política, robaron mucho más que los políticos, gracias a las facilidades del poder absoluto y gracias a la productividad de sus jornadas de trabajo, que cada día comenzaban, muy tempranito, al toque de diana. Años de sangre y mugre y miedo: para acabar con la violencia de las guerrillas locales y de los rojos fantasmas universales, las fuerzas armadas torturaron, violaron o asesinaron a cuanta gente encontraron, en una cacería que castigó cualquier expresión de la voluntad humana de justicia, por inofensiva que pudiera parecer.

La dictadura uruguaya torturó mucho y mató poco. La argentina, en cambio, practicó el exter-

El Diablo andaba con hambre

El Familiar es un perro negro que echa llamas por las fauces y las orejas. Esos fuegos deambulan, por las noches, en los cañaverales del norte argentino. El Familiar trabaja para el Diablo, le da de comer carne de rebeldes, vigila y castiga a los peones del azúcar. Las víctimas se van del mundo sin decir adiós.

En el invierno del 76, tiempos de dictadura militar, el Diablo andaba con hambre. En la noche del tercer jueves de julio, el ejército entró en el ingenio Ledesma, en Jujuy. Los soldados se llevaron a ciento cuarenta obreros. Treinta y tres desaparecieron, nunca más se supo.

minio. Pero, a pesar de sus diferencias, las muchas dictaduras latinoamericanas de ese período trabajaron unidas, y se parecían entre sí, como cortadas por la misma tijera. ¿Qué tijera? A mediados de 1998, el vicealmirante Eladio Moll, que había sido jefe de inteligencia del régimen militar uruguayo, reveló que los asesores norteamericanos aconsejaban eliminar a los subversivos, después de arrancarles información. El vicealmirante fue arrestado, por delito de franqueza.

Algunos meses antes, el capitán Alfredo Astiz, uno de los matarifes de la dictadura argentina, había sido destituido por decir la verdad: declaró que la Marina de Guerra le había enseñado a hacer lo que había hecho, y en un alarde de pedantería profesional declaró que él era «el hombre mejor preparado técnicamente, en este país, para matar a un político o a un periodista». Por entonces, Astiz y otros militares argentinos estaban requeridos o procesados en varios países europeos, por el asesinato de ciudadanos españoles, italianos, franceses y suecos, pero el crimen de miles de argentinos había sido absuelto por las leyes de borrón y cuenta nueva.

También las leyes de impunidad parecen cortadas por la misma tijera. Las democracias latinoamericanas resucitaron condenadas al pago de las deudas y al olvido de los crímenes. Fue como si

El pensamiento vivo de las dictaduras militares

Durante los recientes años de plomo, los generales latinoamericanos pudieron hacer oír su ideología, a pesar del estrépito de la metralla, las bombas, las trompetas y los tambores.

En pleno arrebato bélico, el general argentino Ibérico Saint-Jean gritó:

—*¡Estamos ganando la tercera guerra mundial!*

En pleno arrebato cronológico, su compatriota, el general Cristino Nicolaides vociferó:

—*¡Hace dos mil años que el marxismo amenaza a la Civilización Occidental y Cristiana!*

En pleno arrebato místico, el general guatemalteco Efraín Ríos Montt bramó:

—*¡El Espíritu Santo conduce nuestros servicios de inteligencia!*

En pleno arrebato científico, el contraalmirante uruguayo Hugo Márquez rugió:

—*¡Hemos dado un giro de trescientos sesenta grados a la historia nacional!*

Concluida la epopeya, el político uruguayo Adauto Puñales celebró la derrota del comunismo. Y en pleno arrebato anatómico, tronó:

—*¡El comunismo es un pulpo que tiene la cabeza en Moscú y los testículos por todas partes!*

los gobiernos civiles agradecieran su trabajo a los hombres de uniforme: el terror militar había creado un clima favorable a la inversión extranjera, y había despejado el camino para que se concluyera impunemente la venta de los países, a precio de banana, en los años siguientes. En plena democracia, se terminó de ejecutar la renuncia a la soberanía nacional, la traición a los derechos del trabajo y el desmantelamiento de los servicios públicos. Todo se ha hecho, o se ha deshecho, con relativa facilidad. La sociedad que en los años ochenta recuperó los derechos civiles, estaba vaciada de sus mejores energías, acostumbrada a sobrevivir en la mentira y en el miedo, y tan enferma de desaliento como necesitada del aliento de vitalidad creadora que la democracia prometió y no pudo, o no supo, dar.

Los gobiernos electos por el voto popular identificaron a la justicia con la venganza y a la memoria con el desorden, y echaron agua bendita en la frente de los hombres que habían ejercido el terrorismo de estado. En nombre de la estabilidad democrática y de la reconciliación nacional, se promulgaron leyes de impunidad que desterraban la justicia, enterraban el pasado y elogiaban la amnesia. Algunas de esas leyes llegaron más lejos que sus más horrorosos precedentes mundiales. La ley argentina de *obediencia debida* fue dictada en 1987 —y derogada una década después, cuando ya no era necesaria. En su afán de absolución, la ley de *obediencia debida* exoneró de responsabilidad a los militares que cumplían órdenes. Como no hay militar que no cumpla órdenes, órdenes del sargento o del capitán o del general o de Dios, la responsabilidad penal iba a parar al reino de los cielos. El código militar alemán, que Hitler perfeccionó en 1940 al servicio de sus delirios, había sido, por cierto, más cauteloso: en el artículo 47 establecía que el subordinado era responsable de sus actos «si sabía que la orden del superior se refería a una acción que fuera delito común o crimen militar».

Las demás leyes latinoamericanas no eran tan fervorosas como la ley de *obediencia debida*, pero todas coincidieron en la humillación civil ante la prepotencia armada: por mandato del miedo, las matanzas fueron elevadas por encima del alcance de la justicia, y se mandó esconder bajo la alfom-

Publicidad

La dictadura militar argentina tenía la costumbre de enviar a muchas de sus víctimas al fondo del mar. En abril de 1998, la fábrica de ropas Diesel publicó en la revista *Gente* un aviso que probaba la resistencia de sus pantalones a todos los lavados. Una fotografía mostraba a ocho jóvenes, encadenados a bloques de cemento en las profundidades del agua, y debajo decía: «No son tus primeros *jeans*, pero podrían ser los últimos. Al menos dejarás un hermoso cadáver».

La memoria prohibida

El obispo Juan Gerardi presidió el grupo de trabajo que rescató la historia reciente del terror en Guatemala. Miles de voces, testimonios recogidos en todo el país, fueron juntando los pedacitos de cuarenta años de memoria del dolor: 150 mil guatemaltecos muertos, cincuenta mil desaparecidos, un millón de exiliados y refugiados, doscientos mil huérfanos, cuarenta mil viudas. Nueve de cada diez víctimas eran civiles desarmados, en su mayoría indígenas; y en nueve de cada diez casos, la responsabilidad era del ejército o de sus bandas paramilitares.

La Iglesia hizo público el informe un jueves de abril del 98. Dos días después, el obispo Gerardi apareció muerto, con el cráneo partido a golpes de piedra.

bra toda la basura de la historia reciente. La mayoría de los uruguayos apoyó la impunidad, en el plebiscito de 1989, al cabo de un bombardeo publicitario que amenazó con el retorno de la violencia: ganó el miedo, que es, entre otras cosas, fuente de derecho. En toda América latina, el miedo, a veces sumergido, a veces visible, alimenta y justifica el poder. Y el poder tiene raíces más profundas y estructuras más duraderas que los gobiernos que entran y salen al ritmo de las elecciones democráticas.

La memoria rota

A fines del siglo dieciocho, los soldados de Napoleón descubrieron que muchos niños egipcios creían que las pirámides habían sido construidas por los franceses o por los ingleses.

A fines del siglo veinte, muchos niños japoneses creían que las bombas sobre Hiroshima y Nagasaki habían sido arrojadas por los rusos.

En 1965, el pueblo de Santo Domingo resistió durante ciento treinta y dos noches la invasión de cuarenta y dos mil *marines* norteamericanos. La gente peleó casa por casa, cuerpo a cuerpo, con palos y cuchillos y carabinas y piedras y botellas rotas. ¿Qué creerán, de aquí a un tiempo, los niños dominicanos? El gobierno no celebra la resistencia nacional en un Día de la Dignidad, sino en el Día de la Confraternidad, poniendo un signo de igual entre quienes habían besado la mano del invasor y quienes habían puesto el pecho a los tanques.

¿Qué es el poder? Con certeras palabras lo definió, a principios del 98, el empresario argentino Alfredo Yabrán:

—*El poder es impunidad.*

Él bien sabía lo que decía. Acusado de ser la cabeza visible de una mafia todopoderosa, Yabrán había empezado vendiendo helados por las calles y había acumulado, en nombre propio o por cuenta de quién sabe quién, una fortuna. Poco después de esa frase, un juez le dictó orden de captura por el asesinato del fotógrafo José Luis Cabezas. Era el principio del fin de su impunidad, era el principio del fin de su poder: Yabrán se pegó un tiro en la boca.

La impunidad premia el delito, induce a su repetición y le hace propaganda: estimula al delincuente y contagia su ejemplo. Y cuando el delincuente es el estado, que viola, roba, tortura y mata sin rendir cuentas a nadie, se está emitiendo desde arriba una luz verde que autoriza a la sociedad entera a violar, robar, torturar y matar. El mismo orden que por abajo usa, para asustar, el espantapájaros del castigo, por arriba alza la impunidad, como trofeo, para recompensar el crimen.

La democracia paga las consecuencias de estas costumbres. Es como si cualquier asesino pudiera preguntar, con la pistola humeante en la mano:

—*¿Qué castigo merezco yo, que maté a uno, si estos generales mataron a medio mundo y andan tan campantes por las calles, son héroes en los cuarteles y los domingos comulgan en misa?*

En plena democracia, el dictador argentino Jorge Rafael Videla comulgaba, en la provincia de San Luis, en una iglesia que prohibía la entrada a las mujeres que llevaran mangas cortas o minifaldas. A mediados del 98, se le atragantó la hostia: el devoto fue a parar a la cárcel. Después, por privilegio de la ancianidad, quedó preso en su casa. Era de frotarse los ojos: la obstinación ejemplar de las madres, las abuelas y los hijos de las víctimas había logrado el milagro de una excepción, una de las raras excepciones, a la regla latinoamericana de la impunidad. Videla, asesino de miles, no fue castigado por delito de genocidio, pero al menos tuvo que responder por el robo de los niños nacidos en los campos de concentración, que los militares repartían, como botín de guerra, después de asesinar a sus madres.

La justicia y la memoria son lujos exóticos en los países latinoamericanos. Los militares uruguayos que acribillaron a los legisladores Zelmar Michelini y Héctor Gutiérrez Ruiz, caminan tranquilamente por las calles que llevan los nombres de sus víctimas. El olvido, dice el poder, es el precio de la paz, mientras nos impone una paz fundada en la aceptación de la injusticia como normalidad cotidiana. Nos han acostumbrado al desprecio de la vida y a la prohibición de recordar. Los medios de comunicación y los centros de educación no suelen contribuir mucho, que digamos, a la integración de la realidad y su memoria. Cada hecho está divorciado de los demás hechos, divorciado de su propio pasado y divorciado del pasado de los demás. La cultura de consumo, cultura del desvínculo, nos adiestra para creer que las cosas ocurren porque sí. Incapaz de reconocer sus orígenes, el tiempo presente proyecta el futuro como su propia repetición, mañana es otro nombre de hoy: la organización desigual del mundo, que humilla a la condición humana, pertenece al orden eterno, y la injusticia es una fatalidad que estamos obligados a aceptar o aceptar.

¿La historia se repite? ¿O se repite sólo como penitencia de quienes son incapaces de escucharla? No hay historia muda. Por mucho que la quemen, por mucho que la rompan, por mucho que la mientan, la historia humana se niega a callarse la boca. El tiempo que fue sigue latiendo, vivo, dentro del tiempo que es, aunque el tiempo que es no lo quiera o no lo sepa. El derecho de recordar no figura entre los derechos humanos consagrados por las Naciones Unidas, pero hoy es más que nunca necesario reivindicarlo y ponerlo en práctica: no para repetir el pasado, sino para evitar que se repita; no para que los vivos seamos ventrílocuos de los muertos, sino para que seamos capaces de hablar con voces no condenadas al eco perpetuo de la estupidez y la desgracia. Cuando está de veras viva, la memoria no contempla la historia, sino que invita a hacerla. Más que en los museos, donde la pobre se aburre, la memoria está en el aire que respiramos; y ella, desde el aire, nos respira.

Olvidar el olvido: don Ramón Gómez de la Serna contó de alguien que tenía tan mala memoria que un día se olvidó de que tenía mala memoria y se acordó de todo. Recordar el pasado, para liberarnos de sus maldiciones: no para atar los pies del tiempo presente, sino para que el presente camine libre de trampas. Hasta hace algunos siglos, se decía *recordar* para decir *despertar*, y todavía la palabra se usa en este sentido en algunos campos de América latina. La memoria despierta es contradictoria, como nosotros; nunca está quieta, y con nosotros cambia. No nació para ancla. Tiene, más bien, vocación de catapulta. Quiere ser puerto de partida, no de llegada. Ella no reniega de la nostalgia; pero prefiere la esperanza, su peligro, su intemperie. Creyeron los griegos que la memoria es hermana del tiempo y de la mar, y no se equivocaron.

La impunidad es hija de la mala memoria. Bien lo han sabido todas las dictaduras militares que en nuestras tierras han sido. En América latina se han quemado cordilleras de libros, libros culpables de contar la realidad prohibida y libros simplemente culpables de ser libros, y también montañas de documentos. Militares, presidentes, frailes: es larga la historia de las quemazones, desde que en 1562, en Maní de Yucatán, fray Diego de Landa arrojó a las llamas los libros mayas, queriendo incendiar la memoria indígena. Por no citar más que algunas fogatas, baste recordar que en 1870, cuando los ejércitos de Argentina, Brasil y Uruguay arrasaron al Paraguay, los archivos históricos del vencido fueron reducidos a cenizas. Veinte años después, el gobierno de Brasil quemó el papelerío que daba testimonio de tres siglos y medio de esclavitud negra. En 1983, los militares argentinos echaron al fuego los documentos de la guerra sucia contra sus compatriotas; y en 1995, los militares guatemaltecos hicieron lo mismo.

Fuentes consultadas

Americas Watch, «Human rights in Central America: A report on El Salvador, Guatemala, Honduras and Nicaragua». Nueva York, 1984.

— «Into the quagmire: Human rights and U.S. policy in Perú». Nueva York, 1991.

Amnistía Internacional, «Crónica de las violaciones de los derechos humanos en Guatemala». Londres/Madrid, 1987.

Cerrutti, Gabriela, entrevista con el capitán Alfredo Astiz, en *Trespuntos,* Buenos Aires, 28 de enero de 1998.

Comisión de la verdad para El Salvador, «De la locura a la esperanza». San Salvador, Arcoiris, 1993.

Comisión interamericana de derechos humanos/Organización de Estados Americanos, «Informe sobre la situación de los derechos humanos en la república de Bolivia». Washington DC, 1981.

Comisión nacional de verdad y reconciliación (Chile), «Informe Rettig». Santiago de Chile, La Nación, 1991.

Comisión nacional sobre la desaparición de personas (Argentina), «Nunca más». Buenos Aires, EUDEBA, 1984.

Guena, Marcia, «Arquivo do horror: Documentos da ditadura do Paraguai». San Pablo, Memorial de América Latina, 1996.

Inter-Church Committee on Chile, «Le cone sud de l'Amérique Latine: une prison gigantesque. Mission d'observation au Chili, en Argentine et en Uruguay». Montréal, 1976.
Servicio Paz y Justicia, «Nunca más: Informe sobre la violación a los derechos humanos en Uruguay, 1972/1985». Montevideo, 1989.
Jonas, Susanne, «The battle for Guatemala. Rebels, death squads and U.S. power». Boulder, Westview, 1991.
Klare, Michael T., y Nancy Stein, «Armas y poder en América Latina». México, Era, 1978.
Marín, Germán, «Una historia fantástica y calculada». México, Siglo XXI, 1976.
Ribeiro, Darcy, «Aos trancos e barrancos. Como o Brasil deu no que deu». Río de Janeiro, Guanabara, 1985.
Rouquié, Alain, «El estado militar en América Latina». México, Siglo XXI, 1984.
Verbitsky, obras citadas.

La impunidad de los exterminadores del planeta

Crímenes contra la gente, crímenes contra la naturaleza: la impunidad de los señores de la guerra es hermana gemela de la impunidad de los señores que en la tierra comen naturaleza y en el cielo engullen la capa de ozono.

Las empresas que más éxito tienen en el mundo son las que más asesinan al mundo; y los países que deciden el destino del planeta son los que más méritos hacen para aniquilarlo.

Un planeta descartable

Inundaciones, inmundaciones: torrentes de inmundicias inundan el mundo y el aire que el mundo respira. También inundan el mundo las cataratas de palabras, informes de expertos, discursos, declaraciones de gobiernos, solemnes acuerdos internacionales, que nadie cumple, y otras expresiones de la preocupación oficial por la ecología. El lenguaje del poder otorga impunidad a la sociedad de consumo, a quienes la imponen por modelo universal en nombre del desarrollo y también a las grandes empresas que, en nombre de la libertad, enferman al planeta, y después le venden remedios y consuelos. Los expertos del medio ambiente, que se reproducen como conejos, se ocupan de envolver a la ecología en el papel celofán de la ambigüedad. La salud del mundo está hecha un asco, y el lenguaje oficial generaliza para absolver: *Somos todos responsables*, mienten los tecnócratas y repiten los políticos, queriendo decir que, si todos somos responsables, nadie lo es. Y queriendo decir que se jodan los de siempre, el discurserío oficial exhorta al *sacrificio de todos*.

La humanidad entera paga las consecuencias de la ruina de la tierra, la intoxicación del aire, el envenenamiento del agua, el enloquecimiento del clima y la dilapidación de los bienes mortales que la naturaleza otorga. Pero las estadísticas confiesan y los numeritos traicionan: los datos, ocultos bajo el maquillaje de las palabras, revelan que es el veinticinco por ciento de la humanidad quien comete el setenta y cinco por ciento de los crímenes contra la naturaleza. Si se comparan los promedios del norte y del sur, cada habitante del norte consume diez veces más energía, diecinueve veces más aluminio, catorce veces más papel y trece veces más hierro y acero. Cada norteamericano echa al aire, en promedio, veintidós veces más carbono que un hindú y trece veces más que un brasileño. Se llama *suicidio universal* al asesinato que cada día ejecutan los miembros más prósperos del

El lenguaje de los expertos internacionales

En el marco de la evaluación de los aportes realizados al redimensionamiento de los proyectos en curso, centraremos nuestro análisis sobre tres problemáticas fundamentales: la primera, la segunda y la tercera. Como se deduce de la experiencia de los países en desarrollo donde se han puesto en práctica algunas de las medidas que han sido objeto de consulta, la primera problemática tiene numerosos puntos de contacto con la tercera, y una y otra aparecen intrínsecamente vinculadas con la segunda, de modo que bien puede decirse que las tres problemáticas están relacionadas entre sí.

La primera...

género humano, que viven en los países ricos o que, en los países pobres, imitan su estilo de vida: países y clases sociales que definen su identidad a través de la ostentación y el despilfarro. La difusión masiva de esos modelos de consumo, si posible fuera, tiene un pequeño inconveniente: *se necesitarían diez planetas como éste para que los países pobres pudieran consumir tanto como consumen los países ricos*, según las conclusiones del fundamentado informe Bruntland, presentado ante la Comisión Mundial de Medio Ambiente y Desarrollo en 1987.

Las empresas más exitosas del mundo son también las más eficaces contra el mundo. Los gigantes del petróleo, los aprendices de brujo de la energía nuclear y de la biotecnología, y las grandes corporaciones que fabrican armas, acero, aluminio, automóviles, plaguicidas, plásticos y mil otros productos, suelen derramar lágrimas de cocodrilo por lo mucho que la naturaleza sufre.

Esas empresas, las más devastadoras del planeta, figuran en los primeros lugares entre las que más dinero ganan. Son, también, las que más dinero gastan: en la publicidad, que convierte mágicamente la contaminación en filantropía, y en las ayuditas que desinteresadamente brindan a los políticos que deciden la suerte de los países o del mundo. Explicando por qué los Estados Unidos se negaban a firmar la Convención de Biodiversidad, en la cumbre mundial de Río de Janeiro, en 1992, dijo el presidente George Bush:

—Es importante proteger nuestros derechos, los derechos de nuestros negocios.

En realidad, que firmara o que no firmara importaba poco o nada, porque, de todos modos, los acuerdos internacionales valen menos que los cheques sin fondos. La Eco-92 había sido convocada para evitar la agonía del planeta. Pero, con la excepción de Alemania, y eso hasta cierto punto, ninguna de las grandes potencias cumplió los acuerdos que firmó, por el pánico de las empresas a perder competitividad y el pánico de los gobiernos a perder elecciones. Y la que menos cumplió fue, justamente, la más potencia de todas, cuyos objetivos esenciales habían sido certeramente definidos por la confesión del presidente Bush.

Los colosos de la industria química, la industria petrolera y la industria automovilística, que tanto tenían que ver con el tema de la Eco-92, habían pagado buena parte de los gastos de la reunión. Se podrá decir cualquier cosa de Al Capone, pero él era un caballero: el bueno de Al siempre enviaba flores a los velorios de sus víctimas.

Cinco años después de la Eco-92, las Naciones Unidas convocaron a otra reunión, para evaluar los resultados de aquel cónclave salvador del mundo. En el quinquenio transcurrido, el planeta había sido desollado de su piel vegetal, a tal ritmo, que las florestas tropicales destruidas equivalían a dos Italias y media, y las tierras fértiles que se habían vuelto áridas tenían la extensión de Alemania. Se habían extinguido doscientas cincuenta mil especies de animales y de plantas, la atmósfera estaba más intoxicada que nunca, mil trescientos millones de personas no tenían casa ni comida, y veinticinco mil morían cada día por beber agua que los venenos químicos o los desechos industriales habían contaminado. Poco antes, dos mil quinientos científicos de los más diversos países, también convocados por las Naciones Unidas, habían coincidido en anunciar, para los próximos tiempos, los cambios de clima más acelerados de los últimos diez mil años.

Quienes más sufren el castigo son, como de costumbre, los pobres, gente pobre, países pobres, condenados a la expiación de los pecados ajenos. El economista Lawrence Summers, doctorado en Harvard y elevado a las altas jerarquías del Banco

Mundial, dio su testimonio a fines de 1991. En un documento para uso interno de la institución, que por descuido fue publicado, Summers propuso que el Banco Mundial estimulara la migración de las industrias sucias y de los desperdicios tóxicos «hacia los países menos desarrollados», por razones de lógica económica que tenían que ver con *las ventajas comparativas* de esos países. En resumidas cuentas, y hablando en plata, las tales ventajas resultaban ser tres: los salarios raquíticos, los grandes espacios donde todavía queda mucho por con-

Morgan

Sin pata de palo, ni parche en el ojo, andan los biopiratas por la selva amazónica y otras tierras. Se lanzan al abordaje, arrancan semillas, y después las patentan y las convierten en productos de éxito comercial.

Cuatrocientos pueblos indígenas de la región amazónica han denunciado, recientemente, a la empresa International Plant Medicine Corporation, que se ha apoderado de una planta sagrada de la región, la ayahuasca, «el equivalente nuestro a la hostia de los cristianos». La empresa ha patentado la ayahuasca en la Oficina de Marcas y Patentes de los Estados Unidos, para elaborar con ella remedios para enfermedades psiquiátricas y cardiovasculares. La ayahuasca es, desde ahora, propiedad privada.

taminar y la escasa incidencia del cáncer sobre los pobres, que tienen la costumbre de morir temprano y por otras causas.

La difusión del documento armó mucho alboroto: esas cosas se hacen, pero no se dicen. Summers había cometido la imprudencia de formular, en el papel, lo que el mundo viene practicando, en los hechos, desde hace largo tiempo. El sur lleva muchos años trabajando de basurero del norte. Al sur van a parar las fábricas que más envenenan el ambiente, y el sur es el vertedero de la mayor parte de la mierda industrial y nuclear que el norte genera.

Hace dieciséis siglos que san Ambrosio, padre y doctor de la Iglesia, prohibió la usura entre los cristianos y la autorizó contra los bárbaros. En nuestros días, ocurre lo mismo con la contaminación más asesina. Lo que está mal en el norte, está bien en el sur; lo que en el norte está prohibido, en el sur es bienvenido. Al sur, se extiende el reino de la impunidad: no existen controles ni limitaciones legales y, cuando existen, no resulta demasiado difícil descubrirles el precio. Muy raras veces la complicidad de los gobiernos locales se ejerce gratis; y tampoco son gratuitas las campañas publicitarias contra los defensores de la naturaleza y de la dignidad humana, descalificados como abogados del atraso, que se dedican a espantar la inversión extranjera y a sabotear el desarrollo económico.

A fines del 84, en la ciudad hindú de Bophal, la fábrica de pesticidas de la empresa química Union Carbide sufrió una pérdida de cuarenta toneladas de gas mortífero. El gas se difundió por los suburbios, mató a seis mil seiscientas personas y dañó a otras setenta mil, muchas de las cuales murieron poco después o enfermaron para siempre. La empresa Union Carbide no aplicaba en la India *ninguna* de las normas de seguridad que son obligatorias en los Estados Unidos.

Union Carbide y Dow Chemical venden, en América latina, numerosos productos prohibidos en su país, y lo mismo ocurre con otros gigantes de la industria química mundial. En Guatemala, por ejemplo, las avionetas fumigan las plantaciones de algodón con pesticidas que no se pueden vender en los Estados Unidos ni en Europa: esos venenos se filtran en los alimentos, desde la miel hasta los peces, y llegan a la boca de los bebés. Ya en 1974, una investigación del Instituto de Nutrición de Centroamérica había comprobado que, en numerosos casos, la leche de las madres guatemaltecas estaba contaminada hasta doscientas veces más que el límite considerado peligroso.

La impunidad de la empresa Bayer viene de los tiempos en que formaba parte del consorcio IG Farben y usaba la mano de obra gratuita de los prisioneros de Auschwitz. Muchos años después, a principios de 1994, un militante ecologista del Uruguay fue accionista de Bayer por un día. Gracias a la solidaridad de los compañeros alemanes, él pudo elevar su voz en la asamblea de accionistas del segundo productor mundial de pesticidas. En una reunión pródiga en cerveza, salchichas con mostaza y aspirinas a discreción, Jorge Barreiro preguntó por qué la empresa vendía en Uruguay veinte

Mapas

En los Estados Unidos, el mapa ecológico es también el mapa racial. Las fábricas más contaminantes y los basureros más peligrosos están ubicados en los bolsones de pobreza donde viven los negros, los indios y la población de origen latinoamericano.

La comunidad negra de Kennedy Heights, en Houston, Texas, habita tierras arruinadas por los residuos petroleros de la Gulf Oil. Son casi todos negros los habitantes de Covent, el poblado de Louisiana donde operan cuatro de las fábricas más sucias del país. Eran negros, en su mayoría, los que fueron a parar a los servicios médicos de emergencia cuando, en 1993, la General Chemical descargó lluvia ácida al norte de la ciudad de Richmond, en la bahía de California. Un informe de la United Church of Christ, publicado en 1987, advirtió que es negra y latina la mayoría de la población que vive cerca de los enterraderos de residuos tóxicos.

La basura nuclear se ofrece a las reservaciones indígenas a cambio de dinero y de promesas de empleos.

agrotóxicos no autorizados en Alemania, de los cuales tres habían sido considerados "extremadamente peligrosos" y otros cinco "altamente peligrosos" por la Organización Mundial de la Salud. En la asamblea de accionistas, ocurrió lo de siempre.

Cada vez que alguien los interpela por este asunto de las ventas al sur de los venenos vedados al norte, los ejecutivos de Bayer y de las demás empresas químicas de magnitud universal, responden lo mismo: que ellos no violan las leyes de los países donde operan, lo que puede ser formalmente cierto, y que los productos son inofensivos. Jamás explican el enigmático hecho de que esos bálsamos de la naturaleza no puedan ser disfrutados por sus compatriotas.

Producción máxima, costos mínimos, mercados abiertos, ganancias altas: lo demás es lo de menos. Numerosas industrias norteamericanas se habían instalado del lado mexicano de la frontera, desde mucho antes del tratado de libre comercio entre los Estados Unidos y México. Esas empresas habían convertido a la zona fronteriza en un gran chiquero industrial; y el tratado no hizo más que mejorar sus posibilidades de aprovechar los exiguos salarios mexicanos y la mexicana libertad de envenenar impunemente el agua, la tierra y el aire. Para decirlo en el lenguaje de los poetas del realismo capitalista, *el tratado maximizó las oportunidades de utilización de los recursos ofrecidos por las ventajas comparativas.* Pero cuatro años antes del tratado, ya las aguas cercanas a la planta de Ford en Nueva Laredo y de General Motors en Matamoros contenían *miles de veces* más toxinas que el nivel máximo permitido al otro lado de la frontera. Y en los alrededores de la planta de DuPont, también en Matamoros, se había llegado a tal grado de inmundicia, que hubo que evacuar a la gente.

El desarrollo

El puente sin río.
Altas fachadas de edificios sin nada detrás.
El jardinero riega el césped de plástico.
La escalera mecánica conduce a ninguna parte.
La autopista nos permite conocer los lugares que la autopista aniquiló.
La pantalla de la televisión nos muestra un televisor que contiene otro televisor, dentro del cual hay un televisor.

Es la difusión internacional del progreso. Ya no se fabrica en Japón el aluminio japonés: se fabrica en Australia, Rusia y Brasil. En Brasil, la energía y la mano de obra son baratas y el medio ambiente sufre, en silencio, el feroz impacto de esta industria sucia. Para dar electricidad al aluminio, Brasil ha inundado gigantescas extensiones de bosque tropical. Ninguna estadística registra el costo ecológico de este sacrificio. Al fin y al cabo, es costumbre: otros muchos sacrificios sufre la floresta amazónica, mutilada día tras día, año tras año, al servicio de las empresas madereras, ganaderas y mineras. La devastación organizada va haciendo más y más vulnerable al llamado *pulmón del planeta*. El gigantesco incendio de Roraima, que en 1998 arrasó los bosques de los indios yanomanis, no fue solamente obra de las diabluras de El Niño.

La impunidad se alimenta de la fatalidad, y la fatalidad obliga a aceptar las órdenes que dicta la división internacional del trabajo, como le pasó al tipo aquel que se arrojó desde un décimo piso por obedecer a la ley de gravedad.

Colombia cría tulipanes para Holanda y rosas para Alemania. Empresas holandesas envían los bulbos de tulipán, y empresas alemanas envían los esquejes de rosas, a la sabana de Bogotá. Cuando las flores han crecido en las inmensas plantaciones, Holanda recibe los tulipanes, Alemania recibe las rosas, y Colombia se queda con los bajos salarios, la tierra lastimada y el agua disminuida y envenenada. Estos juegos florales de la era industrial están secando y hundiendo la sabana, mientras los trabajadores, casi todos mujeres y niños, sufren el bombardeo de los pesticidas y de los abonos químicos.

La educación

En las cercanías de la Universidad de Stanford, pude conocer otra universidad, más chiquita, que dicta cursos de obediencia. Los alumnos, perros de todas las razas, colores y tamaños, aprenden a no ser perros. Cuando ladran, la profesora los castiga apretándoles el hocico con el puño y pegando un doloroso tirón al collar de pinchos de acero. Cuando callan, la profesora les recompensa el silencio con golosinas. Así se enseña el olvido de ladrar.

Los países desarrollados que forman la Organización para la Cooperación con el Desarrollo Económico organizan la cooperación con el desarrollo económico del sur del mundo, enviándole desechos tóxicos que incluyen basura radiactiva y otros venenos. Esos países prohíben la importación de sustancias contaminantes, pero las derraman generosamente sobre los países pobres. Hacen, con la basura peligrosa, lo mismo que hacen con los pesticidas y herbicidas prohibidos en casa: los exportan al sur bajo otros nombres. La Convención de Basilea puso punto final a esos envíos, en 1992. Desde entonces, llegan más que antes: vienen disfrazados de *ayuda humanitaria* o de *contribuciones a los proyectos de desarrollo*, según ha denunciado, en varias ocasiones, la organización Greenpeace, o vienen metidos de contrabando

Vista del crepúsculo, al fin del siglo

Está envenenada la tierra que nos entierra o destierra.

Ya no hay aire, sino desaire.

Ya no hay lluvia, sino lluvia ácida.

Ya no hay parques, sino *parkings*.

Ya no hay sociedades, sino sociedades anónimas.

Empresas en lugar de naciones.

Consumidores en lugar de ciudadanos.

Aglomeraciones en lugar de ciudades.

No hay personas, sino públicos.

No hay realidades, sino publicidades.

No hay visiones, sino televisiones.

Para elogiar una flor, se dice: «Parece de plástico».

entre las montañas de desechos industriales que se reciben legalmente. La ley argentina impide el ingreso de residuos peligrosos pero, para resolver el problemita, basta un certificado de inocuidad expedido por el país que quiera desprenderse de ellos. A fines del 96, los ecologistas brasileños lograron detener la importación de baterías usadas de automóviles norteamericanos, que durante años habían llegado al país diciendo ser *material de reciclaje*. Los Estados Unidos exportaban las baterías usadas y Brasil *pagaba* por recibirlas.

Expulsadas por la ruina de sus tierras y la contaminación de los ríos y de los lagos, veinticinco millones de personas deambulan buscando su lugar en el mundo. Según los pronósticos más dignos de crédito, la degradación ambiental será, en los próximos años, la principal causa de los éxodos de población en los países del sur. ¿Se salvarán los países que mejor sonríen para las fotos, los felices protagonistas del milagro económico? ¿Los que han logrado sentarse a la mesa, conquistar la meta, llegar a la Meca? Los países que creen que han pegado el gran salto hacia la modernización, ya están pagando el precio de la pirueta: en Taiwán, un tercio del arroz no se puede comer, porque está envenenado de mercurio, arsénico o cadmio; en Corea del Sur, sólo se puede beber agua de la tercera parte de los ríos. Ya no hay peces comestibles en la mitad de los ríos de China. En una carta, un niño chileno retrató así a su país: «Salen barcos llenos de árboles y llegan barcos llenos de autos». Chile es, hoy por hoy, una larga autopista, que a los costados tiene *shopping malls*, tierras resecas y bosques industriales donde no cantan los pájaros: los árboles, soldaditos en fila, marchan rumbo al mercado mundial.

El siglo veinte, artista cansado, termina pintando naturalezas muertas. El exterminio del planeta ya no perdona a nadie. Ni siquiera al norte triunfal, que es el que más contribuye a la catástrofe y, a la hora de la verdad, silba y mira para otro lado. Al paso que vamos, de aquí a poco habrá que colocar carteles nuevos en las salas de maternidad de los Estados Unidos: *Se advierte a los bebés que tendrán el doble de posibilidades de cáncer que sus abuelos.* Y ya la empresa japonesa Daido Hokusan vende aire en latas, dos minutos de oxígeno, por diez dólares. Los envases aseguran: *Ésta es la central eléctrica que recarga al ser humano.*

Fuentes consultadas

Baird, Vanessa, «Trash». En *The New Internationalist,* Oxford, octubre de 1997.

Barreiro, Jorge, «Accionista de Bayer por un día». En *Tierra Amiga,* Montevideo, junio de 1994.

Bruno, Kenny, «The corporate capture of the Earth Summit». En *Multinational Monitor,* julio/agosto de 1992.

Bowden, Charles, «Juárez, the laboratory of our future». Nueva York, Aperture, 1997.

Carson, Rachel, «La primavera silenciosa». Barcelona, Grijalbo, 1986.

Colborn, Theo, con Dianne Dumanoski y John Peterson Meyers, «Nuestro futuro robado». Madrid, Ecoespaña, 1997.

Durning, Alan Thein, «How much is enough?». Londres, Earthscan, 1992.

Lisboa, Marijane, «Ship of ills». En *The New Internationalist,* Oxford, octubre de 1997.

Lutzenberger, José, «Re-thinking progress». En *The New Internationalist,* Oxford, abril de 1996.

Payeras, Mario, «Latitud de la flor y del granizo». Tuxtla Gutiérrez, Instituto Chiapaneco de Cultura, 1993.
Salazar, María Cristina, y otros, «La floricultura en la sabana de Bogotá». Bogotá, Universidad Nacional/CES, 1996.
Simon, Joel, «Endangered Mexico». San Francisco, Sierra Club, 1997.
The National Toxic Campaign, «Border trouble: Rivers in peril». Boston, mayo de 1991.
Worldwatch Institute, «State of the World, 1996». Nueva York, Norton, 1996.

Salvaje Azul

Este cielo jamás se nubla, aquí no llueve nunca. En esta mar nadie corre peligro de ahogarse, esta playa está a salvo del riesgo de robos. No hay medusas que piquen, ni hay erizos que pinchen, ni hay mosquitos que jodan. El aire, siempre a la misma temperatura, y el agua, climatizada, evitan resfríos y pulmonías. Las cochinas aguas del puerto envidian estas aguas transparentes; este aire inmaculado se burla del veneno que la gente respira en la ciudad.

La entrada no es cara, treinta dólares por persona, aunque hay que pagar aparte las sillas y las sombrillas. En Internet, se lee: «Sus hijos lo odiarán si no los lleva...». Wild Blue, la playa de Yokohama encerrada entre paredes de cristal, es una obra maestra de la industria japonesa. Las olas tienen la altura que los motores les dan. El sol electrónico sale y se pone cuando la empresa quiere, y brinda a la clientela despampanantes amaneceres tropicales y rojos crepúsculos tras las palmeras.

—*Es artificial* —dice un visitante—. *Por eso nos gusta.*

Noticias

En 1994, en Laguna Beach, al sur de California, un ciervo irrumpió desde los bosques. El ciervo galopó por las calles, golpeado por los automóviles, saltó una cerca y atravesó la ventana de una cocina, rompió otra ventana y se arrojó desde un segundo piso, invadió un hotel y pasó como ráfaga, rojo de su sangre, ante los atónitos comensales de los restoranes de la costa. Entonces se metió en la mar. Los policías lo atraparon en el agua y con cuerdas lo arrastraron hasta la playa, donde sangrando murió.

—*Estaba loco* —explicaron los policías.

Un año después, en San Diego, también al sur de California, un veterano de guerra robó un tanque del arsenal. Montado en el tanque, aplastó cuarenta automóviles y rompió algunos puentes y embistió cuanta cosa encontró, mientras lo perseguían los patrulleros policiales. Cuando se atascó en un repecho, los policías se arrojaron sobre el tanque, abrieron la escotilla y cocinaron a tiros al hombre que había sido soldado. Los televidentes presenciaron, en vivo y en directo, el espectáculo completo.

—*Estaba loco* —explicaron los policías.

EL AUTOMOVIL
NUEVA COLECCION DE CANCIONES
PARA EL PRESENTE AÑO.
RECOPILADAS POR
A. VANEGAS ARROYO.
MEXICO.

La impunidad del sagrado motor

Los derechos humanos se humillan al pie de los derechos de las máquinas. Son cada vez más las ciudades, y sobre todo las ciudades del sur, donde la gente está prohibida. Impunemente, los automóviles usurpan el espacio humano, envenenan el aire y, con frecuencia, asesinan a los intrusos que invaden su territorio conquistado. ¿En qué se distingue la violencia que mata por motor, de la que mata por cuchillo o bala?

El Vaticano y sus liturgias

Este fin de siglo desprecia al transporte público. Cuando el siglo veinte estaba cumpliendo la mitad de su vida, los europeos utilizaban trenes, autobuses, metros y tranvías para las tres cuartas partes de sus ires y venires. Actualmente, el promedio ha caído, en Europa, a una cuarta parte. Y eso es mucho, si se compara con los Estados Unidos de América, donde el transporte público, virtualmente exterminado en la mayoría de las ciudades, sólo cubre el cinco por ciento del transporte total.

Henry Ford y Harvey Firestone eran muy buenos amigos, allá por los años veinte, y ambos se llevaban de lo más bien con la familia Rockefeller. Este cariño recíproco desembocó en una alianza de influencias, que mucho tuvo que ver con el desmantelamiento de los ferrocarriles y la creación de una vasta telaraña de carreteras, luego convertidas en autopistas, en todo el territorio norteamericano. Con el paso de los años, se ha hecho cada vez más apabullante, en los Estados Unidos y en el mundo entero, el poder de los fabricantes de automóviles, los fabricantes de neumáticos y los industriales del petróleo. De las sesenta mayores empresas del mundo, la mitad pertenece a esta santa alianza o funciona para ella.

El alto cielo del fin de siglo: en los Estados Unidos se concentra la mayor cantidad de automóviles del mundo y también la mayor cantidad de armas. Seis, seis, seis: de cada seis dólares que gasta el ciudadano medio, uno se consagra al automóvil; de cada seis horas de vida, una se dedica a viajar en auto o a trabajar para pagarlo; y de cada seis empleos, uno está directa o indirectamente relacionado con el automóvil, y otro está relacionado con la violencia y sus industrias. Cuanta más gente asesinan los automóviles y las armas, y cuanta más naturaleza arrasan, más crece el Producto Nacional Bruto.

¿Talismanes contra el desamparo o invitaciones al crimen? La venta de autos es simétrica a la ven-

El Paraíso

Si nos portamos bien, está prometido, veremos todos las mismas imágenes y escucharemos los mismos sonidos y vestiremos las mismas ropas y comeremos las mismas hamburguesas y estaremos solos de la misma soledad dentro de casas iguales en barrios iguales de ciudades iguales donde respiraremos la misma basura y serviremos a nuestros automóviles con la misma devoción y responderemos a las órdenes de las mismas máquinas en un mundo que será maravilloso para todo lo que no tenga piernas ni patas ni alas ni raíces.

ta de armas, y bien podría decirse que forma parte de ella: los automóviles son la principal causa de muerte entre los jóvenes, seguida por las armas de fuego. Los accidentes de tránsito matan y hieren, *cada año*, más norteamericanos que todos los norteamericanos muertos y heridos a lo largo de la guerra de Vietnam y, en numerosos estados de la Unión, el permiso de conducir es el único documento necesario para que cualquiera pueda comprar una metralleta y con ella cocine a balazos a todo el vecindario. El permiso de conducir no sólo se usa para estos menesteres, sino que también se exige para pagar con cheques o cobrarlos, para hacer un trámite o para firmar un contrato. El permiso de conducir hace las veces de documento de identidad; son los automóviles quienes otorgan identidad a las personas.

Los norteamericanos usan una de las gasolinas más baratas del mundo, gracias a los jeques de lentes negros, los reyes de opereta y otros aliados de la democracia que se dedican a malvender petróleo, a violar derechos humanos y a comprar armas norteamericanas. Según los cálculos del Worldwatch Institute, si se tomaran en cuenta los daños ecológicos y otros *costos escondidos,* el precio de la gasolina tendría que elevarse, por lo menos, al doble. La gasolina es, en los Estados Unidos, tres veces más barata que en Italia, que ocupa el segundo lugar entre los países más motorizados; y cada norteamericano quema, en promedio, cuatro veces más combustible que un italiano, lo que ya es decir.

Esta sociedad norteamericana, enferma de autismo, genera la cuarta parte de los gases que más envenenan la atmósfera. Aunque los automóviles, sedientos de gasolina, son en buena parte responsables de ese desastre, los políticos les garantizan impunidad a cambio de dinero y de votos. Cada vez que algún loco sugiere aumentar los impuestos a la gasolina, los *big three* de Detroit (General Motors, Ford y Chrysler) ponen el grito en el cielo y desatan campañas millonarias, y de amplio eco popular, denunciando tan grave amenaza contra las libertades públicas. Y cuando algún político se siente asaltado por la duda, las empresas le aplican la terapia infalible contra ese malestar: como alguna vez comprobó la revista *Newsweek,* «es tan orgánica la relación entre el dinero y la política, que intentar cambiarla sería como pedir a un cirujano que se hiciera a sí mismo una operación a corazón abierto».

Es raro el caso del político, demócrata o republicano, capaz de cometer algún sacrilegio contra

La fuga/3

Bajo el asfalto, en las cloacas, tienen su casa las bandas de niños abandonados de la ciudad argentina de Córdoba. De vez en cuando emergen a las calles y arrebatan de un manotazo carteras y billeteras. Si la policía no los atrapa y los muele a golpes, con su botín compran y comparten pizza y cerveza. Y también compran tubos de pegamento, para inhalar.

La periodista Marta Platía les preguntó qué sentían cuando se drogaban.

Uno de los chicos dijo que él hacía remolinos con el dedo y fabricaba viento: señalaba un árbol con el dedo y el árbol se movía, sacudido por el viento que él le enviaba.

Otro contó que el suelo se llenaba de estrellas y él volaba por el cielo que estaba en todos lados, había cielo arriba y había cielo abajo y había cielo en los cuatro costados del mundo.

Y otro dijo que él se sentaba frente a una moto, la moto más cara y aerodinámica de la ciudad, y así, mirándola, se convertía en el dueño de la moto, y mirándola y mirándola iba corriendo en ella, a toda velocidad, mientras la moto crecía y cambiaba de colores.

> **Derechos y deberes**
>
> Aunque la mayoría de los latinoamericanos no tiene el derecho de comprar un auto, todos tienen el deber de pagar ese derecho de pocos. De cada mil haitianos, apenas cinco están motorizados, pero Haití dedica un tercio de sus divisas a importar vehículos, repuestos y gasolina. Un tercio dedica, también, El Salvador, donde el transporte público es tan desastroso y peligroso que la gente llama *ataúdes móviles* a los autobuses. Según Ricardo Navarro, especialista en estos temas, el dinero que Colombia gasta *cada año* para subsidiar la gasolina, alcanzaría para regalar dos millones y medio de bicicletas a la población.

el modo de vida nacional, fundado en la veneración de las máquinas y en el derroche de los recursos naturales del planeta. Impuesto como modelo universal, ese modo de vida, que identifica el desarrollo humano con el crecimiento económico, realiza milagros que la publicidad exalta y difunde, y que el mundo entero querría merecer. En los Estados Unidos, cualquiera puede realizar el sueño del auto propio, y son muchos los que pueden cambiar de coche con frecuencia. Y si el dinero no alcanza para el último modelo, esta crisis de identidad se puede resolver mediante los aerosoles, que el mercado ofrece para dar olor a nuevo al autosario comprado hace tres o cuatro años.

Pánico a la vejez: la vejez, como la muerte, se identifica con el fracaso. El automóvil, promesa de juventud eterna, es el único cuerpo que se puede comprar. Este cuerpo animado come gasolina y aceite en sus restoranes, dispone de farmacias donde le dan remedios, y de hospitales donde lo revisan, lo diagnostican y lo curan, y tiene dormitorios para descansar y cementerios para morir.

Él promete libertad a las personas, que por algo las autopistas se llaman *freeways*, caminos libres, y sin embargo actúa como una jaula ambulante. El tiempo de trabajo humano aumenta a pesar del progreso tecnológico, y también aumenta, año tras año, el tiempo necesario para ir y venir del trabajo, por los atolladeros del tránsito, que obligan a avanzar a duras penas y trituran los nervios: se vive dentro del automóvil, y él no te suelta. *Drive-by shooting:* sin salir del auto, a toda velocidad, se puede apretar el gatillo y disparar sin mirar a quién, como a veces ocurre en las noches de Los Ángeles. *Drive-thru teller, drive-in restaurant:* sin salir del auto se puede sacar dinero del banco y cenar hamburguesas. Y sin salir del auto se puede, también, contraer matrimonio, *drive-in marriage:* en Reno, Nevada, el automóvil entra bajo los arcos de flores de plástico, por una ventanilla asoma el testigo y por la otra el pastor que, biblia en mano, os declara marido y mujer; y a la salida una funcionaria, provista de alas y de halo, entrega la partida de matrimonio y recibe la propina, que se llama *love donation*.

El automóvil, cuerpo comprable, se mueve en lugar del cuerpo humano, que se queda quieto y engorda; y el cuerpo mecánico tiene más derechos que el de carne y hueso. Como se sabe, los Estados Unidos han emprendido, en estos últimos años, una guerra santa contra el demonio del tabaco. En una revista, vi un anuncio de cigarrillos, atravesado por la obligatoria advertencia de peligro a la salud pública. La franja decía: *El humo del tabaco contiene monóxido de carbono*. Pero, en la misma revista, había varios anuncios de automóviles, y ninguno advertía que mucho más monóxido de carbono contiene el humo, casi siempre invisible, de los automóviles. La gente no puede fumar. Los autos, sí.

Con las máquinas ocurre lo que suele ocurrir con los dioses: nacen al servicio de la gente, mágicos conjuros contra el miedo y la soledad, y terminan poniendo a la gente a su servicio. La religión del automóvil, con su Vaticano en los Estados Unidos, tiene al mundo de rodillas: su difusión produce catástrofes; las copias multiplican hasta el delirio los defectos del original.

Por las calles latinoamericanas circula una ínfima parte de los automóviles del mundo, pero algunas de las ciudades más contaminadas del mundo están en América latina. Las estructuras de la injusticia hereditaria y las contradicciones sociales feroces han generado, al sur del mundo, ciudades que crecen más allá de todo posible control, monstruos desmesurados y violentos: la importación de la fe en el dios de cuatro ruedas, y la identificación de la democracia con el consumo, tienen efectos más devastadores que cualquier bombardeo.

Nunca tantos han sufrido tanto por tan pocos. El transporte público desastroso y la ausencia de carriles para bicicletas hacen poco menos que obligatorio el uso del automóvil privado, pero, ¿cuántos pueden darse el lujo? Los latinoamericanos que no tienen coche propio ni podrán comprarlo nunca, viven acorralados por el tráfico y ahogados por el *smog*. Las aceras se reducen o desaparecen, las distancias crecen, hay cada vez más autos que se cruzan y cada vez menos personas que se encuentran. Los autobuses no sólo son escasos: para peor, en la mayoría de nuestras ciudades, el transporte público corre por cuenta de unos destartalados cachivaches, que echan mortales humaredas por los caños de escape y multiplican la contaminación en lugar de aliviarla.

En nombre de la libertad de empresa, la libertad de circulación y la libertad de consumo, se está haciendo irrespirable el aire del mundo. El automóvil no es el único culpable de la cotidiana matanza del aire, pero es el peor enemigo de los seres humanos que han sido reducidos a la condición de seres urbanos. En las ciudades de todo el planeta, el automóvil genera la mayor parte del cóctel de gases que enferma los bronquios y los ojos y todo lo demás, y también genera la mayor parte del ruido y las tensiones que aturden los oídos y ponen los pelos de punta. Al norte del mundo, los automóviles están, por regla general, obligados a utilizar combustibles y tecnologías que, al menos, reducen la intoxicación provocada *por cada vehículo*, lo que podría mejorar bastante las cosas si los autos no se reprodujeran más que las moscas. Pero al sur, es mucho peor. En raros casos la ley obliga al uso de gasolina sin plomo y de convertidores catalíticos, y en esos raros casos, por regla general, la ley se acata pero no se cumple, según quiere la tradición que viene de los tiempos coloniales. Con alevosa impunidad, las feroces descargas de plomo se meten en la sangre y agreden los pulmones, el hígado, los huesos y el alma.

Algunas de las mayores ciudades latinoamericanas viven pendientes de la lluvia y del viento, que limpian el aire o se llevan el veneno a otra parte. La ciudad de México, la más poblada del mundo, vive en estado de perpetua emergencia ambiental. Hace cinco siglos, un canto azteca preguntaba:

¿Quién podrá sitiar a Tenochtitlán?
¿Quién podrá conmover los cimientos del cielo?

Actualmente, en la ciudad que se llamó Tenochtitlán, sitiada por la contaminación, los bebés nacen con plomo en la sangre y uno de cada tres ciudadanos padece frecuentes dolores de cabeza. Los consejos del gobierno a la población, ante las devastaciones de la plaga motorizada, parecen lecciones prácticas para enfrentar una invasión de marcianos. En 1995, la Comisión Metropolitana para la Prevención y el Control de la Contaminación Ambiental recomendó a los habitantes de la capital mexicana que, en los llamados «días de contingencia ambiental»,

permanezcan el menor tiempo posible al aire libre,

mantengan cerradas las puertas, ventanas y ventilas

y no practiquen ejercicios entre las 10 y las 16 horas.

En esos días, cada vez más frecuentes, más de medio millón de personas requieren algún tipo de atención médica, por las dificultades para respirar, en la que otrora fuera «la región más transparente del aire». A fines del 96, quince campesinos del estado de Guerrero marcharon en manifestación a la ciudad de México, para denunciar injusticias: fueron a parar, todos, al hospital público.

Es un chiste/1

En alguna gran avenida de alguna gran ciudad latinoamericana, alguien espera para cruzar. Plantado al borde de la acera, ante la ráfaga incesante de automóviles, el peatón espera diez minutos, veinte minutos, una hora. Entonces vuelve la cabeza y ve que hay un hombre recostado en la pared, fumando. Y le pregunta:

—*Oiga: ¿Cómo hago para pasar al otro lado?*

—*No sé. Yo nací en éste.*

Lejos de allí, en otro día de ese año 96, llovió a mares sobre la ciudad de San Pablo. El tránsito se enloqueció a tal punto que produjo el más largo embotellamiento de la historia nacional. El alcalde, Paulo Maluf, lo celebró:

—*Los embotellamientos son señales de progreso.*

Mil autos nuevos aparecen cada día en las calles de San Pablo. Pero San Pablo respira los domingos y se asfixia el resto de la semana; sólo los domingos se puede ver, desde las afueras, a la ciudad habitualmente enmascarada por una nube de gases. También el alcalde de Río de Janeiro, Luiz Paulo Conde, elogió los tapones del tránsito: gracias a esta bendición de la civilización urbana, los automovilistas pueden disfrutar hablando por el teléfono celular, pueden contemplar la televi-

No es un chiste/1

1996, Managua, barrio Las Colinas: noche de fiesta. El cardenal Obando, el embajador de los Estados Unidos, algunos ministros de gobierno y el novamás de la sociedad local asisten a la ceremonia de la inauguración. Se alzan copas brindando por la prosperidad de Nicaragua. Suena la música, suenan los discursos.

—*Así se crean fuentes de trabajo, así se edifica el progreso* —declara el embajador.

—*Me parece que estamos en Miami* —se derrite el cardenal Obando. Sonriendo ante las cámaras de televisión, su eminencia corta la cinta roja. Queda inaugurada una nueva gasolinera de Texaco. La empresa anuncia que instalará otras estaciones de servicio en los próximos tiempos.

sión portátil y pueden alegrar sus oídos con los casetes o los discos compact.

—*En el futuro* —anunció el alcalde— *una ciudad sin embotellamientos resultará aburrida.*

Mientras la autoridad carioca formulaba esta profecía, ocurrió una catástrofe ecológica en Santiago de Chile. Se suspendieron las clases, y una multitud de niños desbordó los servicios de emergencia médica. En Santiago de Chile, han denunciado los ecologistas, cada niño que nace aspira el equivalente de siete cigarrillos diarios, y uno de cada cuatro niños sufre alguna forma de bronquitis. La ciudad está separada del cielo por un paraguas de contaminación, que en los últimos quince años ha duplicado su densidad mientras se duplicaba, también, la cantidad de automóviles.

Año tras año se van envenenando los aires de la ciudad llamada Buenos Aires, al mismo ritmo en que va creciendo el parque automotor, que aumenta en medio millón de vehículos por año. En 1996, eran ya dieciséis los barrios de Buenos Aires con niveles de ruido *muy peligrosos*, barullos perpetuos de esos que, según la Organización Mundial de la Salud, «pueden producir daños irreversibles a la salud humana». Charles Chaplin gustaba decir que el silencio es el oro de los pobres. Han pasado los años, y el silencio es cada vez más el privilegio de los pocos que pueden pagarlo.

La sociedad de consumo nos impone su simbología del poder y su mitología del ascenso social. La publicidad invita a entrar en la clase dominante, por obra y gracia de la mágica llavecita que enciende el motor del automóvil: *¡Impóngase!*, manda la voz que dicta las órdenes del mercado, y también: *¡Usted manda!*, y también: *¡Demuestre su personalidad!* Y si pone usted un tigre en su tanque, según los carteles que recuerdo desde mi infancia, será usted más veloz y poderoso que nadie y aplastará a cualquiera que obstruya su camino hacia el éxito. El lenguaje fabrica la realidad ilusoria que la publicidad necesita inventar para vender. Pero la realidad real no tiene mucho que ver con estas hechicerías comerciales. Cada dos

niños que nacen en el mundo, nace un auto. Cada vez nacen más autos, en proporción a los niños que nacen. Cada niño nace queriendo tener un auto, dos autos, mil autos. ¿Cuántos adultos pueden realizar sus fantasías infantiles? Los numeritos dicen que el automóvil no es un derecho, sino un privilegio. Sólo el veinte por ciento de la humanidad dispone del ochenta por ciento de los autos, aunque el ciento por ciento de la humanidad tenga que sufrir el envenenamiento del aire. Como tantos otros símbolos de la sociedad de consumo, el automóvil está en manos de una minoría, que convierte sus costumbres en verdades universales y nos obliga a creer que el motor es la única prolongación posible del cuerpo humano.

La cantidad de automóviles crece y crece en las babilonias latinoamericanas, pero esa cantidad sigue siendo poca en relación con los centros de la prosperidad mundial. Los Estados Unidos y Canadá tenían, en 1995, más vehículos motorizados que la suma de todo el resto del mundo, exceptuando Europa. Alemania tenía, ese año, tantos autos, camiones, camionetas, casas rodantes y motocicletas como la suma de todos los países de América latina y África. Sin embargo, en las ciudades del sur del mundo, mueren tres de cada cuatro muertos por automóviles en todo el planeta. Y de los tres que mueren, dos son peatones. Brasil tiene tres veces menos autos que Alemania, pero tiene también tres veces más víctimas. Cada año ocurren, en Colombia, seis mil homicidios llamados *accidentes de tránsito*.

Los anuncios suelen promover los nuevos modelos de automóviles como si fueran armas. En eso, al menos, no miente la publicidad: acelerar a fondo es como disparar un arma, proporciona el mismo placer y el mismo poder. Los autos matan en el mundo, cada año, tanta gente como mataron, sumadas, las bombas de Hiroshima y Nagasaki: en 1990, causaron muchas más muertes o incapacidades físicas que las guerras o el sida. Según las proyecciones de la Organización Mundial de la Salud, en el año 2020 los automóviles ocuparán el tercer lugar, como factores de muerte o incapacidad; las guerras serán la octava causa y el sida la décima.

La cacería de los caminantes integra las rutinas de la vida cotidiana en las grandes ciudades latinoamericanas, donde la coraza de cuatro ruedas estimula la tradicional prepotencia de los que mandan y de los que actúan como si mandaran. El permiso de conducir equivale al permiso de porte de armas, y da licencia para matar. Hay cada vez más energúmenos dispuestos a aplastar a quien se les ponga delante. En estos últimos tiempos, tiempos de histeria de la inseguridad, al impune matonismo de siempre, se agrega el pánico a los asaltos y a los secuestros. Resulta cada vez más peligroso, y cada vez menos frecuente, detener el automóvil ante la luz roja del semáforo: en algunas ciudades, la luz roja dicta orden de aceleración. Las minorías privilegiadas, condenadas al miedo perpetuo, pisan el acelerador para huir de la realidad, y la realidad es esa cosa muy peligrosa que acecha al otro lado de las ventanillas cerradas del automóvil.

En 1992, hubo un plebiscito en Amsterdam. Los habitantes resolvieron reducir a la mitad el área, ya muy limitada, por donde circulan los automóviles, en esa ciudad holandesa que es el reino de los ciclistas y de los peatones. Tres años después, la ciudad italiana de Florencia se rebeló contra la autocracia, la dictadura de los autos, y prohibió el tránsito de autos privados en todo el centro. El alcalde anunció que la prohibición se extenderá a la ciudad entera a medida que se vayan multiplicando los tranvías, las líneas de metro, los autobuses y las vías peatonales. Y también las bicicletas: según los planes oficiales, se podrá atravesar toda la ciudad, sin riesgos, por cualquier parte, pedaleando a lo largo de las ciclovías, en un medio de transporte que es barato y no gasta nada, ocupa poco lugar, no envenena el aire y no mata a nadie, y que fue inventado, hace cinco siglos, por un vecino de Florencia llamado Leonardo da Vinci.

Modernización, motorización: el estrépito de los motores no deja oír las voces que denuncian el artificio de una civilización que te roba la libertad para después vendértela, y que te corta las piernas para después obligarte a comprar automóviles y aparatos de gimnasia. Se impone en el mundo, como único modelo posible de vida, la pesadilla de ciudades donde los autos gobiernan. Las ciudades latinoamericanas sueñan con parecerse a Los Ángeles, con sus ocho millones de automóviles dando órdenes a la gente. Aspiramos a ser la copia grotesca de ese vértigo. Llevamos cinco siglos de entrenamiento para copiar en lugar de crear. Ya que estamos condenados a la copianditis, quizá podríamos elegir nuestros modelos con un poco más de cuidado.

Fuentes consultadas

American Automobile Manufacturers Association, «World motor vehicle data». Detroit, 1995.

Barrett, Richard, e Ismail Serageldin, «Environmentally sustainable urban transport. Defining a global policy». Washington, World Bank, 1993.

Business Week, «The global 1,000», 13 de julio de 1992.

Cevallos, Diego, «El reino del auto». En *Tierramérica*, México, junio de 1996.

Faiz, Asif, y otros, «Automotive air pollution: Issues and options for developing countries». Washington, World Bank, 1990.

Fortune, «Global 500: The world's largest corporations», 7 de agosto de 1995 y 29 de abril de 1996.

Greenpeace International, «El impacto del automóvil sobre el medio ambiente». Santiago de Chile, 1992.

Guinsberg, Enrique, «El auto nuestro de cada día». En *Transición*, México, febrero de 1996.

International Road Federation, «World road statistics». Ginebra, 1994.

Marshall, Stuart, «Gunship or racing car?». En *Financial Times*, 10 de noviembre de 1990.

Navarro, Ricardo, con Urs Heirli y Víctor Beck, «La bicicleta y los triciclos». Santiago de Chile, SKAT/CETAL, 1985.

Organización Mundial de la Salud (World Health Organization), «World Health Report». Ginebra, 1996.

Organización Mundial de la Salud/Programa de Medio Ambiente de las Naciones Unidas (WHO/UNEP), «Urban air pollution in megacities of the world». Cambridge, Blackwell, 1992.

— «City air quality trends». Nairobi, 1995.

Wolf, Winfried, «Car mania. A critical history of transport». Londres, Pluto, 1996.

«Por las noches, para no ver,
enciendo la luz.»
(Escuchado por Mercedes Ramírez.)

Pedagogía de la soledad

Lecciones de la sociedad de consumo

El suplicio de Tántalo atormenta a los pobres. Condenados a la sed y al hambre, están también condenados a contemplar los manjares que la publicidad ofrece. Cuando acercan la boca o estiran la mano, esas maravillas se alejan. Y si alguna atrapan, lanzándose al asalto, van a parar a la cárcel o al cementerio.

Manjares de plástico, sueños de plástico. Es de plástico el paraíso que la televisión promete a todos y a pocos otorga. A su servicio estamos. En esta civilización, donde las cosas importan cada vez más y las personas cada vez menos, los fines han sido secuestrados por los medios: las cosas te compran, el automóvil te maneja, la computadora te programa, la TV te ve.

Globalización, bobalización

Hasta hace algunos años, el hombre que no debía nada a nadie era un virtuoso ejemplo de honestidad y vida laboriosa. Hoy, es un extraterrestre. Quien no debe, no es. Debo, luego existo. Quien no es digno de crédito, no merece nombre ni rostro: la tarjeta de crédito prueba el derecho a la existencia. Deudas: eso tiene quien nada tiene; alguna pata metida en esa trampa ha de tener cualquier persona o país que pertenezca a este mundo.

El sistema productivo, convertido en sistema financiero, multiplica a los deudores para multiplicar a los consumidores. Don Carlos Marx, que hace más de un siglo se la vio venir, advirtió que la tendencia a la caída de la tasa de ganancia y la tendencia a la superproducción obligaban al sistema a crecer sin límites, y a extender hasta la locura el poder de los parásitos de «la moderna bancocracia», a la que definió como «una pandilla que no sabe nada de producción ni tiene nada que ver con ella».

La explosión del consumo en el mundo actual mete más ruido que todas las guerras y arma más alboroto que todos los carnavales. Como dice un viejo proverbio turco, *quien bebe a cuenta, se emborracha el doble*. La parranda aturde y nubla la mirada; esta gran borrachera universal parece no tener límites en el tiempo ni en el espacio. Pero la cultura de consumo suena mucho, como el tambor, porque está vacía; y a la hora de la verdad, cuando el estrépito cesa y se acaba la fiesta, el borracho despierta, solo, acompañado por su sombra y por los platos rotos que debe pagar. La expansión de la demanda choca con las fronteras que le impone el mismo sistema que la genera. El sistema necesita mercados cada vez más abiertos y

Pobrezas

Pobres, lo que se dice pobres, son los que no tienen tiempo para perder el tiempo.

Pobres, lo que se dice pobres, son los que no tienen silencio, ni pueden comprarlo.

Pobres, lo que se dice pobres, son los que tienen piernas que se han olvidado de caminar, como las alas de las gallinas se han olvidado de volar.

Pobres, lo que se dice pobres, son los que comen basura y pagan por ella como si fuese comida.

Pobres, lo que se dice pobres, son los que tienen el derecho de respirar mierda, como si fuera aire, sin pagar nada por ella.

Pobres, lo que se dice pobres, son los que no tienen más libertad que la libertad de elegir entre uno y otro canal de televisión.

Pobres, lo que se dice pobres, son los que viven dramas pasionales con las máquinas.

Pobres, lo que se dice pobres, son los que son siempre muchos y están siempre solos.

Pobres, lo que se dice pobres, son los que no saben que son pobres.

más amplios, como los pulmones necesitan el aire, y a la vez necesita que anden por los suelos, como andan, los precios de las materias primas y de la fuerza humana de trabajo. El sistema habla en nombre de todos, a todos dirige sus imperiosas órdenes de consumo, entre todos difunde la fiebre compradora; pero ni modo: para casi todos, esta aventura empieza y termina en la pantalla del televisor. La mayoría, que se endeuda para tener cosas, termina teniendo nada más que deudas para pagar deudas que generan nuevas deudas, y acaba consumiendo fantasías que a veces materializa delinquiendo.

La difusión masiva del crédito, advierte el sociólogo Tomás Moulian, ha hecho posible que la cultura cotidiana de Chile esté girando alrededor de los símbolos del consumo: la apariencia como núcleo de la personalidad, el artificio como modo de vida, «la utopía a cuarenta y ocho meses de plazo». El modelo consumista se fue imponiendo, a lo largo de los años, desde que en 1973 los *jets* Hawker Hunter bombardearon el palacio presidencial de Salvador Allende y el general Augusto Pinochet inauguró la era del milagro. Un cuarto de siglo después, a principios del 98, *The New York*

Un mártir

En el otoño del 98, en pleno centro de Buenos Aires, un transeúnte distraído fue aplastado por un autobús. La víctima venía cruzando la calle, mientras hablaba por un teléfono celular. ¿Mientras hablaba? Mientras hacía como que hablaba: el teléfono era de juguete.

Magia

En el barrio de Cerro Norte, un suburbio pobre de la ciudad de Montevideo, un mago ofreció una función callejera. Con un toque de la varita, el mago hacía que un dólar brotara de su puño o de su sombrero.

Cuando terminó la función, la varita mágica desapareció. Y al día siguiente, los vecinos vieron que un niño descalzo andaba por las calles, varita mágica en mano: golpeaba con la varita cuantas cosas encontraba, y se quedaba esperando.

Como muchos niños del barrio, ese niño, de nueve años, solía hundir la nariz en una bolsa de novoprén. Y alguna vez, explicó:

—*Así, me voy a otro país.*

Times explicó que ese golpe de estado había dado comienzo a «la transformación de Chile, que era una estancada república bananera y se convirtió en la estrella económica de América latina».

¿A cuántos chilenos ilumina esa estrella? La cuarta parte de la población sobrevive en estado de pobreza absoluta, y el senador demócrata-cristiano Jorge Lavandero ha comprobado que los cien chilenos más ricos ganan más que todo lo que el estado gasta cada año en servicios sociales. El periodista norteamericano Marc Cooper ha en-

Es un chiste/2

Se estrella un automóvil, a la salida de Moscú. El conductor emerge del desastre y gime:

—*Mi Mercedes... Mi Mercedes...*

Alguien le dice:

—*Pero señor... ¡Qué importa el auto! ¿No ve que ha perdido un brazo?*

Y mirándose el muñón sangrante, el hombre llora:

—*¡Mi Rolex! ¡Mi Rolex!*

contrado muchos impostores en el paraíso del consumo: chilenos que se asan con las ventanillas cerradas para mentir que tienen aire acondicionado en el automóvil, o que hablan por teléfonos celulares de juguete, o que usan la tarjeta de crédito para comprar papas o un pantalón en doce cuotas. El periodista también descubrió algunos trabajadores enojados en los supermercados Jumbo: los sábados por la mañana, hay gente que llena el carrito hasta el tope con los artículos más caros, se pasea entre las góndolas exhibiéndose un buen rato y después abandona el carrito repleto y se va por el costado sin comprar ni un chicle.

El derecho al derroche, privilegio de pocos, dice ser la libertad de todos. Dime cuánto consumes y te diré cuánto vales. Esta civilización no deja dormir a las flores, ni a las gallinas, ni a la gente. En

No es un chiste/2

En la primavera del 98, en Viena, nace un nuevo perfume. Lo bautizan ante las cámaras de televisión, en la sección de cajas de seguridad del Banco de Austria. La criatura responde al nombre de *Cash*, y exhala el excitante olor del dinero. Nuevas presentaciones en sociedad se anuncian en Alemania, en la sede del Deutsche Bank, y en Suiza, en la Union de Banques Suisses.

El perfume *Cash* sólo se puede comprar por Internet o en las *boutiques* más exclusivas:

—*Queremos que sea la Ferrari del perfume* —dicen los creadores.

los invernaderos, las flores están sometidas a luz continua, para que crezcan más rápido. En las fábricas de huevos, las gallinas también tienen prohibida la noche. Y la gente está condenada al insomnio, por la ansiedad de comprar y la angustia de pagar.

Este modo de vida no es muy bueno para la gente, pero es muy bueno para la industria farmacéutica. Los Estados Unidos consumen la mitad de los sedantes, ansiolíticos y demás drogas químicas que se venden legalmente en el mundo, y más de la mitad de las drogas prohibidas que se venden ilegalmente, lo que no es moco de pavo si se

tiene en cuenta que los Estados Unidos apenas suman el cinco por ciento de la población mundial.

«Gente infeliz, la que vive comparándose», lamenta una mujer en el barrio del Buceo, en Montevideo. El dolor de ya no ser, que otrora cantara el tango, ha dejado paso a la vergüenza de no tener. Un hombre pobre es un pobre hombre. «Cuando no tenés nada, pensás que no valés nada», dice un muchacho en el barrio Villa Fiorito, de Buenos Aires. Y otro comprueba, en la ciudad dominicana de San Francisco de Macorís: «Mis hermanos trabajan para las marcas. Viven comprando etiquetas, y viven sudando la gota gorda para pagar las cuotas».

Invisible violencia del mercado: la diversidad es enemiga de la rentabilidad, y la uniformidad manda. La producción en serie, en escala gigantesca, impone en todas partes sus obligatorias pautas de consumo. Esta dictadura de la uniformización obligatoria es más devastadora que cualquier dictadura del partido único: impone, en el mundo entero, un modo de vida que reproduce a los seres humanos como fotocopias del consumidor ejemplar.

El consumidor ejemplar es el hombre quieto. Esta civilización, que confunde la cantidad con la calidad, confunde la gordura con la buena alimentación. Según la revista científica *The Lancet*, en la última década la «obesidad severa» ha crecido casi un treinta por ciento entre la población joven de los países más desarrollados. Entre los niños norteamericanos, la obesidad aumentó en un cuarenta por ciento en los últimos dieciséis años, según la investigación reciente del Centro de Ciencias de la Salud de la Universidad de Colorado. El país que inventó las comidas y bebidas *light*, la *diet food* y los alimentos *fat free* tiene la mayor cantidad de gordos del mundo. El consumidor ejemplar sólo se baja del automóvil para trabajar y para mirar televisión. Sentado ante la pantalla chica, pasa cuatro horas diarias devorando comida de plástico.

Triunfa la basura disfrazada de comida: esta industria está colonizando los paladares del mundo y está haciendo trizas las tradiciones de la cocina local. Las costumbres del buen comer, que vienen de lejos, tienen, en algunos países, miles de años de refinamiento y diversidad, y son un patrimonio colectivo que de alguna manera está en los fogones de todos y no sólo en la mesa de los ricos. Esas tradiciones, esas señas de identidad cultural, esas fiestas de la vida, están siendo apabulladas, de manera fulminante, por la imposición del sabor químico y único: la globalización de la hamburguesa, la dictadura de la *fast food*. La plastificación de la comida en escala mundial, obra de McDonald's, Burger King y otras fábricas, viola exitosamente el derecho a la autodeterminación de la cocina: sagrado derecho, porque en la boca tiene el alma una de sus puertas.

El campeonato mundial de fútbol del 98 nos ha confirmado, entre otras cosas, que la tarjeta MasterCard tonifica los músculos, que la Coca-Cola brinda eterna juventud y que el menú de McDonald's no puede faltar en la barriga de un buen atleta. El inmenso ejército de McDonald's dispara hamburguesas a las bocas de los niños y de los adultos en el planeta entero. El doble arco de esa M sirvió de estandarte, durante la reciente conquista de los países del este de Europa. Las colas ante el McDonald's de Moscú, inaugurado en 1990 con bombos y platillos, simbolizaron la victoria de Occidente con tanta elocuencia como el desmoronamiento del Muro de Berlín.

Un signo de los tiempos: esta empresa, que encarna las virtudes del mundo libre, niega a sus empleados la libertad de afiliarse a ningún sindicato. McDonald's viola, así, un derecho legalmente consagrado en los muchos países donde opera. En

1997, algunos trabajadores, miembros de eso que la empresa llama *la Macfamilia,* intentaron sindicalizarse en un restorán de Montreal, en Canadá: el restorán cerró. Pero en el 98, otros empleados de McDonald's, en una pequeña ciudad cercana a Vancouver, lograron esa conquista, digna de la Guía Guinness.

En 1996, dos militantes ecologistas británicos, Helen Steel y David Morris, entablaron una demanda judicial contra McDonald's. Acusaron a la empresa por el maltrato a sus trabajadores, la violación de la naturaleza y la manipulación comercial de las emociones infantiles: sus empleados están mal pagados, trabajan en malas condiciones y no pueden agremiarse; la producción de carne para las hamburguesas arrasa los bosques tropicales y despoja a los indígenas; y la multimillonaria publicidad atenta contra la salud pública, induciendo a los niños a preferir alimentos de muy dudoso valor nutritivo. El pleito, que al principio parecía el pinchazo de un mosquito en el lomo de un elefante, tuvo bastante repercusión, ayudó a difundir toda esta información que la opinión pública ignora, y está resultando un largo y caro dolor de cabeza para una empresa acostumbrada a la impunidad del poder. Al fin y al cabo, del poder se trata: McDonald's emplea, en los Estados Unidos, más gente que toda la industria metalmecánica, y en 1997 sus ventas superaron las exportaciones totales sumadas de Argentina y Hungría. El Big Mac es tan pero tan importante, que su precio en los diversos países se utiliza como unidad de valor para

Las caras y las máscaras/1

Sólo los pobres están condenados a ser feos y viejos. Los demás pueden comprar las cabelleras, narices, párpados, labios, pómulos, tetas, vientres, culos, muslos o pantorrillas que necesiten, para corregir a la naturaleza y para detener el paso del tiempo. Los quirófanos de los cirujanos plásticos son los *shopping centers* donde se ofrece la cara, el cuerpo y la edad que usted estaba buscando. «La cirugía es una necesidad del alma», explica el Rodin argentino Roberto Zelicovich. En Lima, los carteles ofrecen en las calles narices perfectas y pieles blancas, al alcance de cualquier bolsillo que pueda pagarlas. La televisión peruana entrevista a un joven empleado que ha sustituido su nariz indígena, aguileña, por una pequeña albóndiga que él luce, orgulloso, de frente y de perfil. Dice que ahora tiene éxito con las chicas.

En ciudades como Los Ángeles, San Pablo o Buenos Aires, las gentes de dinero pueden darse el lujo de acudir al quirófano como quien va al dentista. Al cabo de algunos años y de unas cuantas operaciones, todos se parecen entre sí, ellos con caras de momias sin arrugas, ellas convertidas en novias de Drácula, y padecen todos ciertas dificultades de expresión. Si hacen una guiñada, se les sube el ombligo.

Las caras y las máscaras/2

También las ciudades latinoamericanas se hacen el *lifting*. Borratina de la edad y de la identidad: sin arrugas, sin narices, las ciudades tienen cada vez menos memoria, se parecen cada vez menos a sí mismas, y cada vez se parecen más entre sí.

Los mismos altos edificios, prismas, cubos, cilindros, imponen su presencia, y los mismos gigantescos anuncios de marcas internacionales copan el paisaje urbano. En la época de la clonación obligatoria, los verdaderos urbanistas son los publicistas.

las transacciones financieras internacionales: la comida virtual orienta a la economía virtual. Según la propaganda de McDonald's en Brasil, el Big Mac, producto estrella de la casa, es como el amor: dos cuerpos que se abrazan y se besan chorreando salsa tártara, excitados por el queso y el pepino, mientras arden sus corazones de cebolla, estimulados por la verde esperanza de la lechuga.

Precios baratos, tiempo breve: las máquinas humanas reciben su combustible y de inmediato retornan al sistema productivo. En una de estas gasolineras trabajó, en 1983, el escritor alemán Günter Wallraff. Era un McDonald's de la ciudad de Hamburgo, que es inocente de las cosas que se hacen en su nombre. Wallraff trabajó corriendo sin parar, salpicado por las gotas de aceite hirviendo: una vez descongeladas, las hamburguesas tienen diez minutos de vida. Después, apestan. Hay que echarlas a la plancha sin pérdida de tiempo. Todo tiene el mismo gusto: las papas fritas, las verduras, la carne, el pescado, el pollo. Es un sabor artificial, dictado por la industria química, que también se ocupa de ocultar, con colorantes, el veinticinco por ciento de grasa que la carne contiene. Esta porquería es la comida más exitosa de nuestro fin de siglo. Sus maestros de cocina se forman en la Hamburger University, en Elk Grove, Illinois. Pero los dueños del negocio, según fuentes bien informadas, prefieren los carísimos restoranes que ofrecen los más sofisticados platos de eso que se ha dado en llamar *comida étnica:* sushi, thai, persa, javanesa, hindú, mexicana... Democracia no es relajo.

Las masas consumidoras reciben órdenes en un idioma universal: la publicidad ha logrado lo que el esperanto quiso y no pudo. Cualquiera en-

tiende, en cualquier lugar, los mensajes que el televisor trasmite. En el último cuarto de siglo, los gastos de publicidad se han duplicado en el mundo. Gracias a ellos, los niños pobres toman cada vez más Coca-Cola y cada vez menos leche, y el tiempo de ocio se va haciendo tiempo de consumo obligatorio. Tiempo libre, tiempo prisionero: las casas muy pobres no tienen cama, pero tienen televisor, y el televisor tiene la palabra. Comprado a plazos, este animalito prueba la vocación democrática del progreso: a nadie escucha, pero habla para todos. Pobres y ricos conocen, así, las virtudes de los automóviles último modelo, y pobres y ricos se enteran de las ventajosas tasas de interés que tal o cual banco ofrece.

Pobre es el que no tiene a nadie, dice y repite una vieja que habla sola en las calles de San Pablo. Cada vez la gente es más mucha, y cada vez está más sola. Los solos amuchados forman multitudes que se apretujan en las grandes ciudades:

—¿Podría usted, por favor, sacar el codo de mi ojo?

Los expertos saben convertir a las mercancías en mágicos conjuros contra la soledad. Las cosas tienen atributos humanos: acarician, acompañan, comprenden, ayudan, el perfume te besa y el auto es el amigo que nunca falla. La cultura de consumo ha hecho de la soledad el más lucrativo de los mercados. Los agujeros del pecho se llenan atiborrándolos de cosas, o soñando con hacerlo. Y las cosas no solamente pueden abrazar: ellas también pueden ser símbolos de ascenso social, salvoconductos para atravesar las aduanas de la sociedad de clases, llaves que abren las puertas prohibidas. Cuanto más exclusivas, mejor: las cosas te eligen y

Los días

No se sabe si en Navidad se celebra el nacimiento de Jesús o de Mercurio, dios del comercio, pero seguramente es Mercurio quien se ocupa de bautizar los días de la compra obligatoria: Día del Niño, Día del Padre, Día de la Madre, Día del Abuelo, Día de los Enamorados, Día del Amigo, Día de la Secretaria, Día del Policía, Día de la Enfermera. Cada vez hay más Días de Alguien en el calendario comercial.

Al paso que vamos, pronto tendremos días que rendirán homenaje al Canalla Desconocido, al Corrupto Anónimo y al Trabajador Sobreviviente.

El gran día

Viven de la basura y viven en la basura, en casas de basura, comiendo basura. Pero una vez al año, los carretones de Managua son los protagonistas del espectáculo que más público atrae. *Las carreras de Ben Hur* nacieron de la inspiración de un empresario que regresó de Miami con la intención de contribuir «a la americanización de Nicaragua».

Alzados sobre los carros de la basura, los basureros saludan, puño en alto, al presidente del país, al embajador de los Estados Unidos, y a las demás autoridades que decoran el palco de honor. Sobre sus harapos de siempre, los competidores lucen amplias capas de colores, y en las cabezas llevan cascos emplumados de guerreros romanos. Los destartalados carretones han recibido pintura nueva, para que mejor brillen los nombres de los *sponsors*. Los caballos, famélicos, llagados como sus dueños, castigados como sus dueños, son los corceles que volarán para otorgar a sus dueños la gloria o alguna caja de refrescos.

Chillan las trompetas. Baja la bandera, la carrera se desata. Los látigos aporrean las huesudas ancas de los jamelgos, mientras la multitud delira:

—*¡Co-ca-co-la! ¡Co-ca-co-la!*

te salvan del anonimato multitudinario. La publicidad no informa sobre el producto que vende, o rara vez lo hace. Eso es lo de menos. Su función primordial consiste en compensar frustraciones y alimentar fantasías: ¿En quién quiere usted convertirse comprando esta loción de afeitar?

El criminólogo Anthony Platt ha observado que los delitos de la calle no son solamente fruto de la pobreza extrema. También son fruto de la ética individualista. La obsesión social del éxito, dice Platt, incide decisivamente sobre la apropiación ilegal de las cosas. Yo siempre he escuchado decir que el dinero no produce la felicidad; pero cualquier televidente pobre tiene motivos de sobra para creer que el dinero produce algo tan parecido, que la diferencia es asunto de especialistas.

Según el historiador Eric Hobsbawm, el siglo veinte ha puesto fin a siete mil años de vida humana, centrada en la agricultura desde que aparecieron los primeros cultivos a fines del paleolítico. La población mundial se urbaniza, los campesinos se hacen ciudadanos. En América latina, tenemos campos sin nadie y enormes hormigueros urbanos: las mayores ciudades del mundo, y las más injustas. Expulsados por la agricultura moderna de exportación, y por la erosión de sus tierritas, los campesinos invaden los suburbios. Ellos creen que Dios está en todas partes, pero por experiencia saben que atiende en las grandes urbes. Las ciudades prometen trabajo, prosperidad, un porvenir para los hijos. En los campos, los esperadores miran pasar la vida, y mueren bostezando; en las ciudades, la vida ocurre, y llama. Hacinados en tugurios, lo primero que descubren los recién llegados es que el trabajo falta y los brazos sobran, que nada es gratis y que los más caros artículos de lujo son el aire y el silencio.

Mientras nacía el siglo catorce, fray Giordano da Rivalto pronunció en Florencia un elogio de las ciudades. Dijo que las ciudades crecían «porque la gente tiene el gusto de juntarse». Juntarse, encontrarse. Ahora, ¿quién se encuentra con quién? ¿Se encuentra la esperanza con la realidad? El deseo, ¿se encuentra con el mundo? Y la gente, ¿se encuentra con la gente? Si las relaciones humanas han sido reducidas a relaciones entre cosas, ¿cuánta gente se encuentra con las cosas?

El mundo entero tiende a convertirse en una gran pantalla de televisión, donde las cosas se miran pero no se tocan. Las mercancías en oferta invaden y privatizan los espacios públicos. Las estaciones de autobuses y de trenes, que hasta hace poco eran espacios de encuentro entre personas, se están convirtiendo ahora en espacios de exhibición comercial.

El *shopping center*, o *shopping mall*, vidriera de todas las vidrieras, impone su presencia avasallante. Las multitudes acuden, en peregrinación, a este templo mayor de las misas del consumo. La mayoría de los devotos contempla, en éxtasis, las cosas que sus bolsillos no pueden pagar, mientras la minoría compradora se somete al bombardeo de la oferta incesante y extenuante. El gentío, que sube y baja por las escaleras mecánicas, viaja por

el mundo: los maniquíes visten como en Milán o París y las máquinas suenan como en Chicago, y para ver y oír no es preciso pagar pasaje. Los turistas venidos de los pueblos del interior, o de las ciudades que aún no han merecido estas bendiciones de la felicidad moderna, posan para la foto, al pie de las marcas internacionales más famosas, como antes posaban al pie de la estatua del prócer en la plaza. Beatriz Sarlo ha observado que los habitantes de los barrios suburbanos acuden al *center*, al *shopping center*, como antes acudían al *centro*. El tradicional paseo del fin de semana al centro de la ciudad, tiende a ser sustituido por la excursión a estos oasis urbanos. Lavados y planchados y peinados, vestidos con sus mejores galas, los visitantes vienen a una fiesta donde no son convidados, pero pueden ser mirones. Familias enteras

La cancha global

En su forma actual, el fútbol nació hace más de un siglo. Nació hablando en inglés, y en inglés habla todavía, pero ahora se escucha exaltar el valor de un buen *sponsor* y las virtudes del *marketing*, con tanto fervor como antes se exaltaba el valor de un buen *forward* y las virtudes del *dribbling*.

Los campeonatos responden al nombre de quien paga. El campeonato argentino se llama Pepsi Cola. Se llama Coca-Cola el campeonato mundial de fútbol juvenil. El torneo intercontinental de clubes se llama Copa Toyota.

Para el hincha del deporte más popular del mundo, para el apasionado de la más universal de las pasiones, la camiseta del club es un manto sagrado, una segunda piel, el otro pecho. Pero la camiseta se ha convertido, además, en un cartel publicitario ambulante. En 1998, los jugadores del club Rapid de Viena exhiben cuatro avisos a la vez: en las camisetas llevan anuncios de un banco, de una empresa comercial y de una marca de automóviles, y en los pantalones hacen la publicidad de una tarjeta de crédito. Cuando River Plate y Boca Juniors disputan, en Buenos Aires, el clásico del fútbol argentino, Quilmes juega contra Quilmes: ambos equipos lucen, en sus camisetas, la marca de la misma cerveza nacional. En plena globalización, River también juega para Adidas, y Boca para Nike. Y hablando en plata, bien se puede decir que Adidas venció a Nike cuando Francia derrotó a Brasil en la final del Mundial 98.

emprenden el viaje en la cápsula espacial que recorre el universo del consumo, donde la estética del mercado ha diseñado un paisaje alucinante de modelos, marcas y etiquetas.

La cultura de consumo, cultura de lo efímero, condena todo al desuso inmediato. Todo cambia al ritmo vertiginoso de la moda, puesta al servicio de la necesidad de vender. Las cosas envejecen en un parpadeo, para ser reemplazadas por otras cosas de vida fugaz. En este fin de siglo donde lo único permanente es la inseguridad, las mercancías, fabricadas para no durar, resultan tan volátiles como el capital que las financia y el trabajo que las genera. El dinero vuela a la velocidad de la luz, ayer estaba allá, hoy está aquí, mañana quién sabe, y todo trabajador es un desempleado en potencia. Paradójicamente, los *shopping centers*, reinos de la fugacidad, ofrecen la más exitosa ilusión de seguridad. Ellos existen fuera del tiempo, sin edad y sin raíz, sin noche y sin día y sin memoria, y existen fuera del espacio, más allá de las turbulencias de la peligrosa realidad del mundo.

En estos santuarios del bienestar se puede hacer todo, sin necesidad de salir a la intemperie sucia y amenazante. Hasta dormir se puede, según los últimos modelos de *shoppings*, que en Los Ángeles y en Las Vegas incluyen servicios de hotelería y gimnasios. Los *shoppings*, que no se enteran del frío ni del calor, están a salvo de la contaminación y de la violencia. Michael A. Petti publica sus consejos científicos en la prensa mundial, en una difundida serie llamada *Viva más*. En las ciudades

La inyección

Hace más de medio siglo, el escritor Felisberto Hernández publicó un cuento profético. Un señor vestido de blanco subía a los tranvías de Montevideo, jeringa en mano, y amablemente inyectaba un líquido en el brazo de cada pasajero. De inmediato, los inyectados empezaban a escuchar, dentro de sí, los *jingles* publicitarios de la fábrica de muebles *El Canario*. Para sacarse la publicidad de las venas, había que comprar en la farmacia unas tabletas, marca *El Canario*, que suprimían el efecto de la inyección.

con mala calidad de aire, el doctor Petti aconseja a quienes quieran vivir más: «Camine dentro de un centro comercial». El hongo atómico de la contaminación pende sobre ciudades como México, San Pablo o Santiago de Chile, y en las esquinas el delito acecha; pero en este frígido mundo fuera del mundo, aire aséptico, paseos vigilados, se puede respirar y caminar y comprar sin riesgos.

Los *shoppings* son todos más o menos iguales, en Los Ángeles o en Bangkok, en Buenos Aires o en Glasgow. Esta unanimidad no les impide competir en la invención de nuevos imanes para atrapar clientes. Por ejemplo, la revista *Veja* exaltaba así, a fines del 91, una de las novedades del *shop-*

ping Praia de Belas, en Porto Alegre: «Para el confort de los bebés, se les brindan cochecitos, facilitando así el paseo de estos pequeños consumidores». Pero la seguridad es el artículo más importante que todos los *shopping centers* ofrecen. La seguridad, mercancía de lujo, está al alcance de cualquiera que penetre en estos *bunkers*. En su infinita generosidad, la cultura de consumo nos regala el salvoconducto que nos permite fugarnos del infierno de las calles. Rodeadas de inmensas playas de estacionamiento, donde los automóviles esperan, estas islas brindan espacios cerrados y protegidos. Allí la gente se cruza con la gente, llamada por las voces del consumo, como antes la gente se encontraba con la gente, llamada por las ganas de verse, en los cafés o en los espacios abiertos de las plazas, los parques y los viejos mercados: en nuestros días, esas intemperies están demasiado expuestas a los riesgos de la violencia urbana. En los *shoppings*, no hay peligro. La policía pública y la policía privada, la policía visible y la policía invisible, se ocupan de arrojar a los sospechosos a la calle o a la cárcel. Los pobres que no saben disfrazar su peligrosidad congénita, y sobre todo los pobres de piel oscura, pueden ser culpables hasta que no se pruebe su inocencia. Y si son niños, peor. La peligrosidad es inversamente proporcional a la edad. Ya en 1979, un informe de la policía colombiana, presentado al congreso policial sudamericano, explicaba que la policía infantil no había tenido más remedio que abandonar su obra social para dedicarse a «atajar las maldades»

de los menores peligrosos y «evitar el estorbo que su presencia causa en los centros comerciales».

Estos gigantescos supermercados, convertidos en ciudades en miniatura, están también vigilados por los sistemas electrónicos de control, ojos que ven sin ser vistos, cámaras ocultas que siguen los pasos de la multitud que deambula entre las mercancías; pero la electrónica no sólo sirve para vigilar y castigar a los indeseables que pueden sucumbir a la tentación de los frutos prohibidos. La tecnología moderna también sirve para que los consumidores consuman más. En la era cibernética, cuando el derecho a la ciudadanía se funda en el deber de consumo, las grandes empresas espían a los consumidores, y los bombardean con su publicidad. Las computadoras ofrecen una radiografía de cada ciudadano. Se puede saber cuáles son sus hábitos y sus gustos y sus gastos, a través del uso que cada ciudadano hace de las tarjetas de crédito, de los cajeros automáticos y del correo electrónico. De hecho, esto es lo que ocurre cada vez más en los países de alto desarrollo, donde la manipulación comercial del universo *on line* está violando impunemente la vida privada para ponerla al servicio del mercado. Resulta cada vez más difícil, por ejemplo, que un ciudadano norteamericano pueda mantener en secreto las compras que hace, las enfermedades que padece, el dinero que tiene y el dinero que debe: a partir de esos datos, no es tan difícil deducir qué nuevos servicios podría contratar, en qué nuevas deudas podría meterse y cuántas nuevas cosas podría comprar.

Por mucho que cada ciudadano compre, será siempre poco en relación a lo mucho que se necesita vender. En estos últimos años, por ejemplo, la industria automotriz está fabricando más autos que los que la demanda absorbe. Las grandes ciudades latinoamericanas compran más y más. ¿Hasta dónde? Hay un techo que no pueden atravesar, sometidas como están a la contradicción entre las órdenes que recibe el mercado interno y las órdenes que trasmite el mercado internacional: la contradicción entre la obsesión de consumir, que requiere salarios cada vez más altos, y la obligación de competir, que exige salarios cada vez más bajos.

La publicidad habla del automóvil, pongamos por caso, como una bendición al alcance de todos. ¿Un derecho universal, una conquista democrática? Si eso fuera verdad, y todos los seres humanos pudieran convertirse en felices propietarios de este talismán de cuatro ruedas, el planeta sufriría muerte súbita por falta de aire. Y antes, dejaría de funcionar por falta de energía. Ya el mundo ha quemado, en un ratito, la mayor parte del petróleo que se había formado a lo largo de millones de años. Se fabrican autos, uno tras otro, al mismo ritmo que los latidos del corazón, y los autos están devorando más de la mitad de todo el petróleo que el mundo produce cada año.

Los dueños del mundo usan al mundo como si fuera descartable: una mercancía de vida efímera, que se agota como se agotan, a poco de nacer, las imágenes que dispara la ametralladora de la televisión y las modas y los ídolos que la publicidad lanza, sin tregua, al mercado. Pero, ¿a qué otro mundo vamos a mudarnos? ¿Estamos todos obligados a creernos el cuento de que Dios ha vendido el planeta a unas cuantas empresas, porque estando de mal humor decidió privatizar el universo? La sociedad de consumo es una trampa cazabobos. Los que tienen la manija simulan ignorarlo, pero cualquiera que tenga ojos en la cara puede ver que la gran mayoría de la gente consume poco, poquito y nada *necesariamente*, para garantizar la existencia de la poca naturaleza que nos queda. La injusticia social no es un error a corregir, ni un defecto a superar: es una necesidad esencial. No hay naturaleza capaz de alimentar a un *shopping center* del tamaño del planeta.

Los presidentes de los países del sur que prometen el ingreso al Primer Mundo, un acto de magia que nos convertirá a todos en prósperos miembros del reino del despilfarro, deberían ser procesados por estafa y por apología del crimen. Por estafa, porque prometen lo imposible. Si todos consumiéramos como consumen los exprimidores del mundo, nos quedaríamos sin mundo. Y por apología del crimen: este modelo de vida que se nos ofrece como gran orgasmo de la vida, estos delirios del consumo que dicen ser la contraseña de la felicidad, nos están enfermando el cuerpo, nos están envenenando el alma y nos están dejando sin casa: aquella casa que el mundo quiso ser cuando todavía no era.

Fuentes consultadas

Bellah, R. N., y otros, «Habits of the heart: Individualism and commitment in american life». Berkeley, University of California, 1985.

Centre de Recherches Historiques, École Pratique des Hautes Études, edición especial de *Annales*. París, Armand Colin, julio/agosto de 1970.

Cooper, Marc, «Twenty-five years after Allende». En *The Nation*, Nueva York, 23 de marzo de 1998.

Flores Correa, Mónica, «Alguien está mirando». En *Página/12*, Buenos Aires, 4 de enero de 1998.

Forbes, «Annual report on american industry», 12 de enero de 1998.

Hernández, Felisberto, «Muebles El Canario». En «Narraciones incompletas», Madrid, Siruela, 1990.

Informe de la Policía de Colombia al Primer Congreso Policial Sudamericano. Montevideo, diciembre de 1979.

Jouvenel, Bertrand de, «Arcadie, essai sur le mieux-vivre». París, Sedeis, 1968.

Majul, Luis, «Las máscaras de la Argentina». Buenos Aires, Atlántida, 1995.

Marx, Karl, «El capital. Crítica de la economía política/III». Madrid, Siglo XXI, 1976.

Moulian, Tomás, «Chile actual; anatomía de un mito». Santiago de Chile, Arcis/Lom, 1997.

Sarlo, Beatriz, «Instantáneas. Medios, ciudad y costumbres en el fin de siglo». Buenos Aires, Ariel, 1996.

Steel, Helen, entrevista en *The New Internationalist*, Oxford, julio de 1997.

Wachtel, Paul, «The poverty of affluence». Nueva York, Free Press, 1983.

Wallraff, Günter, «Cabeza de turco». Barcelona, Anagrama, 1986.

Zurita, Félix, «Nica libre». Video documental. Managua, Alba Films, 1997.

Curso intensivo de incomunicación

La guerra es la continuación de la televisión por otros medios, diría Karl von Clausewitz, si el general resucitara, un siglo y medio después, y se pusiera a practicar el *zapping*. La realidad real imita la realidad virtual que imita la realidad real, en un mundo que transpira violencia por todos los poros. La violencia engendra violencia, como se sabe; pero también engendra ganancias para la industria de la violencia, que la vende como espectáculo y la convierte en objeto de consumo.

Ya no es necesario que los fines justifiquen los medios. Ahora los medios, los medios masivos de comunicación, justifican los fines de un sistema de poder que impone sus valores en escala planetaria. El Ministerio de Educación del gobierno mundial está en pocas manos. Nunca tantos habían sido incomunicados por tan pocos.

Dime tus secretos/1

Malasia renovó recientemente su red de comunicaciones. Una empresa japonesa iba a encargarse de la tarea, pero súbitamente la empresa norteamericana AT&T ofreció un precio más bajo y le sopló el negocio. La AT&T pudo ganar el contrato, gracias a los buenos oficios de la NSA, National Security Agency, que había detectado y descifrado la oferta japonesa.

La NSA, agencia norteamericana de espionaje, cuenta con un presupuesto cuatro veces mayor que el de la CIA y dispone de la tecnología necesaria para registrar cuanta cosa se dice por teléfono, fax o e-mail, en cualquier lugar del mundo: puede interceptar hasta *dos millones de conversaciones por minuto*. La NSA actúa al servicio del control económico y político del planeta, pero la seguridad nacional y la lucha internacional contra el terrorismo le sirven de coartadas. Sus sistemas de vigilancia le permiten controlar todos los mensajes que tengan algo que ver con organizaciones delictivas tan peligrosas como, por ejemplo, Greenpeace o Amnistía Internacional.

El asunto se destapó en marzo del 98, cuando se difundió el informe titulado *Evaluación de las tecnologías del control político*, del Parlamento europeo.

Dime tus secretos/2

¿Cómo se comunica una empresa moderna con sus clientes reales? Por medio de sus clientes virtuales, programados por computadora.

La cadena británica de hipermercados Sainsbury ha puesto en práctica un modelo matemático, que simula a la perfección los movimientos y los sentimientos de sus compradores. La pantalla, que reproduce a la clientela virtual caminando por los pasillos entre las góndolas, permite conocer sus gustos y sus aversiones, sus compromisos familiares y sus necesidades personales, su ubicación social y sus ambiciones. También se puede evaluar el impacto de la publicidad y de las ofertas de promoción, la influencia de los horarios sobre el flujo del público y la importancia de la ubicación de la mercadería.

Así se estudia la conducta de compra y se diseña la estrategia de venta, para multiplicar, por medios virtuales, las ganancias reales.

¿El derecho de expresión es el derecho de escuchar?

En el siglo dieciséis, algunos teólogos de la iglesia católica legitimaban la conquista de América en nombre del derecho a la comunicación. *Jus communicationis:* los conquistadores hablaban, los indios escuchaban. La guerra resultaba inevitable, y justa, cuando los indios se hacían los sordos. Su derecho a la comunicación consistía en el derecho de obedecer. A fines del siglo veinte, aquella violación de América todavía se llama *encuentro*, mientras se sigue llamando *comunicación* al monólogo del poder.

Alrededor de la tierra gira un anillo de satélites llenos de millones y millones de palabras y de imágenes, que de la tierra vienen y a la tierra vuelven. Prodigiosos artilugios del tamaño de una uña reciben, procesan y emiten, a la velocidad de la luz, mensajes que hace medio siglo requerían treinta toneladas de maquinaria. Milagros de la tecnociencia en estos tecnotiempos: los más afortunados miembros de la sociedad mediática pueden disfrutar sus vacaciones en la playa atendiendo el teléfono celular, recibiendo el e-mail, contestando el bíper, leyendo faxes, devolviendo las llamadas del contestador automático a otro contestador automático, haciendo compras por computadora y distrayendo el ocio con los videojuegos y la televisión portátil. Vuelo y vértigo de la tecnología de la comunicación, que parece cosa de Mandinga: a la medianoche, una computadora besa la frente de Bill Gates, que al amanecer despierta convertido en el hombre más rico del mundo. Ya está en el mercado el primer micrófono incorporado a la computadora, para dialogar a viva voz con ella. En el ciberespacio, *Ciudad celestial*, se celebra el matrimonio de la computadora con el teléfono y la televisión, y se invita a la humanidad al bautismo de sus hijos asombrosos.

La cibercomunidad naciente encuentra refugio en la realidad virtual, mientras las ciudades tienden a convertirse en inmensos desiertos llenos de gente, donde cada cual vela por su santo y está cada cual metido en su propia burbuja. Hace cuarenta años, según las encuestas, seis de cada diez norteamericanos confiaban en la mayoría de la gente. Ahora, la confianza se ha desinflado: sólo cuatro de cada diez confían en los demás. Este modelo de desarrollo desarrolla el desvínculo. Cuanto más se demoniza la relación con las personas, que pueden contagiarte el sida, o quitarte el trabajo, o desvalijarte la casa, más se sacraliza la relación con las máquinas. La industria de la comunicación, la más dinámica de la economía mundial, vende los abracadabras que dan acceso a la Nueva Era de la historia de la humanidad. Pero este mundo comunicadísimo se está pareciendo demasiado a un reino de solos y de mudos.

Los medios dominantes de comunicación están en pocas manos, pocas manos que son cada vez menos manos, y por regla general actúan al servicio de un sistema que reduce las relaciones humanas al uso mutuo y al mutuo miedo. En estos últimos tiempos, la galaxia Internet ha abierto imprevistas, y valiosas, oportunidades de expresión alternativa. Por Internet están irradiando sus mensajes numerosas voces que no son ecos del poder. Pero el acceso a esta nueva autopista de la información es todavía un privilegio de los países desarrollados, donde reside el noventa y cinco por ciento de sus usuarios; y ya la publicidad comercial está intentando convertir a Internet en Businessnet. Internet, nuevo espacio para la libertad de comunicación, es también un nuevo espacio para la libertad de comercio. En el planeta virtual no se corre peligro de encontrar aduanas, ni gobiernos con delirios de independencia. A mediados del 97, cuando ya el espacio comercial de la red superaba con creces el espacio educativo, el presidente de los Estados Unidos indicó que todos los países del mundo debían mantener libre de impuestos la venta de bienes y servicios a través de Internet, y desde entonces éste es uno de los asuntos que más preocupan a los representantes norteamericanos ante los organismos internacionales.

El control del ciberespacio depende de las líneas telefónicas, y no resulta para nada casual que la ola privatizadora de los años recientes haya arrancado los teléfonos de manos públicas, en el mundo entero, para entregarlo a los grandes conglomerados de la comunicación. Las inversiones norteamericanas en teléfonos extranjeros se multiplican mucho más que las demás inversiones, mientras corre al galope la concentración de capitales: hasta mediados del 98, ocho megaempresas dominaban el negocio telefónico en los Estados Unidos, y en una sola semana se han reducido a cinco.

La televisión abierta y por cable, la industria del cine, la prensa de tiraje masivo, las grandes editoriales de libros y de discos, y las radios de mayor alcance también avanzan, con botas de siete leguas, hacia el monopolio. Los *mass media* de difusión universal han puesto por las nubes el precio de la libertad de expresión: cada vez son más los opinados, los que tienen el derecho de escuchar, y cada vez son menos los opinadores, los que tienen el derecho de hacerse escuchar. En los años siguientes a la segunda guerra mundial, todavía encontraban amplia resonancia los medios independientes de información y de opinión, y las aventuras creadoras que revelaban y alimentaban la diversidad cultural. Hacia 1980, la devoración de muchas empresas medianas y pequeñas había dejado la mayor parte del mercado planetario en poder de cincuenta corporaciones. Desde entonces, la independencia y la diversidad se han ido haciendo más raras que perro verde.

Según el productor Jerry Isenberg, el exterminio de la creación independiente en la televisión norteamericana ha sido fulminante en los últimos veinte años: las empresas independientes proporcionaban entre un treinta y un cincuenta por ciento de lo que se veía en la pantalla chica, y ahora apenas llegan al diez por ciento. También reveladoras son las cifras de la publicidad en el mundo: actualmente, la mitad de todo el dinero que el planeta gasta en publicidad va a parar al buche de apenas diez grandes conglomerados, que acaparan la producción y la distribución de cuanta cosa tenga que ver con la imagen, la palabra y la música.

En los últimos cinco años, han duplicado su mercado internacional las principales empresas norteamericanas de la comunicación: General Electric, Disney/ABC, Time Warner/CNN, Viacom, Tele-Communications Inc. (TCI) y la recién llegada Microsoft, la empresa de Bill Gates, que reina en el mercado del *software* y ha irrumpido con éxito en la televisión por cable y en la producción televisual. Estos gigantes ejercen un poder oligopólico que en escala planetaria comparten con el imperio Murdoch, la empresa japonesa Sony, la alemana Bertelsmann y alguna que otra más. Entre todas han tejido una telaraña universal. Sus intereses están entrecruzados; numerosos hilos atan a unas con otras. Aunque los mastodontes de la comunicación simulan competir entre sí, y a veces hasta se golpean y se insultan para satisfacción de la platea, a la hora de la verdad el espectáculo cesa y, tranquilamente, se reparten el planeta.

Por obra y gracia de la buenaventura cibernética, Bill Gates ha amasado una rápida fortuna equivalente a todo el presupuesto anual del estado argentino. A mediados del 98, el gobierno de los Estados Unidos entabló una demanda contra

El héroe globalizado

El agente secreto 007 ya no trabaja para la Corona británica. Ahora, James Bond es un hombre-sandwich al servicio de muchas empresas de muchos países. Cada escena de su película *Tomorrow never dies*, estrenada en 1997, funciona como un *spot* publicitario. El infalible Bond consulta su reloj Omega, habla por un teléfono celular Ericsson, salta desde una azotea para caer sobre un camión de cerveza Heineken, huye en un automóvil BMW alquilado en Avis, paga con tarjeta Visa, bebe champaña Dom Pérignon, desviste mujeres previamente vestidas por Armani y Gucci y peinadas por L'Oréal, y combate contra un rival que luce ropas de Kenzo.

Microsoft, acusada de imponer sus productos mediante métodos monopólicos que han aplastado a los competidores. Tiempo antes, el gobierno federal había formulado una demanda similar contra la IBM: al cabo de trece años de idas y venidas, el asunto quedó en agua de borrajas. Poco pueden las leyes jurídicas contra las leyes económicas, y la economía capitalista genera concentración de poder tan inevitablemente como el invierno genera frío. No parece probable que las leyes *anti-trust*, que otrora amenazaban a los reyes del petróleo o del acero, puedan poner en peligro, alguna vez, a la urdimbre planetaria que está haciendo posible el más peligroso de los despotismos: el que actúa sobre el corazón y la conciencia de la humanidad entera.

La diversidad tecnológica dice ser diversidad democrática. La tecnología pone la imagen, la palabra y la música al alcance de todos, como nunca antes había ocurrido en la historia humana; pero esta maravilla puede convertirse en un engaña pichanga si el monopolio privado termina por imponer la dictadura de la imagen única, la palabra única y la música única. Habida cuenta de las excepciones, que afortunadamente las hay y no son tan pocas, por regla general esta pluralidad tiende a ofrecernos miles de posibilidades de elegir entre lo mismo y lo mismo. Como dice el periodista argentino Ezequiel Fernández-Moores, a propósito de la información: «Estamos informados de todo, pero no nos enteramos de nada».

Vidas ejemplares/4

Sus admiradores y sus enemigos coinciden: su virtud principal es la falta de escrúpulos. También le reconocen la capacidad de exterminio imprescindible para triunfar en el mundo del fin de siglo. Rompiendo sindicatos y devorando competidores, Rupert Murdoch se hizo desde la nada y actualmente es uno de los campeones mundiales de la comunicación. Su carrera imparable comenzó cuando heredó un diario en la remota Australia. Ahora es dueño de ciento treinta diarios en varios países, incluyendo el venerable *Times* de Londres y los *tabloids* ingleses que vivieron sus días de gloria cuando informaban con quién durmió anoche la princesa Diana. Este modelador de mentes y guía de almas ha hecho la más alta inversión del mundo en tecnología de la comunicación por satélite, y posee una de las mayores redes de televisión de todo el planeta. Además, es dueño de los estudios de cine Fox y de la editorial Harper Collins, donde publica algunas obras maestras de la literatura universal, como las que escriben sus amigos Margaret Thatcher y Newt Gingrich.

Aunque las estructuras de poder están cada vez más internacionalizadas, y resulta difícil distinguir fronteras, no constituye pecado de anti-imperialismo primitivo decir que los Estados Unidos ocupan el centro del sistema nervioso de la comunicación contemporánea. Las empresas norteamericanas reinan en el cine y en la televisión, en la información y en la informática. El mundo, inmenso Far West, invita a la conquista. Para los Estados Unidos, la difusión mundial de sus mensajes masivos es una cuestión de estado. Los gobiernos del sur del mundo suelen atribuir a la cultura una función decorativa, pero los inquilinos de la Casa Blanca no tienen, al menos en este asunto, ni un pelo de tontos: ningún presidente norteamericano ignora que la importancia política de la industria cultural pesa tanto como su valor económico, que mucho pesa. Desde hace años, por poner un ejemplo, el gobierno influye directamente sobre las ventas al exterior de los productos de Hollywood, ejerciendo presión diplomática, que suele no ser muy diplomática, sobre los países que intentan proteger su cine nacional.

Ya más de la mitad de lo que gana Hollywood viene de los mercados extranjeros, y esas ventas crecen, a ritmo espectacular, año tras año, mientras los premios Oscar atraen una teleaudiencia universal sólo comparable a la que convocan los campeonatos mundiales de fútbol o las olimpíadas. El poder imperial no masca vidrio, y sabe muy bien que en gran medida se apoya sobre la difusión ilimitada de emociones, ilusiones de éxito, símbolos de fuerza, órdenes de consumo y elogios de la violencia. En la película *Cerca del Paraíso*, de Nikita Mikhalkov, los campesinos de Mongolia bailan rock, fuman Marlboro, usan gorras del Pato Donald y se rodean de imágenes de Sylvester Sta-

El espectáculo

Un proceso penal fue el producto más exitoso vendido por la televisión norteamericana a lo largo del año 1995. Las infinitas sesiones del juicio contra el atleta O. J. Simpson, acusado de dos asesinatos, acapararon las horas de programación de los canales y capturaron los fervores de la teleaudiencia.

El crimen como espectáculo: cada uno de los numerosos actores del proceso desempeñaba su papel, y la buena o mala actuación era más importante que la culpa o la inocencia del acusado, la razón o sinrazón de los alegatos, la validez de los peritajes o la veracidad de los testimonios. En sus horas libres, el juez daba clases a otros jueces, enseñándoles los secretos de una actuación convincente ante las cámaras de la tele.

llone en el papel de Rambo. Otro gran maestro en el arte de pulverizar al prójimo, Terminator, es el personaje más admirado por los niños del mundo: en 1997, una encuesta de la UNESCO, realizada simultáneamente en Europa, África, Asia y América latina, reveló que nueve de cada diez niños se identificaban con esta musculosa y violenta encarnación de Arnold Schwarzenegger.

En la aldea global del universo mediático, se mezclan todos los continentes y todos los siglos ocurren a su vez. «Somos a la vez de aquí y de todas partes, es decir, de ninguna», dice Alain

Touraine, a propósito de la televisión: «Las imágenes, siempre atractivas para el público, yuxtaponen el surtidor de gasolina y el camello, la Coca-Cola y la aldea andina, los *blue jeans* y el castillo principesco». Creyéndose condenadas a elegir entre la copia y la cerrazón, muchas culturas locales, desconcertadas, desgarradas, tienden a borrarse o se refugian en el pasado. Con desesperada frecuencia, esas culturas locales buscan abrigo en los fundamentalismos religiosos o en otras verdades absolutas, negadoras de cualquier verdad ajena: proponen el regreso a los tiempos idos, cuanto más puritanos mejor, como si no hubiera más respuesta que la intolerancia y la nostalgia ante la modernidad avasallante.

La guerra fría ha quedado atrás. Con ella, el llamado *mundo libre* ha perdido las justificaciones mágicas que hasta hace poco proporcionaba la santa cruzada de Occidente contra el totalitarismo imperante en los países del este. Ahora, está resultando cada día más evidente que la comunicación manipulada por un puñado de gigantes puede llegar a ser tan totalitaria como la comunicación monopolizada por el estado. Estamos todos obligados a identificar la libertad de expresión con la libertad de empresa. La cultura se está reduciendo al entretenimiento, y el entretenimiento se convierte en brillante negocio universal; la vida se está reduciendo al espectáculo, y el espectáculo se convierte en fuente de poder económico y político; la información se está reduciendo a la publicidad, y la publicidad manda.

Dos de cada tres seres humanos viven en el llamado Tercer Mundo, pero dos de cada tres corresponsales de las agencias noticiosas más importantes hacen su trabajo en Europa y en los Estados Unidos. ¿En qué consisten el libre flujo de la información y el respeto a la pluralidad, que los tratados internacionales afirman y los discursos de los gobernantes invocan? La mayoría de las noticias que el mundo recibe provienen de la minoría de la humanidad, y a ella se dirigen. Eso resulta muy comprensible desde el punto de vista de las agencias, empresas comerciales dedicadas a la venta de información, que recaudan en Europa y en Estados Unidos la parte del león de sus ingresos. Un monólogo del norte del mundo: las demás regiones y países reciben poca o ninguna atención, salvo en caso de guerra o catástrofe, y con frecuencia los periodistas, que trasmiten lo que ocu-

La Era de la Información

En vísperas de la Navidad del 89, pudimos todos contemplar el más horrendo testimonio de las matanzas de Nicolae Ceausescu en Rumania.

Este déspota delirante, que se hacía llamar El Danubio Azul del Socialismo, había liquidado a cuatro mil disidentes en la ciudad de Timisoara. Vimos muchos de esos cadáveres, gracias a la difusión mundial de la televisión y gracias al buen trabajo de las agencias internacionales que nutren de imágenes a los diarios y a las revistas. Las hileras de muertos, deformados por la tortura, estremecieron al mundo.

Después, algunos diarios publicaron la rectificación, que pocos leyeron: la matanza de Timisoara había ocurrido, pero había cobrado un centenar de víctimas, incluyendo a los policías de la dictadura, y aquellas imágenes espeluznantes no habían sido más que una puesta en escena. Los cadáveres no tenían nada que ver con esa historia, y no habían sido deformados por la tortura, sino por el paso del tiempo: los fabricantes de noticias los habían desenterrado de un cementerio y los habían puesto a posar ante las cámaras.

rre, no hablan la lengua del lugar ni tienen la menor idea de la historia ni de la cultura local. La información que difunden suele ser dudosa y, en algunos casos, lisa y llanamente mentirosa. El sur

queda condenado a mirarse a sí mismo con los ojos que lo desprecian.

A principios de los años ochenta, la UNESCO patrocinó un proyecto, nacido de la certeza de que la información no es una simple mercancía, sino un derecho social, y que la comunicación tiene la responsabilidad de la función educativa que ejerce. En ese marco, se planteó la posibilidad de crear una nueva agencia internacional de noticias, para informar con independencia, y sin ningún tipo de presión, desde los países que padecen la indiferencia de las fábricas de información y de opinión. Aunque el proyecto fue formulado en términos más bien ambiguos y muy cuidados, el gobierno norteamericano tronó de furia ante este atentado contra la libertad de expresión. ¿Por qué tenía que

Juguemos a la guerra/1

Yenuri Chihuala murió en 1995, durante la guerra de fronteras entre Perú y Ecuador. Tenía catorce años. Como muchos otros muchachos de los barrios pobres de Lima, había sido reclutado por la fuerza. La leva se lo había llevado, sin dejar rastros.

La televisión, la radio y la prensa exaltaron al niño mártir, ejemplo de la juventud, que se había sacrificado por el Perú. En esos días de guerra, el diario *El Comercio* consagraba sus primeras páginas a glorificar a los mismos jóvenes que maldecía en sus páginas policiales y deportivas. Los *cholos trinchudos,* nietos de indios, pobres de pelo chuzo y piel oscura, eran héroes de la patria cuando vestían el uniforme militar en los campos de batalla, pero esos mismos buenos salvajes eran bestias peligrosas, violentas por naturaleza, cuando vestían de civil en las calles de las ciudades y en los estadios de fútbol.

meterse la UNESCO en los asuntos que pertenecen a las fuerzas vivas del mercado? Los Estados Unidos se fueron de la UNESCO dando un portazo, y también se marchó Gran Bretaña, que suele actuar como si fuera colonia de la que fue su colonia. Entonces, se archivó la posibilidad de una información internacional desvinculada del poder político y del interés mercantil. Por tímido que sea,

Juguemos a la guerra/2

Los *video games*, los videojuegos, cuentan con un público multitudinario y creciente, y de todas las edades. Sus abogados dicen que la violencia de los videojuegos es inocente, porque imita a los informativos, y que estos entretenimientos resultan útiles para mantener a los niños lejos de los peligros de la calle, y para mantener a los jóvenes y a los adultos lejos del cigarrillo.

Los videojuegos hablan un lenguaje compuesto por el tableteo de las ametralladoras, la música pavorosa, los gritos de agonía y las órdenes categóricas: *Finish him!* (¡Remátalo!), *Beat'em up!* (¡Golpéalos!), *Shoot'em up!* (¡Dispárales!). La guerra del futuro, el futuro como guerra: los videojuegos de mayor difusión ofrecen campos de batalla donde el jugador está obligado a disparar primero y a volver a disparar después, sin dudar nunca, contra todo lo que se mueva. No hay vacilación ni tregua posible ante la embestida de los malos, despiadados extraterrestres, robots feroces, hordas de humanoides, ciberdemonios de espanto, monstruos mutantes y calaveras que llamean. Cuantos más adversarios mata el jugador, más se acerca al triunfo. En el ya clásico *Mortal Kombat,* se recompensan los golpes certeros: golpes que decapitan al enemigo, volándole de cuajo la cabeza, o le arrancan del pecho el corazón sangrante, o le revientan el cráneo en miles de pedacitos.

Por excepción, también hay videojuegos no militares. Por ejemplo, carreras de autos. En una de ellas, una de las maneras de acumular puntos consiste en aplastar peatones.

cualquier proyecto de independencia puede amenazar, en alguna medida, la división internacional del trabajo, que atribuye a unos pocos la función activa de producir noticias y opiniones, y atribuye a todos los demás la función pasiva de consumirlas.

Poco se informa sobre el sur del mundo, y nunca, o casi nunca, desde *su* punto de vista: la información masiva refleja, por regla general, los prejuicios de la mirada ajena, que mira desde arriba y desde afuera. Entre aviso y aviso, la televisión suele colar imágenes de hambre y de guerra. Esos horrores, esas *fatalidades*, vienen del submundo donde el infierno acontece, y no hacen más que destacar el carácter paradisíaco de la sociedad de consumo, que ofrece automóviles que suprimen la distancia, cremas faciales que suprimen las arrugas, tinturas que suprimen las canas, píldoras que suprimen el dolor y muchos otros prodigios. Con frecuencia, esas imágenes del *otro* mundo vienen del África. El hambre africana se exhibe como una catástrofe natural y las guerras africanas son *cosas de negros*, sangrientos rituales de *tribus* que tienen una salvaje tendencia a descuartizarse entre sí. Las imágenes del hambre jamás aluden, ni siquiera de paso, al saqueo colonial. Jamás se menciona la responsabilidad de las potencias occidentales, que ayer desangraron al África a través de la trata de esclavos y el monocultivo obligatorio, y hoy perpetúan la hemorragia pagando salarios de hambre y precios de ruina. Lo mismo ocurre con la información sobre las guerras: siempre el mismo silencio sobre la herencia colonial, siempre la misma impunidad para el amo blanco que hipotecó la independencia africana, dejando a su paso burocracias corruptas, militares despóticos, fronteras artificiales y odios mutuos; y siempre la misma omisión de cualquier referencia a la industria de la muerte, que desde el norte vende las armas para que el sur se mate peleando.

A primera vista, como dice el escritor Wole Soyinka, el mapa del África parece «la creación de un tejedor demente, que no ha prestado ninguna atención a la trama, al color ni al dibujo de la manta que estaba haciendo». Muchas de las fronteras que han roto al África negra en más de cuarenta pedazos, sólo se explican por motivos de control militar o comercial, y no tienen un pito que ver con las raíces históricas ni con la naturaleza. Las potencias coloniales, que inventaron las fronteras, fueron también hábiles en la manipulación de las contradicciones étnicas. *Divide et impera:* un buen día el rey de Bélgica decidió que tutsis eran todos los que tenían más de ocho vacas, y hutus los que tenían menos, en el espacio que ahora ocupan Ruanda y Burundi. Aunque los tutsis, pastores, y los hutus, labriegos, tenían orígenes diferentes, habían compartido varios siglos de historia común en el mismo territorio, hablaban la misma lengua y convivían pacíficamente. Ellos no sabían que eran enemigos; pero terminaron creyéndolo con tanto fervor que, durante 1994 y 1995, las largas matanzas entre los hutus y los tutsis cobraron más de medio millón de víctimas. En la información de estas carnicerías, ni por casualidad se escuchó, y

muy raras veces se leyó, el menor reconocimiento a la obra colonial de Alemania y Bélgica contra la tradición de convivencia de dos pueblos hermanos, ni al aporte de Francia, que después brindó armas y ayuda militar para el exterminio mutuo.

Con los países pobres ocurre lo mismo que ocurre con los pobres de cada país: los medios masivos de comunicación sólo se dignan echarles una ojeada cuando ofrecen alguna desgracia espectacular que puede tener éxito en el mercado. ¿Cuántas personas deben ser destripadas por guerra o terremoto, o ahogadas por inundación, para que algunos países sean noticia y aparezcan por una vez en el mapa del mundo? ¿Cuántos espantos debe acumular un muerto de hambre para que las cámaras lo enfoquen por una vez en la vida? El mundo tiende a convertirse en el escenario de un gigantesco *reality show*. Los pobres, los desaparecidos de siempre, sólo aparecen en la tele como objeto de burla de la cámara oculta o como actores de sus propias truculencias. El desconocido necesita ser reconocido, el invisible quiere hacerse visible, busca raíz el desarraigado. Lo que no existe en la televisión, ¿existe en la realidad? Sueña el paria con la gloria de la pantalla chica, donde cualquier espantapájaros se transfigura en galán irresistible. Con tal de entrar en el olimpo donde los telediioses moran, algún infeliz ha sido capaz de pegarse un tiro ante las cámaras de un programa de entretenimientos. Últimamente, la llamada *telebasura* está teniendo, en unos cuantos países de América latina, tanto o más éxito que las telenovelas: la niña violada llora ante el periodista que la interroga como si la violara otra vez; este monstruo es el nuevo hombre elefante, miren, señoras y señores, no se pierdan este fenómeno increíble; la mujer barbuda busca novio; un señor gordo dice estar embarazado. Hace treinta y pico de años, en Brasil, ya los concursos del horror convocaban multitudes de candidatos y ganaban enormes te-

Para la Cátedra de Historia

Durante el año 1998, los medios globalizados de comunicación dedicaron sus más amplios espacios, y sus mejores energías, al romance del presidente del planeta con una gordita voraz y locuaz llamada Mónica Lewinsky.

Fuimos todos lewinskizados, en todos los países. El tema invadió los periódicos que desayuné, los informativos radiales que almorcé, los telediarios que cené y las páginas de las revistas que acompañaron mis cafés.

Me parece que en el 98 también ocurrieron otras cosas, que no consigo recordar.

leaudiencias: ¿Quién es el enano más bajito del país? ¿Quién es el narigón de nariz más larga, que la ducha no le moja los pies? ¿Quién es el desgraciado más desgraciado de todos? En los concursos de desgraciados, desfilaba por los estudios la corte de los milagros: la niña sin orejas, comidas por las ratas; el débil mental que había pasado treinta años encadenado a la pata de una cama; la mujer que era hija, cuñada, suegra y esposa del marido borracho que la había dejado inválida. Y cada desgraciado tenía su hinchada, que desde la platea gritaba, a coro:

—*¡Ya ganó! ¡Ya ganó!*

Los pobres ocupan también, casi siempre, el primer plano de la crónica policial. Cualquier sospechoso pobre puede ser impunemente filmado y fotografiado y escrachado cuando la policía lo detiene, y así la tele y los diarios dictan sentencia antes de que se le abra un proceso. Los medios de comunicación condenan de antemano, y sin apelación, a los pobres peligrosos, como de antemano condenan a los países peligrosos.

A fines de los años ochenta, Saddam Hussein fue demonizado por los mismos medios de comunicación que antes lo habían sacralizado. Cuando se convirtió en el Satán de Bagdad, Hussein pasó a ser una estrella de la maldad en el firmamento de la política mundial, y el mentidero de los medios se ocupó de convencer al mundo de que Irak representaba un peligro para el género humano. A principios de 1991, los Estados Unidos lanzaron la Operación Tormenta del Desierto, con el respaldo de veintiocho países y del numeroso público. Los Estados Unidos, que venían de invadir a Panamá, invadieron a Irak porque Irak había invadido a Kuwait. El gran *show*, que el escritor Tom Engelhardt definió como la mayor superproducción de la historia de la televisión, con la participación de un millón de extras y con un costo de mil millones de dólares por día, conquistó a la teleplatea inter-

El amigo electrónico

Los jugadores, absortos, en trance, no hablan entre sí.

En el camino del trabajo a casa, o de casa al trabajo, treinta millones de japoneses se encuentran con el *pachinko* y al *pachinko* encomiendan sus almas. Los jugadores pasan las horas sentados ante la máquina, disparando bolitas de acero hacia los agujeritos que prometen premios. Cada máquina está gobernada por una computadora que se ocupa de que los jugadores pierdan casi siempre y también se ocupa de que ganen alguna que otra vez, para que no se apague la llama de la fe. Como la timba por dinero está prohibida en Japón, se juega con tarjetas que se compran, y los premios se pagan con chucherías que se cambian por dinero a la vuelta de la esquina.

En 1998, los japoneses ofrendaban quinientos millones de dólares por día en los templos del *pachinko*.

nacional y tuvo muy elevados índices de *rating* en todos los países. También en la Bolsa de valores de Nueva York, que rompió récords.

Artes de la guerra, el canibalismo como gastronomía: la Guerra del Golfo fue un interminable y obsceno espectáculo de homenaje a las armas de alta tecnología y de desprecio a la vida humana. En esta guerra de máquinas, protagonizada por satélites, radares y computadoras, las pantallas de la televisión mostraron bellos misiles, *rockets* maravillosos, prodigiosos aviones y *smart bombs* que pulverizaban gente con admirable precisión. La gesta dejó un saldo de 115 norteamericanos muertos. A los iraquíes muertos, nadie los contó. Se calcula que no fueron menos de cien mil. En la pantalla, nunca se vieron. La única víctima de la guerra que la tele mostró fue un pato embadurnado de petróleo. Después se supo que la imagen era falsa. El pato venía de otra guerra. El almirante retirado Gene LaRocque, de la marina de guerra de los Estados Unidos, comentó al periodista Studs Terkel: «Ahora matamos a la gente sin verla jamás. Se aprieta un botón a miles de millas de distancia.

Es la muerte por control remoto, sin sentimientos ni remordimientos... Y entonces, regresamos a casa en triunfo».

Pocos años después, a principios del 98, los Estados Unidos quisieron repetir la hazaña. La inmensa maquinaria de la comunicación se puso, nuevamente, al servicio de la inmensa maquinaria militar, para convencer al mundo de que Irak estaba amenazando a la humanidad. Esta vez, fue el turno de las armas químicas. Años antes, Hussein había usado gases mortíferos norteamericanos contra Irán, y con esos gases había arrasado a los kurdos sin que a nadie se le moviera un pelo. Pero súbitamente cundió el pánico cuando se difundió la noticia de que Irak poseía un arsenal bacteriológico, ántrax, peste bubónica, botulismo, células cancerosas y otros letales agentes patógenos que en los Estados Unidos cualquier laboratorio puede comprar, por teléfono o por correo, a la empresa American Type Culture Collection (ATCC), ubicada en los alrededores de Washington. Pero los inspectores de las Naciones Unidas no encontraron nada en los palacios de las mil y una noches, y la guerra se suspendió hasta el próximo pretexto.

La manipulación militar de la información mundial no resulta para nada sorprendente si se tiene en cuenta la historia contemporánea de la tecnología de la comunicación. El Pentágono ha sido siempre el principal financiador, y el principal cliente, de todas las novedades. La primera computadora electrónica nació por encargo del Pentágono. Los satélites de comunicación provienen de proyectos militares, y fue el Pentágono quien por vez primera articuló la red Internet, para coordinar sus operaciones en escala internacional. Las multimillonarias inversiones de las fuerzas armadas en la tecnología de la comunicación han simplificado y acelerado su tarea, y han hecho posible la promoción mundial de sus actos criminales como si fueran contribuciones a la paz del planeta.

Afortunadamente, la historia también se alimenta de paradojas. Jamás el Pentágono presintió que la red Internet, nacida al servicio de la programación del mundo como un gran campo de batalla, iba a ser utilizada para que divulgaran su palabra los movimientos pacifistas, tradicionalmente condenados al casi silencio. Pero el espectacular progreso de la tecnología de la comunicación y, los sistemas de información está sirviendo, sobre todo, para irradiar la violencia como modo de vida y como cultura dominante. Los medios de comunicación que más mundo, y más gente, abarcan, nos acostumbran a la fatalidad de la violencia y nos entrenan para ella desde la infancia.

Las pantallas, cine, televisión, computadora, sangran y estallan sin interrupción. Una investigación de dos universidades de Buenos Aires midió la violencia en los programas infantiles de la televisión, abierta y por cable, en 1994: había una escena cada tres minutos. La investigación llegó a la conclusión de que, al cumplir los diez años de edad, el niño argentino ha visto ochenta y cinco mil escenas violentas, sin contar los numerosos episodios de violencia sugerida. La dosis, se comprobó, aumentaba los fines de semana. Un año antes, una encuesta realizada en los alrededores de Lima reveló que casi todos los padres estaban de acuerdo con ese tipo de programas. Las respuestas decían: *son los programas que los chicos prefieren; así están entretenidos; si a ellos les gusta, por algo será; mejor, así aprenden cómo es la vida.* Y también: *no los afecta, es como si nada.* Simultáneamente, una investigación del gobierno del estado de Río de Janeiro llegó a la conclusión de que la programación infantil concentraba la mitad de las escenas de violencia trasmitidas por la Red Globo de Televisión: los niños brasileños recibían una descarga de brutalidad cada dos minutos y cuarenta y seis segundos.

Las horas de televisión superan ampliamente las horas del aula, cuando las horas del aula existen, en la vida cotidiana de los niños de nuestro tiempo. Es la unanimidad universal: con o sin escuela, los niños encuentran en los programas de la tele su fuente primordial de información, formación y deformación, y encuentran también sus temas principales de conversación. El predominio de la pedagogía de la televisión cobra alarmante importancia en los países latinoamericanos, por el deterioro de la educación pública en estos últimos años. En los discursos, los políticos mueren por la educación, y en los hechos la matan, dejándola librada a las clases de consumo y violencia que la pantalla chica imparte. En los discursos, los políticos denuncian la plaga de la delincuencia y exigen mano dura, y en los hechos estimulan la colonización mental de las nuevas generaciones: desde muy temprano, los niños son amaestrados para reconocer su identidad en las mercancías que simbolizan el poder, y para conquistarlas a tiro limpio.

Los medios de comunicación, ¿reflejan la realidad, o la modelan? ¿Quién viene de quién? ¿El huevo o la gallina? ¿No sería más adecuada, como metáfora zoológica, la de la víbora que se muerde la cola? Ofrecemos a la gente lo que la gente quiere, dicen los medios, y así se absuelven; pero esa oferta, que responde a la demanda, genera cada vez más demanda de la misma oferta: se hace costumbre, crea su propia necesidad, se convierte en adicción. En las calles hay tanta violencia como en la televisión, dicen los medios; pero la violencia de los medios, que expresa la violencia del mundo, también contribuye a multiplicarla.

Europa ha hecho saludables experiencias en materia de comunicación masiva. En varios países europeos, la televisión y la radio han alcanzado un alto nivel de calidad como *servicios públicos*, no dirigidos por el estado sino directamente por las organizaciones que representan a las diversas expresiones de la sociedad civil. Estas experiencias, que hoy día han sido puestas en crisis por la embestida de la competencia comercial, brindan ejemplos de una comunicación de veras comunicante y democrática, capaz de dirigirse al ciudadano a partir del respeto a su dignidad humana y a su derecho a la información y al conocimiento. Pero no es éste el modelo que se ha internacionalizado. El mundo ha sido invadido por el mortal cóctel de sangre, va-

El lenguaje/5

Unos antropólogos recorren los campos colombianos de la costa del Pacífico, en busca de historias de vida. Y un viejo les pide:

—No me graben a mí, que hablo muy feo. Mejor a mis nietos.

Muy lejos de allí, otros antropólogos recorren los campos de la isla de Gran Canaria. Y otro viejo les da las buenas horas, les sirve café y les cuenta historias alucinantes con las más sabrosas palabras. Y les dice:

—Nosotros hablamos feíto. Ellos sí que saben, los muchachos.

Los nietos, los muchachos, los que hablan bonito, hablan como la tele.

lium y publicidad que suministra la televisión privada de los Estados Unidos: se ha impuesto un modelo fundado en la comprobación de que es bueno todo lo que da la mayor ganancia al menor costo, y malo es lo que no rinde dividendos.

En Grecia, en tiempos de Pericles, había un tribunal que juzgaba las cosas: castigaba al cuchillo, pongamos por caso, que había sido instrumento de un crimen, y la sentencia mandaba romperlo en pedazos o arrojarlo al fondo de las aguas. Hoy por hoy, ¿sería justo condenar, talibanamente, al televisor? Lo calumnian quienes le atribuyen mala entraña o lo llaman *caja boba:* la televisión comercial reduce la comunicación al negocio; pero, por obvio que resulte decirlo, el televisor es inocente del uso y del abuso que se hace de él. Y eso no impide advertir lo que también es evidente de toda evidencia: este adorado tótem de nuestro tiempo es el medio que con más éxito se usa para imponer, en los cuatro puntos cardinales, los ídolos, los mitos y los sueños que los ingenieros de emociones diseñan y las fábricas de almas producen en serie.

Peter Menzel y otros fotógrafos han reunido en un libro a las más diversas familias del planeta. Son muy diferentes las fotografías de la intimidad familiar en Inglaterra y Kuwait, Italia y Japón, México, Vietnam, Rusia, Albania, Tailandia y África del Sur. Pero algo tienen en común todas las familias, y ese algo es el televisor. Hay mil doscientos millones de televisores en el mundo. Algunas investigaciones y encuestas recientes, del norte al sur de las Américas, resultan reveladoras de la omnipresencia y la omnipotencia de la pantalla chica:

en cuatro de cada diez hogares de Canadá, los padres no consiguen recordar una sola comida familiar sin la tele encendida;

atados al collar electrónico, los niños de los Estados Unidos dedican a la tele cuarenta veces más tiempo que a las conversaciones con los padres;

en la mayoría de las casas de México, los muebles han sido ubicados en torno del televisor;

en Brasil, la cuarta parte de la población reconoce que no sabría qué hacer con su vida si la televisión no existiera.

Trabajar, dormir y mirar televisión son las tres actividades que más tiempo ocupan en el mundo contemporáneo. Bien lo saben los políticos. Esta red electrónica, con millones y millones de púlpitos a domicilio, asegura una difusión que jamás soñó ninguno de los muchos predicadores que en el mundo han sido. El poder de persuasión no depende del contenido, la mayor o menor fuerza de verdad de cada mensaje, sino de la buena imagen y de la eficacia del bombardeo publicitario que vende el producto. En el mercado se impone un detergente, como en la opinión pública se impone un presidente. Ronald Reagan fue el primer telepresidente de la historia, electo y reelecto en los años ochenta: un actor mediocre, que en sus largos años de Hollywood había aprendido a mentir con sinceridad ante el ojo de la cámara, y que por mérito de su voz de terciopelo había conseguido empleo como locutor de la General Electric. En la era de la televisión, Reagan no necesitaba nada más para hacer carrera política. Sus ideas, no muy numerosas, provenían de las *Selecciones del Reader's Digest*. Según comprobó el escritor Gore Vidal, la colección completa del *Reader's* tenía, para

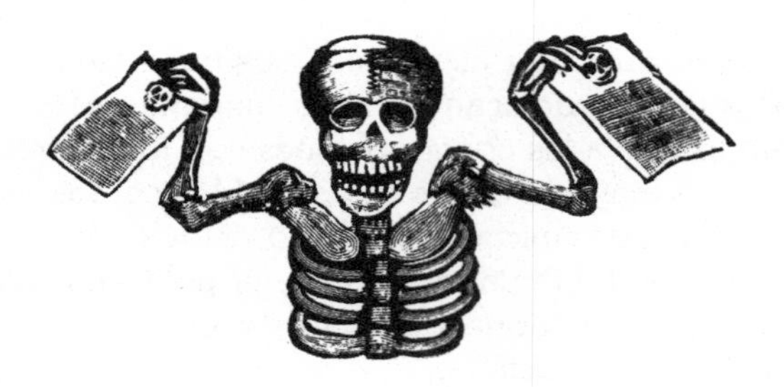

Reagan, la misma importancia que las obras de Montesquieu habían tenido para Jefferson. Gracias a la pantalla chica, el presidente Reagan pudo convencer a la opinión pública norteamericana de que Nicaragua era un peligro. Hablando ante el mapa del norte de América, que progresivamente se iba tiñendo de rojo desde el sur, Reagan pudo demostrar que Nicaragua iba a invadir los Estados Unidos, vía Texas.

A partir de Reagan, otros telepresidentes triunfaron en el mundo. Fernando Collor, que había sido modelo de Dior, llegó a la presidencia de Brasil, en 1990, por obra de la televisión. Y la misma televisión que fabricó a Collor para impedir la victoria electoral de la izquierda, lo derribó un par de años después. El ascenso de Silvio Berlusconi a la cumbre del poder político en Italia, en 1994, resultaría inexplicable sin la televisión. Berlusconi influía sobre una vasta teleaudiencia desde que había obtenido, en nombre de la diversidad democrática, el monopolio de la televisión privada. Y fue ese monopolio, sumado a sus éxitos como empresario del club de fútbol Milan, el que sirvió de eficaz catapulta a sus ambiciones políticas.

En todos los países, los políticos temen ser castigados o excluidos por la televisión. En los noticieros y en las telenovelas hay buenos y villanos, víctimas y verdugos. A ningún político le gusta hacer el papel de malo; pero los malos, al menos, están. Peor es no estar. Los políticos tienen pánico de que la televisión los ignore, condenándolos a la muerte cívica. Quien no sale en la tele, no está en la realidad; quien de la tele sale, se va del mundo. Para tener presencia en el escenario político, hay que aparecer con cierta continuidad en la pantalla chica, y esa continuidad, difícil de conseguir, suele

Elogio de la imaginación

Hace unos años, la BBC preguntó a los niños británicos si preferían la televisión o la radio. Casi todos se pronunciaron por la televisión, lo que fue algo así como comprobar que los gatos maúllan o que los muertos no respiran. Pero entre los poquitos niños que eligieron la radio, hubo uno que explicó:

—*Me gusta más la radio, porque por radio veo paisajes más lindos.*

no ser gratuita. Los empresarios de la televisión brindan tribuna a los políticos, y los políticos retribuyen el favor otorgándoles impunidad: impunemente, los empresarios pueden darse el lujo de poner un servicio público al servicio de sus bolsillos privados.

Los políticos no ignoran, no pueden darse el lujo de ignorar, el desprestigio de su profesión y el mágico poder de seducción que la televisión, y en mucha menor medida la radio y la prensa, ejercen sobre las multitudes. Una encuesta realizada en varios países latinoamericanos confirmó, en 1996, lo que cualquiera puede escuchar en las calles de nuestras ciudades: nueve de cada diez guatemaltecos y ecuatorianos tienen mala o pésima opinión de sus parlamentarios, y nueve de cada diez peruanos y bolivianos no confían en los partidos políticos. En cambio, dos de cada tres latinoamericanos dan crédito a lo que ven y escuchan en los medios de comunicación.

José Ignacio López Vigil, un militante de la comunicación alternativa, resume bien el asunto:

—*La verdad es que en América latina, si usted quiere hacer carrera política, su mejor opción es meterse a presentador, locutor o cantante.*

Para conquistar o consolidar la legitimación popular, algunos políticos se apoderan de la televisión directamente. Por ejemplo, el más poderoso y conservador de los políticos brasileños, Antonio Carlos Magalhães, recibió la graciosa concesión de la televisión privada en el estado de Bahía, y en su feudo ejerce el virtual monopolio, en sociedad con la Red Globo, que es la empresa mandamás de la televisión en Brasil. Lídice da Mata, alcaldesa de la capital de Bahía, fue electa por los votantes del

Partido de los Trabajadores, el PT, una poderosa fuerza que es, y para colmo dice ser, un partido de izquierda. En 1994, la alcaldesa denunció que nunca había podido recurrir a la televisión de Magalhães, ni siquiera pagando los espacios, cuando ocurrieron inundaciones, derrumbes, huelgas y otras situaciones de emergencia que requerían mensajes urgentes a la población. La televisión bahiana, espejo embrujado, sólo refleja la cara del dueño.

Hay canales que dicen ser públicos en muchos países latinoamericanos, pero ésa no es más que una de las típicas cosas que el estado hace para desprestigiar al estado: por regla general, y salvo algunas heroicas excepciones, la programación es un plomo; se trabaja con máquinas paleolíticas y con salarios ridículos, y con frecuencia el canal oficial aparece borroso en las pantallas. Es la televisión privada la que dispone de medios para capturar a la audiencia masiva. En toda América latina, esta pródiga fuente de dinero y de votos está en muy pocas manos. En Uruguay, tres familias disponen de toda la televisión privada, abierta o por cable. El oligopolio familiar traga dinero y escupe avisos, compra por casi nada los programas enlatados que vienen del extranjero y rara vez, muy rara vez, da trabajo a los artistas nacionales o se arriesga a producir algún programa propio de buen nivel de calidad: cuando el milagro ocurre, los teólogos afirman que ésa es una prueba de la existencia de Dios. Dos grandes grupos de multimedios se quedan con la parte del león de la televisión argentina. También en Colombia son dos los grupos que tienen en sus manos la televisión y los demás medios importantes de comunicación. La empresa Televisa, de México, y la Red Globo, de Brasil, ejercen monarquías apenas disfrazadas por la existencia de otros reinos menores.

América latina ofrece mercados muy lucrativos a la industria norteamericana de las imágenes. Nuestra región consume mucha televisión, pero genera muy poca, con la excepción de algunos programas periodísticos y de las exitosas telenovelas. Las telenovelas, que los brasileños suelen hacer muy bien, son el único producto de exportación de la televisión latinoamericana. A veces aparecen temas de este mundo, como la corrupción política, el tráfico de drogas, los niños de la calle o los campesinos sin tierra, pero las telenovelas de mayor difusión son las que supo definir el presidente de la empresa mexicana Televisa, cuando explicó, a principios del 98:

—*Vendemos sueños. De ninguna manera pretendemos reflejar la realidad. Vendemos sueños, que son como el sueño de la Cenicienta.*

La telenovela de éxito es, por regla general, el único lugar de este mundo donde la Cenicienta se casa con el príncipe, la maldad es castigada y la bondad recompensada, los ciegos recuperan la vista y los pobres pobrísimos reciben herencias que los convierten en ricos riquísimos. Esos *culebrones*, así llamados por su longitud, crean espacios ilusorios donde las contradicciones sociales se disuelven en lágrimas o en mieles. La fe religiosa te promete que entrarás al Paraíso después de la vida, pero cualquier ateo puede entrar al culebrón después de las horas de trabajo. La *otra* realidad, la de los personajes, sustituye la realidad de las personas, mientras transcurre cada capítulo, y durante ese tiempo mágico la televisión es el templo portátil que brinda evasión, redención y salvación a las almas sin amparo. Alguien dijo, no sé quién, alguna vez: «Los pobres adoran el lujo. Sólo a los intelectuales les gusta ver pobreza». Cualquier pobre, por muy pobre que sea, puede penetrar en los escenarios suntuosos donde muchas telenovelas acontecen, y compartir así, de igual a igual, los placeres de los ricos, y también sus desventuras y lloranderías: una de las telenovelas latinoamericanas más difundidas en el mundo entero, se llamó *Los ricos también lloran*.

Son frecuentes las intrigas millonarias. Durante semanas, meses, años o siglos, la teleplatea espera, mordiéndose las uñas, que la mucama joven y desdichada descubra que es hija natural del presidente de la empresa, triunfe sobre la niña rica y antipática y sea desposada por el señorito de la casa. El largo calvario del amor abnegado de la pobrecita, que en secreto llora en el cuarto de servicio, se va mezclando con los enredos que transcurren en las canchas de tenis, en las fiestas con piscina, en las bolsas de valores y en las salas de directorio de las sociedades anónimas, donde otros personajes también sufren, y a veces matan, por el control de las acciones. Es la Cenicienta en los tiempos de la pasión neoliberal.

Fuentes consultadas

Alfaro Moreno, Rosa María, con Sandro Macassi, «Seducidos por la tele». Lima, Calandria, 1995.

Asociación Latinoamericana de Educación Radiofónica (ALER), «Un nuevo horizonte teórico para la radio popular en América latina». Quito, ALER, 1996.

Auletta, Ken, «Une toile d'araignée jetée sur l'information». En *Courrier International/The New Yorker,* París, 9 al 15 de abril de 1998.

Chomsky, Noam, y Edward S. Herman, «Manufacturing consent». Nueva York, Pantheon, 1988.

Da Mata, Lídice, «Salvador resiste». En *Folha de São Paulo,* 28 de abril de 1994.

Davidson, Basil, «The black man's burden». Nueva York, Times Books, 1992.

Engelhardt, Tom, «The end of victory culture». Nueva York, Basic Books, 1995.

Gakunzi, David, «Ruanda». En *Archipel,* Basilea, enero de 1998.

Gatti, Claudio, «Attention, vous êtes sur écoûtes. Comment les Etats-Unis surveillent les européens». En *Courrier International/Il Mondo,* París, 2 al 8 de abril de 1998.

González-Cueva, Eduardo, «Heroes or hooligans: media portrayals of peruvian youth». En *Nacla,* Nueva York, julio/agosto de 1998.

Herman, Edward S., y Robert N. McChesney, «The new missionaries of Corporate Capitalism». Londres, Cassell, 1997.

Hertz, J. C., «Joystick nation». Boston, Little, Brown, 1997.

Herz, Daniel, «A história secreta da Rede Globo». Porto Alegre, Tchê!, 1987.

Leonard, John, «Smoke and mirrors. Violence, television and other american cultures». Nueva York, The New Press, 1997.

López Vigil, José Ignacio, «Manual urgente para radialistas apasionados». Quito, AMARC/ALER, 1997.

Martín-Barbero, Jesús, «De los medios a las mediaciones». Barcelona, Gili, 1987.

— y otros, «Televisión y melodrama». Bogotá, Tercer Mundo, 1982.

Miller, Mark Crispin, y otros, «The national entertainment state». En *The Nation*, Nueva York, 3 de junio de 1996 y 8 de junio de 1998.

Noble, David, «The religion of technology». Nueva York, Knopf, 1997.

Organización Internacional del Trabajo (OIT), Documento de base para el coloquio sobre la convergencia de los medios de comunicación múltiples. Ginebra, 1996.

Pasquini Durán, José María, y otros, «Comunicación: el Tercer Mundo frente a las nuevas tecnologías». Buenos Aires, Legasa, 1987.

Postman, Neil, «Amusing ourselves to death. Public discourse in the age of show business». Nueva York, Penguin, 1986.

— «Technopoly». Nueva York, Vintage, 1993.

— con Steve Powers, «How to watch TV news». Nueva York, Penguin, 1992.

Ramonet, Ignacio, «La tiranía de la comunicación». Madrid, Debate, 1998.

Santos, Rolando, «Investigación sobre la violencia en la programación infantil de la TV argentina». Buenos Aires, Universidades de Quilmes y de Belgrano, 1994.

Terkel, Studs, «Coming of age. The story of our century by those who have lived it». Nueva York, The New Press, 1995.

Touraine, Alain, «¿Podremos vivir juntos?». México, FCE, 1997.

UNESCO, «Many voices, one world». Nueva York/París, 1980.

Zerbisias, Antonia, «The world at their feet». En *The Toronto Star*, 27 de agosto de 1995.

«Dios ha muerto. Marx ha muerto. Y yo
mismo no me siento nada bien.»
(Woody Allen.)

La contraescuela

Traición y promesa del fin del milenio

En 1902, la Rationalist Press Association publicó, en Londres, su *Nuevo catecismo:* el siglo veinte fue bautizado con los nombres de Paz, Libertad y Progreso, y sus padrinos auguraron que el recién nacido iba a liberar al mundo de la superstición, el materialismo, la miseria y la guerra.

Han pasado los años, el siglo está muriendo. ¿Cuál es el mundo que nos deja? Un mundo sin alma, des-almado, que practica la superstición de las máquinas y la idolatría de las armas: un mundo al revés, con la izquierda a la derecha, el ombligo en la espalda y la cabeza en los pies.

Preguntas y respuestas que son nuevas preguntas

La fe en los poderes de la ciencia y de la técnica ha nutrido, todo a lo largo del siglo veinte, las expectativas de progreso. Cuando el siglo andaba por la mitad de su camino, algunos organismos internacionales promovían el desarrollo de los subdesarrollados, distribuyendo leche en polvo para los bebés y fumigando campos con DDT: después se supo que la leche en polvo, cuando sustituye a la leche materna, ayuda a los bebés pobres a morir temprano, y que el DDT propaga el cáncer. Años más tarde, al fin del siglo, la misma historia: los técnicos elaboran, en nombre de la ciencia, recetas para curar el subdesarrollo, que suelen ser peores que la enfermedad y que se imponen a costa del basureo de la gente y de la aniquilación de la naturaleza.

Quizás el más certero símbolo de la época sea la bomba de neutrones, que respeta las cosas y achicharra a los seres vivos. Triste suerte de la condición humana, tiempo de los envases sin contenido y de las palabras sin sentido. La ciencia y la técnica, que han sido puestas al servicio del mercado y de la guerra, nos ponen a su servicio: somos instrumentos de nuestros instrumentos. Los aprendices de brujos han desencadenado fuerzas que ya no pueden conocer ni contener. El mundo, laberinto sin centro, se está rompiendo, y está rompiendo su propio cielo. Los medios y los fines han sido divorciados, a lo largo del siglo, por el mismo sistema de poder que divorcia a la mano humana del fruto de su trabajo, obliga al perpetuo desencuentro de la palabra y el acto, vacía a la realidad de su memoria, y hace a cada persona competidora y enemiga de las demás.

Despojada de raíz y de vínculo, la realidad se convierte en el reino del precio y del desprecio: el precio, que nos desprecia, define el valor de las cosas, de las personas y de los países. Los objetos de lujo dan envidia a los sujetos que el mercado ningunea, en un mundo donde el más digno de respeto es el que más tarjetas de crédito tiene. Los ideólogos de la neblina, los pontífices del oscurantismo que ahora está de moda, nos dicen que la realidad es indescifrable, lo que viene a significar que la realidad es inmodificable. La globalización reduce el internacionalismo a la humillación, y el ciudadano ejemplar es el que vive la realidad como fatalidad: si así es, será porque así fue; si así fue, será porque así será. El siglo veinte había nacido bajo el signo de las esperanzas de cambio, y a poco andar había sido sacudido por los huracanes de la revolución social. Ahora, al fin de sus días, el siglo parece vencido por el desaliento y la resignación.

Para la Cátedra de Historia de las Ideas

—¡Cómo has cambiado de ideas, Manolo!

—Que no, Pepe, que no.

—Que sí, Manolo. Tú eras monárquico. Te hiciste falangista. Luego fuiste franquista. Después, demócrata. Hasta hace poco estabas con los socialistas y ahora eres de derechas. ¿Y dices que no has cambiado de ideas?

—Que no, Pepe. Mi idea ha sido siempre la misma: ser alcalde de este pueblo.

El estadio y el palco

En los años ochenta, el pueblo de Nicaragua sufrió castigo de guerra por creer que la dignidad nacional y la justicia social eran lujos posibles para un país pobre y chiquito.

En 1996, Félix Zurita entrevistó al general Humberto Ortega, que había sido revolucionario. Mucho habían cambiado los tiempos, en tan poco tiempo. ¿Humillación? ¿Injusticia? La naturaleza humana es así, dijo el general: nunca nadie está conforme con lo que le toca.

—*Hay una jerarquía, pues* —dijo. Y dijo que la sociedad es como un estadio de fútbol:

—*Al estadio entran cien mil, pero en el palco caben quinientos. Por mucho que usted quiera al pueblo, no puede meterlos a todos en el palco.*

La injusticia, motor de todas las rebeliones que en la historia han sido, no sólo no se ha reducido en el siglo veinte, sino que se ha multiplicado hasta extremos que nos resultarían increíbles si no estuviéramos tan entrenados para aceptarla como costumbre y obedecerla como destino. Pero el poder no ignora que la injusticia está siendo cada vez más injusta, y que está siendo cada vez más peligroso el peligro. Desde que cayó el Muro de Berlín, y los regímenes llamados comunistas se derrumbaron o cambiaron hasta hacerse irreconoci-

La cancha

El pueblo, ¿asiste al partido o lo juega?

En una democracia, cuando es verdadera, ¿el lugar del pueblo no está en la cancha? ¿Se ejerce la democracia solamente el día en que el voto se deposita en la urna, cada cuatro, cinco o seis años, o se ejerce todos los días de cada año?

Una de las experiencias latinoamericanas de democracia cotidiana se está desarrollando en la ciudad brasileña de Porto Alegre. Allí, los vecinos discuten *y deciden* el destino de los fondos municipales disponibles para cada barrio, y aprueban, corrigen y desaprueban los proyectos que genera el gobierno local. Los técnicos y los políticos proponen, pero son los vecinos quienes disponen.

bles, el capitalismo se ha quedado sin pretextos. En los años de la guerra fría, cada mitad del mundo podía encontrar, en la otra mitad, la coartada de sus crímenes y la justificación de sus horrores. Cada una decía ser mejor, porque la otra era peor. Ahora, súbitamente huérfano de enemigo, el capitalismo celebra su hegemonía, y de ella usa y abusa sin límites; pero ciertos signos indican que empieza a asustarse de sus propios actos. Entonces descubre la dimensión *social* de la economía, como un exorcismo contra los demonios de la ira popular. El capitalismo había resuelto llamarse *econo-*

mía de mercado, pero ahora se ha alargado el apellido, y viaja a los países pobres con un pasaporte donde figura su nuevo nombre completo, *economía social de mercado*.

Un aviso de McDonald's muestra a un muchacho comiendo una hamburguesa: «Yo no comparto nada», dice. El muy tonto no se ha enterado de que los nuevos tiempos mandan convidar las sobras, en vez de arrojarlas a la basura. La energía solidaria se sigue considerando un derroche inútil, y la conciencia crítica no es más que una etapa de estupidez en la vida humana; pero el poder ha decidido alternar el garrote con la limosna, y ahora predica la asistencia social, que es la única forma de justicia social que le está permitida. El filósofo argentino Tato Bores, que trabajaba de cómico, supo formular esta doctrina años antes de que los ideólogos la promovieran, los tecnócratas la implementaran y los gobiernos la adoptaran en el llamado tercer mundo:

—*Hay que echar maíz a los jubilados* —aconsejó don Tato—, *en lugar de echarlo a las palomas*.

La santa más llorada del fin de siglo, la princesa Diana, encontró su vocación en la caridad, después de haber sido abandonada por su madre, atormentada por su suegra, engañada por su marido y traicionada por sus amantes. Cuando murió, Diana presidía ochenta y una organizaciones de caridad pública. Si ella estuviera viva, podría desempeñar muy bien el Ministerio de Economía de cualquier gobierno del sur del mundo. ¿Por qué no? Al fin y al cabo, la caridad consuela, pero no cuestiona:

—*Cuando doy comida a los pobres, me llaman santo* —dijo el obispo brasileño Helder Cámara—. *Y cuando pregunto por qué no tienen comida, me llaman comunista.*

A diferencia de la solidaridad, que es horizontal y se ejerce de igual a igual, la caridad se practica de arriba abajo, humilla a quien la recibe y jamás altera ni un poquito las relaciones de poder: en el mejor de los casos, alguna vez habrá justicia, pero en el alto cielo. Aquí en la tierra, la caridad no perturba la injusticia. Sólo se propone disimularla.

Nació el siglo veinte bajo el signo de la revolución, y muere marcado por la desesperanza. Aventura y naufragio de las tentativas de creación de sociedades solidarias: padecemos una crisis universal de la fe en la capacidad humana de cambiar la historia. Paren el mundo, que me quiero bajar:

en estos tiempos de derrumbamiento, se multiplican los arrepentidos, arrepentidos de la pasión política y arrepentidos de toda pasión. Ahora abundan los gallos de riña convertidos en aves de corral, mientras los dogmáticos, que se creían a salvo de la duda y del desaliento, se refugian en la nostalgia de la nostalgia que evoca la nostalgia, o se paralizan en el estupor. *Cuando teníamos todas las respuestas, nos cambiaron las preguntas*, escribe alguna mano anónima en un muro de la ciudad de Quito.

Con una celeridad y una eficacia que darían envidia a Michael Jackson, las cirugías ideológicas mudan el color de muchos militantes revolucionarios y de muchos partidos de la izquierda roja o rosada. Alguna vez escuché decir que el estómago es la vergüenza de la cara, pero los camaleones contemporáneos prefieren explicarlo de otro modo: hay que consolidar la democracia, debemos modernizar la economía, no hay más remedio que adaptarse a la realidad.

La realidad dice, sin embargo, que la paz sin justicia, esa paz que hoy por hoy estamos disfrutando en América latina, es un campo de cultivo de la violencia. En Colombia, el país que más violencia sufre, el ochenta y cinco por ciento de los muertos es víctima de la llamada *violencia común*, y sólo el quince por ciento muere por la llamada *violencia política*. ¿No será que la violencia común expresa, de alguna manera, la impotencia política de las sociedades que no han podido fundar una paz digna de su nombre?

Mapamundi

La línea del ecuador no atraviesa por la mitad el mapamundi que aprendimos en la escuela. Hace más de medio siglo, el investigador alemán Arno Peters advirtió esto que todos habían mirado pero nadie había visto: el rey de la geografía estaba desnudo.

El mapamundi que nos enseñaron otorga dos tercios al norte y un tercio al sur. Europa es, en el mapa, más extensa que América latina, aunque en realidad América latina duplica la superficie de Europa. La India parece más pequeña que Escandinavia, aunque es tres veces mayor. Estados Unidos y Canadá ocupan, en el mapa, más espacio que África, y en la realidad apenas llegan a las dos terceras partes del territorio africano.

El mapa miente. La geografía tradicional roba el espacio, como la economía imperial roba la riqueza, la historia oficial roba la memoria y la cultura formal roba la palabra.

La historia es contundente: el veto norteamericano ha prohibido, o ha acorralado hasta la asfixia, muchas de las experiencias políticas que han intentado arrancar las raíces de la violencia. La justicia y la solidaridad han sido condenadas como agresiones foráneas contra los fundamentos de la civilización occidental y, sin pelos en la lengua, se ha dejado bien clarito que la democracia tiene fronteras, y cuidado con pisar la raya. Ésta es una historia muy larga, pero no viene mal recordar, al menos, los ejemplos recientes de Chile, Nicaragua y Cuba.

A principios de los años setenta, cuando Chile intentó tomarse la democracia en serio, Henry Kissinger puso, desde la Casa Blanca, los puntos sobre las íes, y anunció el castigo de esta imperdonable osadía:

—*Yo no veo por qué* —advirtió— *tendríamos que quedarnos cruzados de brazos ante un país que se vuelve comunista por la irresponsabilidad de su propio pueblo.*

El proceso que desembocó en el cuartelazo del general Pinochet ha dejado en el aire algunas preguntas, que ya casi nadie se formula, a propósito de las relaciones entre los países de las Américas y la desigualdad de sus derechos: ¿Hubiera sido normal que el presidente Allende dijera que el presidente Nixon no era aceptable para Chile, como con toda normalidad el presidente Nixon dijo que el presidente Allende no era aceptable para los Estados Unidos? ¿Hubiera sido normal que Chile hubiera organizado un bloqueo internacional de créditos y de inversiones contra los Estados Uni-

Leído en los muros de las ciudades
Me gusta tanto la noche, que al día le pondría un toldo. *Sí, la cigarra no trabaja. Pero la hormiga no puede cantar.* *Mi abuela dijo no a la droga. Y se murió.* *La vida es una enfermedad que se cura sola.* *Esta fábrica fuma pájaros.* *Mi papá miente como si fuera político.* *¡Basta de hechos! ¡Queremos promesas!* *La esperanza es lo último que se perdió.* *No hemos sido consultados para venir al mundo, pero exigimos que nos consulten para vivir en él.* *Hay un país distinto, en algún lugar.*

dos? ¿Hubiera sido normal que Chile hubiera comprado políticos, periodistas y militares norteamericanos, y los hubiera empujado a ahogar en sangre la democracia? ¿Y si Allende hubiera articulado un golpe de estado para impedir la asunción de Nixon, y otro golpe de estado para derribarlo? Las grandes potencias que gobiernan al mundo ejercen la delincuencia internacional con impunidad y sin remordimientos. Sus crímenes no conducen a la silla eléctrica, sino a los tronos del poder; y la delincuencia del poder es la mamá de todas las delincuencias.

Con diez años de guerra fue castigada Nicaragua, cuando cometió la insolencia de ser Nicaragua. Un ejército reclutado, entrenado, armado y orientado por los Estados Unidos atormentó al país, durante los años ochenta, mientras una campaña de envenenamiento de la opinión pública mundial confundía al proyecto sandinista con una conspiración tramada en los sótanos del Kremlin. Pero no se atacó a Nicaragua porque fuera el satélite de una gran potencia, sino para que volviera a serlo; no se atacó a Nicaragua porque no fuera democrática, sino para que no lo fuera. En plena guerra, la revolución sandinista había alfabetizado a medio millón de personas, había abatido la mortalidad infantil en un tercio y había desatado la energía solidaria y la vocación de justicia de muchísima gente. Ése fue su desafío, y ésa fue su maldición. Al fin, los sandinistas perdieron las elecciones, por el cansancio de la guerra extenuante y devastadora. Y después, como suele ocurrir, algunos dirigentes pecaron contra la esperanza, pegando una voltereta asombrosa contra sus propios dichos y sus propias obras.

En los años de la guerra, había paz en las calles de las ciudades de Nicaragua. Desde que se declaró la paz, las calles son escenarios de guerra: los campos de batalla de la delincuencia común y de las pandillas juveniles. Un joven antropólogo norteamericano, Dennis Rodgers, se metió de pandillero en una de las bandas que aterrorizan los barrios de la ciudad de Managua. El antropólogo pudo comprobar que las pandillas son la respuesta violenta que dan los jóvenes a la sociedad que los excluye, y llegó a la conclusión de que no sólo

La otra globalización

El *acuerdo multilateral de inversiones*, nuevas reglas para liberar la circulación del dinero en el mundo, se daba por hecho a principios del 98. Los países más desarrollados habían negociado el acuerdo en secreto, y se disponían a imponerlo a los demás países y a la poca soberanía que les quedaba.

Pero la sociedad civil rompió el secreto. A través de la red Internet, las organizaciones alternativas pudieron encender rápidamente las luces rojas de alarma en escala universal y ejercieron eficaz presión sobre los gobiernos. El acuerdo murió en el huevo.

florecen por causa de la pobreza feroz y de la ausencia de cualquier posibilidad de trabajar o estudiar, sino también por la desesperada búsqueda de alguna identidad. En los años setenta y ochenta, años de revolución y guerra, los jóvenes se habían reconocido en su país, colonia que quería ser patria, pero los jóvenes de los años noventa se han quedado sin espejo. Ahora son patriotas de barrio, o de alguna calle del barrio, y pelean a muerte contra las bandas del barrio enemigo o de la calle enemiga. Defendiendo su territorio y organizándose para pelear y para robar, están un poco menos solos y un poco menos pobres en su comunidad atomizada y empobrecida. Ellos comparten lo que roban, y el botín de sus zarpazos se traduce en pegamento, marihuana, trago, balas, puñales, zapatos Nike y gorras de béisbol.

También en Cuba se ha multiplicado la violencia callejera, y ha florecido la prostitución, desde que se desmoronaron los aliados de la Europa del este y desde que el dólar se convirtió en la moneda dominante en la isla. Durante cuarenta años, Cuba ha sido tratada como la leprosa de América, por el delito de haber creado la sociedad más solidaria y menos injusta de la región. En estos últimos años, esa sociedad ha perdido, en gran medida, su base material de apoyo: la economía se ha descalabrado, la invasión del turismo ha trastornado la vida cotidiana de la gente, el trabajo ha perdido valor y los traidores de ayer se han convertido en los *traidólares* de hoy. A pesar de esos recientes pesares, siguen en pie algunas conquistas de la revolución que hasta sus más acérrimos enemigos reconocen, sobre todo en educación y salud: la mortalidad infantil, por ejemplo, se ha reducido a tal punto que en toda Cuba muere, en promedio, la mitad de los niños que mueren en la ciudad de Washington. Y Fidel Castro sigue siendo el gobernante que más canta las cuarenta a los mandones del mundo, y el que más machaconamente insiste en la necesidad de que los mandados se unan. Como me dijo un amigo, recién llegado de la isla:

—Les falta todo. Eso sí: dignidad les sobra. Como para hacer transfusión.

Pero la crisis de Cuba, y su trágica soledad, han desnudado las limitaciones de la verticalidad del poder, que sigue teniendo la mala costumbre de creer que los hechos no existen si la prensa oficial no los menciona.

Los nueve presidentes de los Estados Unidos que, sucesivamente, han condenado a grito pelado la falta de democracia en Cuba, no han hecho más que denunciar las consecuencias de sus propios actos. Fue por obra de la agresión incesante, y del largo bloqueo implacable, que la revolución cubana se militarizó cada vez más, y terminó por adoptar un modelo de poder que no era su proyecto original. La omnipotencia del estado, que empezó siendo la respuesta a la omnipotencia del mercado, ha terminado por traducirse en impotencia burocrática. La revolución quería multiplicarse transformándose, y ha generado una burocracia que se reproduce repitiéndose. A esta altura, el bloqueo de adentro, el bloqueo autoritario, está resultando tan enemigo como el bloqueo imperial de afuera, contra la energía creadora que la revolución contiene. Son muchos los ciudadanos que pierden la opinión, por falta de uso. Pero otros hay que no tienen miedo de decir y tienen ganas de hacer, y por su aliento sigue Cuba viva y coleando: ellos prueban que las contradicciones son el pulso de la historia, mal que les pese a quienes las confunden con herejías o con molestias que la vida plantea a los planes.

Durante buena parte del siglo veinte, la existencia del bloque del este, el llamado *socialismo real,* favoreció las aventuras de independencia de algunos países que quisieron sacar la pata de la trampa de la división internacional del trabajo. Pero los estados socialistas del este de Europa tenían mucho de estados y poco o nada de socialistas. Cuando ocurrió la caída, fuimos todos invitados a los funerales del socialismo. Los enterradores se habían equivocado de difunto.

En nombre de la justicia, ese presunto socialismo había sacrificado la libertad. Reveladora simetría: en nombre de la libertad, el capitalismo sacrifica la justicia cada día. ¿Estamos todos obligados a arrodillarnos ante uno de los dos altares? Quienes creemos que la injusticia no es nuestro destino inevitable, no tenemos por qué reconocernos en el despotismo de una minoría negadora de la libertad, que no rendía cuentas a nadie, que trataba al pueblo como menor de edad y que confundía a la unidad con la unanimidad y a la diversidad con la traición. Aquel poder petrificado estaba divorciado de la gente. Eso explica, quizá, la facilidad con que se derrumbó, sin pena ni gloria, y la rapidez con que se impuso el poder nuevo, con los mismos personajes: los burócratas pegaron un salto de circo y, de buenas a primeras, se convirtieron en empresarios exitosos y capos mafiosos. Moscú tiene ahora el doble de casinos que Las Vegas, mientras los salarios caen a la mitad y en las calles la delincuencia crece como los hongos después de la lluvia.

Éstos son tiempos de trágica, y quizá también saludable, crisis de las certezas. Crisis de los que creyeron en estados que decían ser de todos pero eran de pocos, y terminaron siendo de nadie; cri-

Latinoamericanos

Dicen que hemos faltado a nuestra cita con la Historia, y hay que reconocer que nosotros llegamos tarde a todas las citas.

Tampoco hemos podido tomar el poder, y la verdad es que a veces nos perdemos por el camino o nos equivocamos de dirección, y después nos echamos un largo discurso sobre el tema.

Los latinoamericanos tenemos una jodida fama de charlatanes, vagabundos, buscabroncas, calentones y fiesteros, y por algo será. Nos han enseñado que, por ley del mercado, lo que no tiene precio no tiene valor, y sabemos que nuestra cotización no es muy alta. Sin embargo, nuestro fino olfato para los negocios nos hace pagar por todo lo que vendemos y nos permite comprar todos los espejos que nos traicionan la cara.

Llevamos quinientos años aprendiendo a odiarnos entre nosotros y a trabajar con alma y vida por nuestra propia perdición, y en eso estamos; pero todavía no hemos podido corregir nuestra manía de andar soñando despiertos y chocándonos con todo, y cierta tendencia a la resurrección inexplicable.

sis de los que creyeron en las fórmulas mágicas de la lucha armada; crisis de los que creyeron en la vía electoral, desde partidos que pasaron de la palabra ardiente a los discursos bajos de sal: partidos que empezaron prometiendo combatir el sistema y terminaron administrándolo. Son muchos los que piden disculpas por haber creído que se podía conquistar el cielo; son muchos los que fervorosamente se dedican a la borratina de sus propias huellas y se bajan de la esperanza, como si la esperanza fuera un caballo cansado.

Fin del siglo, fin del milenio: ¿fin del mundo? ¿Cuántos aires no envenenados nos quedan todavía? ¿Cuántas tierras no arrasadas, cuántas aguas no muertas? ¿Cuántas almas no enfermas? En su versión hebrea, la palabra *enfermo* significa «sin proyecto», y ésta es la más grave enfermedad entre las muchas pestes de estos tiempos. Pero alguien, quién sabe quién, escribió al pasar, en un muro de la ciudad de Bogotá: *Dejemos el pesimismo para tiempos mejores.*

En lengua castellana decimos, cuando se nos ocurre decir que tenemos esperanzas: abrigamos esperanzas. Linda expresión, lindo desafío: abrigarla, para que ella no se nos muera de frío en estas implacables intemperies de los tiempos que corren. Según una encuesta reciente, realizada en diecisiete países latinoamericanos, tres de cada cuatro personas dicen que su situación está estancada o que está empeorando. ¿Habrá que aceptar la desgracia como se acepta el invierno o la muerte? Ya va siendo hora de que los latinoamericanos empecemos a preguntarnos si vamos a resignarnos a padecer la vida y a ser nada más que la caricatura del norte. ¿No más que un espejo que multiplica las deformaciones de la imagen original?

¿El sálvese quien pueda empeorado hasta el muérase quien no pueda? ¿Multitudes de perdedores en una carrera que expulsa de la pista a la mayoría de la gente? ¿El crimen convertido en matanza, la histeria urbana elevada a la locura total? ¿No tenemos otra cosa que decir y vivir?

Ya casi no se escucha, afortunadamente, aquello de que la historia es infalible. A esta altura, bien sabemos que la historia se equivoca, se distrae, se duerme, se pierde. Nosotros la hacemos, y ella se nos parece. Pero ella es también, como nosotros, imprevisible. Con la historia humana ocurre lo mismo que ocurre con el fútbol: lo mejor que tiene es la capacidad de sorpresa. Contra todo pronóstico, contra toda evidencia, el chiquito pega a veces tremendo baile al grandote invencible.

Sobre la urdimbre de la realidad, por jodida que sea, nuevos tejidos están naciendo, y esos tejidos están hechos de una trama de muchos y muy diversos colores. Los movimientos sociales alternativos no solamente se expresan a través de los partidos y de los sindicatos: también así, pero no solamente así. El proceso no tiene nada de espectacular, y se da sobre todo a nivel local, pero por todas partes, en el mundo entero, están surgiendo mil y una fuerzas nuevas. Brotan desde abajo hacia arriba y desde adentro hacia afuera. Sin alharacas, están poniendo el hombro a la refundación de la democracia, nutrida por la participación popular, y están recuperando las castigadas tradiciones de tolerancia, ayuda mutua y comunión con la naturaleza. Uno de sus voceros, Manfred Max-Neef,

Los sin tierra

Sebastião Salgado los fotografió, Chico Buarque los cantó, José Saramago los escribió: cinco millones de familias de campesinos sin tierra deambulan, «vagando entre el sueño y la desesperación», por las desiertas inmensidades de Brasil.

Muchos de ellos se han organizado en el Movimiento de los Sin Tierra. Desde los campamentos, improvisados a las orillas de las carreteras, se desprenden ríos de gente que a través de la noche avanzan, en silencio, sobre los latifundios vacíos. Rompen el candado, abren la tranquera, entran. A veces los reciben, a balazos, los pistoleros o los soldados, que son los únicos que trabajan en esas tierras no trabajadas.

El Movimiento de los Sin Tierra es culpable: no sólo no respeta el derecho de propiedad de los zánganos, sino que además, para colmo, tampoco respeta el deber nacional: los sin tierra cultivan alimentos en las tierras que conquistan, aunque el Banco Mundial manda que los países del sur no produzcan su propia comida y sean sumisos mendigos del mercado internacional.

las define como una nube de mosquitos, lanzados al ataque contra el sistema que niega el abrazo y obliga al codazo:

—*Más poderosa que el rinoceronte* —dice—, *es la nube de mosquitos. Que crecen y crecen, zumban y zumban.*

Los zapatistas

La niebla es el pasamontañas que usa la selva. Así ella oculta a sus hijos perseguidos. De la niebla salen, a la niebla vuelven: los indios de Chiapas visten ropas majestuosas, caminan flotando, callan o hablan de callada manera. Estos príncipes, condenados a la servidumbre, fueron los primeros y son los últimos. Han sido expulsados de la tierra y de la historia, y han encontrado refugio en la niebla, en el misterio. De allí han salido, enmascarados, para desenmascarar al poder que los humilla.

En América latina, son una peligrosa especie en expansión: las organizaciones de los sin tierra y los sin techo, los sin trabajo, los sin; los grupos que trabajan por los derechos humanos; los pañuelos blancos de las madres y las abuelas enemigas de la impunidad del poder; los movimientos que agrupan a los vecinos de los barrios; los frentes ciudadanos que pelean por precios justos y productos sanos; los que luchan contra la discriminación racial y sexual, contra el machismo y contra la explotación de los niños; los ecologistas; los pacifistas; los promotores de salud y los educadores populares; los que desencadenan la creación colectiva y los que rescatan la memoria colectiva; las cooperativas que practican la agricultura orgánica; las radios y las televisiones comunitarias; y muchas

otras voces de la participación popular, que no son ruedas auxiliares de los partidos, ni capillas sometidas a ningún Vaticano. Con frecuencia, estas energías de la sociedad civil sufren el acoso del poder, que a veces las combate a bala. Algunos militantes caen, acribillados, en el camino. Que los dioses y los diablos los tengan en la gloria: son los árboles que dan frutos los que sufren las pedradas.

Salvo alguna que otra excepción, como los zapatistas de Chiapas y los sin tierra de Brasil, rara vez estos movimientos ocupan el primer plano de la atención pública; y no porque no lo merezcan. Por mencionar algún caso, una de estas organizaciones populares, nacida en los últimos años y desconocida fuera de las fronteras de su país, brinda un ejemplo que los presidentes latinoamericanos deberían imitar. El Barzón se llama la organización de los deudores que en México se han unido, para defenderse de la usura de los bancos. El Barzón surgió espontáneamente. Al principio, fueron poquitos. Poquitos, pero contagiosos. Ahora, forman multitud. Bien harían nuestros presidentes en aprender de esa experiencia, para que los países se junten, como en México se juntó la gente, y formen un frente único contra el despotismo financiero, que impone su voluntad negociando con cada país por separado. Pero los presidentes tienen los oídos ocupados por los sonoros lugares comunes que intercambian cada vez que se reúnen y posan, rodeando al presidente de los Estados Unidos, la Madre Patria, siempre ubicado en el centro de la foto de familia.

Está ocurriendo en muchos lugares del mapa latinoamericano: contra los gases paralizantes del miedo, la gente se une y, unida, aprende a no achicarse. Como dice el Viejo Antonio, «cada cual es tan pequeño como el miedo que siente, y tan grande como el enemigo que elige». Esa gente, desachicada, está diciendo lo suyo. No hay más mandar que el *mandar obedeciendo*. Por poner otro ejemplo mexicano, el subcomandante Marcos expresa a los sub: los subdesarrollados, los subalimentados, los subtratados, los subescuchados. Las comunidades indígenas de Chiapas discuten y deciden, y él es boca de sus voces. ¿La voz de los que no tienen voz? Ellos, los obligados al silencio, son los más que más voz tienen. Dicen por lo que hablan, dicen por lo que callan.

La historia oficial, memoria mutilada, es una larga ceremonia de autoelogio de los mandones que en el mundo son. Sus reflectores, que iluminan las cumbres, dejan la base en la oscuridad.

Advertencia

La autoridad competente advierte a la población que andan sueltos unos cuantos jóvenes cimarrones, matreros errantes, vagos y mal entretenidos, que son portadores del peligroso virus que contagia la peste de la desobediencia.

Afortunadamente para la salud pública, no es difícil identificar a estos sujetos, que manifiestan una escandalosa tendencia a pensar en voz alta, a soñar en colores y a violar las normas de resignación colectiva que constituyen la esencia de la convivencia democrática. Ellos se caracterizan por carecer del certificado de vejez obligatoria, pese a que, como es notorio, este documento se proporciona gratuitamente en cualquier esquina de la ciudad o palenque del campo, en cumplimiento de la campaña «Mente anciana en cuerpo sano», que nuestro país realiza con éxito desde hace ya muchos años.

Ratificando el principio de autoridad, y haciendo caso omiso de las provocaciones de esta minoría de alborotadores, el Superior Gobierno deja constancia, una vez más, de su irrevocable decisión de continuar velando por el desarrollo de los jóvenes, que son el principal producto de exportación del país y constituyen la base del equilibrio de nuestra balanza comercial y de pagos.

Los invisibles de siempre integran, a lo sumo, la escenografía de la historia, como los extras de Hollywood. Pero son ellos, los actores de la historia real, los negados, mentidos, escondidos protagonistas de la realidad pasada y presente, quienes encarnan el espléndido abanico de otra realidad posible. Cegada por el elitismo, el racismo, el machismo y el militarismo, América sigue ignorando la plenitud que contiene. Y esto es dos veces cier-

La parentela

Somos familia de todo lo que brota, crece, madura, se cansa, muere y renace.

Cada niño tiene muchos padres, tíos, hermanos, abuelos. Abuelos son los muertos y los cerros. Hijos de la tierra y del sol, regados por las lluvias hembras y las lluvias machos, somos todos parientes de las semillas, de los maíces, de los ríos y de los zorros que aúllan anunciando cómo viene el año. Las piedras son parientes de las culebras y de las lagartijas. El maíz y el frijol, hermanos entre sí, crecen juntos sin pegarse. Las papas son hijas y madres de quien las planta, porque quien crea es creado.

Todo es sagrado, y nosotros también. A veces nosotros somos dioses y los dioses son, a veces, personitas nomás.

Así dicen, así saben, los indígenas de los Andes.

La música

Era un mago del arpa. En los llanos de Colombia, no había fiesta sin él. Para que la fiesta fuera fiesta, Mesé Figueredo tenía que estar allí, con sus dedos bailanderos que alegraban los aires y alborotaban las piernas.

Una noche, en algún sendero perdido, lo asaltaron los ladrones. Iba Mesé Figueredo camino de una boda, a lomo de mula, en una mula él, en la otra el arpa, cuando unos ladrones se le echaron encima y lo molieron a golpes.

Al día siguiente, alguien lo encontró. Estaba tirado en el camino, un trapo sucio de barro y sangre, más muerto que vivo. Y entonces aquella piltrafa dijo, con un resto de voz:

—*Se llevaron las mulas.*

Y dijo:

—*Y se llevaron el arpa.*

Y tomó aliento y se rió:

—*Pero no se llevaron la música.*

to para el sur: América latina cuenta con la más fabulosa diversidad humana y vegetal del planeta. Allí residen su fecundidad y su promesa. Como dice el antropólogo Rodolfo Stavenhagen, «la diversidad cultural es a la especie humana, lo que la diversidad biológica es a la riqueza genética del mundo». Para que estas energías puedan expresar las posibles maravillas de la gente y de la tierra, habría que empezar por no confundir a la identidad con la arqueología, ni a la naturaleza con el paisaje. La identidad no está quieta en los museos, ni la ecología se reduce a la jardinería.

Hace cinco siglos, la gente y la tierra de las Américas se incorporaron al mercado mundial en carácter de cosas. Unos pocos conquistadores, los conquistadores conquistados, fueron capaces de adivinar la pluralidad americana, y en ella, y por ella, vivieron; pero la conquista, empresa ciega y enceguecedora como toda invasión imperial, sólo podía reconocer a los indígenas, y a la naturaleza, como objetos de explotación o como obstáculos. La diversidad cultural fue descalificada como ignorancia y penada como herejía, en nombre del dios único, la lengua única y la verdad única, mientras la naturaleza, bestia feroz, era domada y obligada a convertirse en dinero. La comunión de los indígenas con la tierra constituía la certeza esencial de todas las culturas americanas, y este pecado de idolatría mereció castigo de azote, horca o fuego.

Ya no se habla de *someter* a la naturaleza: ahora sus verdugos prefieren decir que hay que *protegerla*. En uno y en otro caso, antes y ahora, la naturaleza está *fuera* de nosotros: la civilización que confunde a los relojes con el tiempo, también confunde a la naturaleza con las tarjetas postales. Pero la vitalidad del mundo, que se burla de cualquier clasificación y está más allá de cualquier explicación, no se queda nunca quieta. La naturaleza se realiza en movimiento, y también nosotros, sus hijos, que somos lo que somos y a la vez somos lo que hacemos para cambiar lo que somos. Como decía Paulo Freire, el educador que murió aprendiendo: *Somos andando.*

La verdad está en el viaje, no en el puerto. No hay más verdad que la búsqueda de la verdad. ¿Estamos condenados al crimen? Bien sabemos que los bichos humanos andamos muy dedicados a devorar al prójimo y a devastar el planeta, pero también sabemos que nosotros no estaríamos aquí si nuestros remotos abuelos del paleolítico no hubieran sabido adaptarse a la naturaleza de la que formaban parte, y si no hubieran sido capaces de compartir lo que recolectaban y cazaban. Viva donde viva, viva como viva, viva cuando viva, cada persona contiene a muchas personas posibles, y es el sistema de poder, que nada tiene de eterno, quien cada día invita a salir a escena a nuestros habitantes más jodidos, mientras impide que los otros crezcan y les prohíbe aparecer. Aunque estamos mal hechos, no estamos terminados; y es la aventura de cambiar y de cambiarnos la que hace que valga la pena este parpadeo en la historia del universo, este fugaz calorcito entre dos hielos, que nosotros somos.

Fuentes consultadas

Blackburn, Robin, y otros, «After the fall. The failure of communism and the future of socialism». Londres, Verso, 1991.

Burbach, Roger, «Socialism is dead, long live socialism». En *Nacla*, Nueva York, noviembre/diciembre de 1997.

Ejército Zapatista de Liberación Nacional, «Documentos y comunicados». México, Era, 1994 y 1995.

Fals Borda, Orlando, y otros, «Investigación participativa y praxis rural». Santiago de Chile, CEAAL, 1988.

— «Participación popular: retos del futuro». Bogotá, ICFES/IEPRI/Colciencias, 1998.

Fernandes, Bernardo Marcano, «MST, Movimento dos Trabalhadores Rurais Sem-Terra: formação e territorialização en São Paulo». San Pablo, Hucitec, 1996.

Freire, Paulo, «La educación como práctica de la libertad». México, Siglo-XXI, 1995.

Gallo, Max, «Manifiesto para un oscuro fin de siglo». Madrid, Siglo-XXI, 1991.

Genro, Tarso, y Ubiratan de Souza, «Orçamento participativo. A expêriencia de Porto Alegre». Porto Alegre, Fundação Abramo, 1997.

Grammond Barbet, Hubert, «El Barzón: ¿un movimiento social contra la crisis económica o un movimiento social de nuevo cuño?». Conferencia en Querétaro, UNAM/PIISECAM/AMER, marzo de 1998.

Latouche, Serge, «La planète des naufragés». París, La Découverte, 1993.

López Vigil, María, «Sociedad civil en Cuba: diccionario urgente». En *Envío,* Managua, julio de 1997.
Nax-Neef, Manfred, «La economía descalza». Montevideo, Cepaur/Nordan, 1984.
— «Economía, humanismo y neoliberalismo», en «Participación popular: retos del futuro». Bogotá, ICFES/IEPRI/ Colciencias, 1998.
Rodgers, Dennis, «Un antropólogo-pandillero en un barrio de Managua». En *Envío,* Managua, julio de 1997.
Rengifo, Grimaldo, «La interculturalidad en los Andes», en el encuentro *Con los pies en la tierra,* Asociación para el Desarrollo Campesino/Colombia Multicolor. La Cocha, Colombia, 1998.
Stavenhagen, Rodolfo, «Racismo y xenofobia en tiempos de la globalización». En *Estudios sociológicos,* n.° 34, Colegio de México, 1994.
United States Senate, «Covert action in Chile, 1963/1973. Staff report of the select committee to study governmental operations with respect to intelligence activities». Washington, 1975.
Zurita, Félix, video citado.

El derecho al delirio

Ya está naciendo el nuevo milenio. No da para tomarse el asunto demasiado en serio: al fin y al cabo, el año 2001 de los cristianos es el año 1379 de los musulmanes, el 5114 de los mayas y el 5762 de los judíos. El nuevo milenio nace un primero de enero por obra y gracia de un capricho de los senadores del imperio romano, que un buen día decidieron romper la tradición que mandaba celebrar el año nuevo en el comienzo de la primavera. Y la cuenta de los años de la era cristiana proviene de otro capricho: un buen día, el papa de Roma decidió poner fecha al nacimiento de Jesús, aunque nadie sabe cuándo nació.

El tiempo se burla de los límites que le inventamos para creernos el cuento de que él nos obedece; pero el mundo entero celebra y teme esta frontera.

Una invitación al vuelo

Milenio va, milenio viene, la ocasión es propicia para que los oradores de inflamada verba peroren sobre el destino de la humanidad, y para que los voceros de la ira de Dios anuncien el fin del mundo y la reventazón general, mientras el tiempo continúa, calladito la boca, su caminata a lo largo de la eternidad y del misterio.

La verdad sea dicha, no hay quien resista: en una fecha así, por arbitraria que sea, cualquiera siente la tentación de preguntarse cómo será el tiempo que será. Y vaya uno a saber cómo será. Tenemos una única certeza: en el siglo veintiuno, si todavía estamos aquí, todos nosotros seremos gente del siglo pasado y, peor todavía, seremos gente del pasado milenio.

Aunque no podemos adivinar el tiempo que será, sí que tenemos, al menos, el derecho de imaginar el que queremos que sea. En 1948 y en 1976, las Naciones Unidas proclamaron extensas listas de derechos humanos; pero la inmensa mayoría de la humanidad no tiene más que el derecho de ver, oír y callar. ¿Qué tal si empezamos a ejercer el jamás proclamado derecho de soñar? ¿Qué tal si deliramos, por un ratito? Vamos a clavar los ojos más allá de la infamia, para adivinar otro mundo posible:

el aire estará limpio de todo veneno que no venga de los miedos humanos y de las humanas pasiones;

en las calles, los automóviles serán aplastados por los perros;

la gente no será manejada por el automóvil, ni será programada por la computadora, ni será comprada por el supermercado, ni será mirada por el televisor;

el televisor dejará de ser el miembro más importante de la familia, y será tratado como la plancha o el lavarropas;

la gente trabajará para vivir, en lugar de vivir para trabajar;

se incorporará a los códigos penales el delito de estupidez, que cometen quienes viven por tener o por ganar, en vez de vivir por vivir nomás, como canta el pájaro sin saber que canta y como juega el niño sin saber que juega;

en ningún país irán presos los muchachos que se nieguen a cumplir el servicio militar, sino los que quieran cumplirlo;

los economistas no llamarán *nivel de vida* al nivel de consumo, ni llamarán *calidad de vida* a la cantidad de cosas;

los cocineros no creerán que a las langostas les encanta que las hiervan vivas;

los historiadores no creerán que a los países les encanta ser invadidos;

los políticos no creerán que a los pobres les encanta comer promesas;

la solemnidad se dejará de creer que es una virtud, y nadie tomará en serio a nadie que no sea capaz de tomarse el pelo;

la muerte y el dinero perderán sus mágicos poderes, y ni por defunción ni por fortuna se convertirá el canalla en virtuoso caballero;

nadie será considerado héroe ni tonto por hacer lo que cree justo en lugar de hacer lo que más le conviene;

el mundo ya no estará en guerra contra los pobres, sino contra la pobreza, y la industria militar no tendrá más remedio que declararse en quiebra;

la comida no será una mercancía, ni la comunicación un negocio, porque la comida y la comunicación son derechos humanos;

nadie morirá de hambre, porque nadie morirá de indigestión;

los niños de la calle no serán tratados como si fueran basura, porque no habrá niños de la calle;

los niños ricos no serán tratados como si fueran dinero, porque no habrá niños ricos;

la educación no será el privilegio de quienes puedan pagarla;

la policía no será la maldición de quienes no puedan comprarla;

la justicia y la libertad, hermanas siamesas condenadas a vivir separadas, volverán a juntarse, bien pegaditas, espalda contra espalda;

una mujer, negra, será presidenta de Brasil y otra mujer, negra, será presidenta de los Estados Unidos de América; una mujer india gobernará Guatemala y otra, Perú;

en Argentina, las *locas* de Plaza de Mayo serán un ejemplo de salud mental, porque ellas se negaron a olvidar en los tiempos de la amnesia obligatoria;

la Santa Madre Iglesia corregirá las erratas de las tablas de Moisés, y el sexto mandamiento ordenará festejar el cuerpo;

la Iglesia también dictará otro mandamiento, que se le había olvidado a Dios: «Amarás a la naturaleza, de la que formas parte»;

serán reforestados los desiertos del mundo y los desiertos del alma;

los desesperados serán esperados y los perdidos serán encontrados, porque ellos son los que se desesperaron de tanto esperar y los que se perdieron de tanto buscar;

seremos compatriotas y contemporáneos de todos los que tengan voluntad de justicia y voluntad de belleza, hayan nacido donde hayan nacido y hayan vivido cuando hayan vivido, sin que importen ni un poquito las fronteras del mapa o del tiempo;

la perfección seguirá siendo el aburrido privilegio de los dioses; pero en este mundo chambón y jodido, cada noche será vivida como si fuera la última y cada día como si fuera el primero.

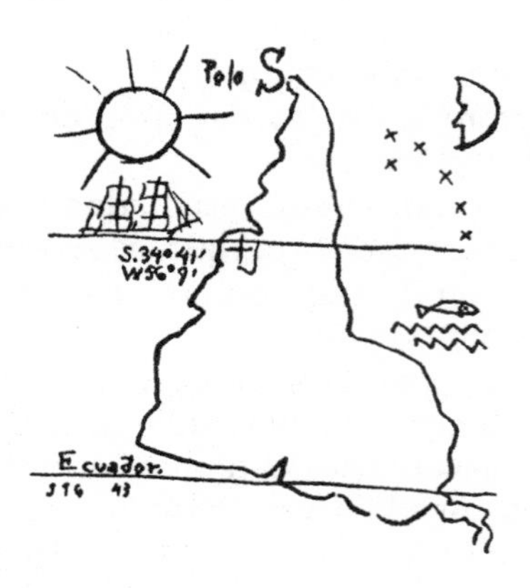

Una pregunta

En el siglo doce, el geógrafo oficial del reino de Sicilia, Al-Idrisi, trazó el mapa del mundo, el mundo que Europa conocía, con el sur arriba y el norte abajo. Eso era habitual en la cartografía de aquellos tiempos. Y así, con el sur arriba, dibujó el mapa sudamericano, ocho siglos después, el pintor uruguayo Joaquín Torres-García. «Nuestro norte es el sur», dijo. «Para irse al norte, nuestros buques bajan, no suben».

Si el mundo está, como ahora está, patas arriba, ¿no habría que darlo vuelta, para que pueda pararse sobre sus pies?

El autor terminó de escribir este libro en agosto de 1998. Si quiere usted saber cómo continúa, lea, escuche o mire las noticias de cada día.

Índice de nombres

Índice